Frie[...] W9-CSS-038

Jenseits von Gut und Böse

Vorspiel einer Philosophie der Zukunft

Nachwort von
Volker Gerhardt

Philipp Reclam jun. Stuttgart

RECLAMS UNIVERSAL-BIBLIOTHEK Nr. 7114
Alle Rechte vorbehalten
© 1988 Philipp Reclam jun. GmbH & Co., Stuttgart
Gesamtherstellung: Reclam, Ditzingen. Printed in Germany 2005
RECLAM, UNIVERSAL-BIBLIOTHEK und
RECLAMS UNIVERSAL-BIBLIOTHEK sind eingetragene Marken
der Philipp Reclam jun. GmbH & Co., Stuttgart
ISBN 3-15-007114-3

www.reclam.de

Vorrede.

Vorausgesetzt, dass die Wahrheit ein Weib ist –, wie? ist der
Verdacht nicht gegründet, dass alle Philosophen, sofern sie
Dogmatiker waren, sich schlecht auf Weiber verstanden? dass
der schauerliche Ernst, die linkische Zudringlichkeit, mit der
sie bisher auf die Wahrheit zuzugehen pflegten, ungeschickte
und unschickliche Mittel waren, um gerade ein Frauenzim-
mer für sich einzunehmen? Gewiss ist, dass sie sich nicht hat
einnehmen lassen: – und jede Art Dogmatik steht heute mit
betrübter und muthloser Haltung da. W e n n sie überhaupt
noch steht! Denn es giebt Spötter, welche behaupten, sie sei
gefallen, alle Dogmatik liege zu Boden, mehr noch, alle Dogmatik liege in den letzten Zügen. Ernstlich geredet, es giebt
gute Gründe zu der Hoffnung, dass alles Dogmatisiren in der
Philosophie, so feierlich, so end- und letztgültig es sich auch
gebärdet hat, doch nur eine edle Kinderei und Anfängerei gewesen sein möge; und die Zeit ist vielleicht sehr nahe, wo
man wieder und wieder begreifen wird, w a s eigentlich
schon ausgereicht hat, um den Grundstein zu solchen erhabenen und unbedingten Philosophen-Bauwerken abzugeben,
welche die Dogmatiker bisher aufbauten, – irgend ein Volks-
Aberglaube aus unvordenklicher Zeit (wie der Seelen-Aber-
glaube, der als Subjekt- und Ich-Aberglaube auch heute noch
nicht aufgehört hat, Unfug zu stiften), irgend ein Wortspiel
vielleicht, eine Verfüh[12]rung von Seiten der Grammatik
her oder eine verwegene Verallgemeinerung von sehr engen,
sehr persönlichen, sehr menschlich-allzumenschlichen Thatsachen. Die Philosophie der Dogmatiker war hoffentlich nur
ein Versprechen über Jahrtausende hinweg: wie es in noch
früherer Zeit die Astrologie war, für deren Dienst vielleicht
mehr Arbeit, Geld, Scharfsinn, Geduld aufgewendet worden
ist, als bisher für irgend eine wirkliche Wissenschaft: – man
verdankt ihr und ihren »überirdischen« Ansprüchen in Asien
und Ägypten den grossen Stil der Baukunst. Es scheint, dass

alle grossen Dinge, um der Menschheit sich mit ewigen Forderungen in das Herz einzuschreiben, erst als ungeheure und
furchteinflössende Fratzen über die Erde hinwandeln müssen: eine solche Fratze war die dogmatische Philosophie,
zum Beispiel die Vedanta-Lehre in Asien, der Platonismus in
Europa. Seien wir nicht undankbar gegen sie, so gewiss es
auch zugestanden werden muss, dass der schlimmste, lang-
wierigste und gefährlichste aller Irrthümer bisher ein Dogma-
tiker-Irrthum gewesen ist, nämlich Plato's Erfindung vom
reinen Geiste und vom Guten an sich. Aber nunmehr, wo er
überwunden ist, wo Europa von diesem Alpdrucke aufathmet
und zum Mindesten eines gesunderen – Schlafs geniessen
darf, sind wir, d e r e n A u f g a b e d a s W a c h s e i n s e l b s t
i s t , die Erben von all der Kraft, welche der Kampf gegen
diesen Irrthum grossgezüchtet hat. Es hiess allerdings die
Wahrheit auf den Kopf stellen und das P e r s p e k t i v i s c h e ,
die Grundbedingung alles Lebens, selber verleugnen, so vom
Geiste und vom Guten zu reden, wie Plato gethan hat; ja man
darf, als Arzt, fragen: »woher eine solche Krankheit am
schönsten Gewächse des Alterthums, an Plato? hat ihn doch
der böse Sokrates verdorben? wäre Sokrates doch der Verder-
ber der Jugend gewesen? und hätte seinen Schierling ver-
dient?« – Aber der Kampf gegen Plato, oder, um es verständ-
licher und für's »Volk« zu sagen, der Kampf gegen den christ-
lich-kirchlichen Druck von Jahrtausenden – denn Christenthum ist Platonismus für's »Volk« – hat in Europa eine
prachtvolle Spannung des [13] Geistes geschaffen, wie sie auf
Erden noch nicht da war: mit einem so gespannten Bogen
kann man nunmehr nach den fernsten Zielen schiessen. Freilich, der europäische Mensch empfindet diese Spannung als
Nothstand; und es ist schon zwei Mal im grossen Stile versucht worden, den Bogen abzuspannen, einmal durch den
Jesuitismus, zum zweiten Mal durch die demokratische Aufklärung: – als welche mit Hülfe der Pressfreiheit und des
Zeitunglesens es in der That erreichen dürfte, dass der Geist
sich selbst nicht mehr so leicht als »Noth« empfindet! (Die

Deutschen haben das Pulver erfunden – alle Achtung! aber sie haben es wieder quitt gemacht – sie erfanden die Presse.) Aber wir, die wir weder Jesuiten, noch Demokraten, noch selbst Deutsche genug sind, wir guten Europäer und freien, sehr freien Geister – wir haben sie noch, die ganze Noth des Geistes und die ganze Spannung seines Bogens! Und vielleicht auch den Pfeil, die Aufgabe, wer weiss? das Ziel . . . . .

Sils-Maria, Oberengadin
     im Juni 1885.

Erstes Hauptstück:
von den Vorurtheilen der Philosophen.

1.

Der Wille zur Wahrheit, der uns noch zu manchem Wagnisse
verführen wird, jene berühmte Wahrhaftigkeit, von der alle
Philosophen bisher mit Ehrerbietung geredet haben: was für
Fragen hat dieser Wille zur Wahrheit uns schon vorgelegt!
Welche wunderlichen schlimmen fragwürdigen Fragen! Das
ist bereits eine lange Geschichte, – und doch scheint es, dass
sie kaum eben angefangen hat? Was Wunder, wenn wir endlich einmal misstrauisch werden, die Geduld verlieren, uns
ungeduldig umdrehn? Dass w i r von dieser Sphinx auch
unserseits das Fragen lernen? W e r ist das eigentlich, der uns
hier Fragen stellt? W a s in uns will eigentlich »zur Wahrheit«? – In der That, wir machten lange Halt vor der Frage
nach der Ursache dieses Willens, – bis wir, zuletzt, vor einer
noch gründlicheren Frage ganz und gar stehen blieben. Wir
fragten nach dem W e r t h e dieses Willens. Gesetzt, wir wollen Wahrheit: w a r u m n i c h t l i e b e r Unwahrheit? Und
Ungewissheit? Selbst Unwissenheit? – Das Problem vom
Werthe der Wahrheit trat vor uns hin, – oder waren wir's, die
vor das Problem hin traten? Wer von uns ist hier Oedipus?
Wer Sphinx? Es ist ein Stelldichein, wie es scheint, von Fragen und Fragezeichen. – Und sollte man's glauben, dass es
uns schliesslich bedünken will, als sei das Problem noch nie
bisher gestellt, – als sei es von uns zum ersten Male gesehn,
in's Auge gefasst, g e w a g t ? Denn es ist ein Wagnis dabei,
und vielleicht giebt es kein grösseres.

2.

»Wie k ö n n t e Etwas aus seinem Gegensatz entstehn? Zum
Beispiel die Wahrheit aus dem Irrthume? Oder der Wille
zur Wahrheit aus dem Willen zur Täuschung? Oder die selbst-
lose Handlung aus dem Eigennutze? Oder das reine sonnen-

hafte Schauen des Weisen aus der Begehrlichkeit? Solcherlei
Entstehung ist unmöglich; wer davon träumt, ein Narr,
ja Schlimmeres; die Dinge höchsten Werthes müssen einen
anderen, e i g e n e n Ursprung haben, – aus dieser vergäng-
lichen verführerischen täuschenden geringen Welt, aus diesem
Wirrsal von Wahn und Begierde sind sie unableitbar! Vielmehr im Schoosse des Sein's, im Unvergänglichen, im verborgenen Gotte, im »Ding an sich« – d a muss ihr Grund
liegen, und sonst nirgendswo!« – Diese Art zu urtheilen
macht das typische Vorurtheil aus, an dem sich die Metaphysiker aller Zeiten wieder erkennen lassen; diese Art von
Werthschätzungen steht im Hintergrunde aller ihrer logischen Prozeduren; aus diesem ihrem »Glauben« heraus be-
mühn sie sich um ihr »Wissen«, um Etwas, das feierlich am
Ende als »die Wahrheit« getauft wird. Der Grundglaube der
Metaphysiker ist d e r G l a u b e a n d i e G e g e n s ä t z e d e r
W e r t h e. Es ist auch den Vorsichtigsten unter ihnen nicht
eingefallen, hier an der Schwelle bereits zu zweifeln, wo es
doch am nöthigsten war: selbst wenn sie sich gelobt hatten
»de omnibus dubitandum«. Man darf nämlich zweifeln,
erstens, ob es Gegensätze überhaupt giebt, und zweitens, ob
jene volksthümlichen Werthschätzungen und Werth-Gegensätze, auf welche die Metaphysiker ihr Siegel gedrückt haben,
nicht vielleicht nur Vordergrunds-Schätzungen sind, nur
vorläufige Perspektiven, vielleicht noch dazu aus einem Winkel heraus, vielleicht von Unten hinauf, Frosch-Perspektiven
gleichsam, um einen Ausdruck zu borgen, der den Malern
geläufig ist? Bei allem Werthe, der dem Wahren, dem Wahrhaftigen, dem Selbstlosen zukommen mag: es wäre möglich,
dass dem Scheine, dem Willen zur Täuschung, dem Eigen-
nutz und der Begierde ein für alles Leben höherer und grund-
sätzlicherer Werth [17] zugeschrieben werden müsste. Es
wäre sogar noch möglich, dass w a s den Werth jener guten
und verehrten Dinge ausmacht, gerade darin bestünde, mit
jenen schlimmen, scheinbar entgegengesetzten Dingen auf
verfängliche Weise verwandt, verknüpft, verhäkelt, vielleicht

gar wesensgleich zu sein. Vielleicht! – Aber wer ist Willens, sich um solche gefährliche Vielleichts zu kümmern! Man muss dazu schon die Ankunft einer neuen Gattung von Philosophen abwarten, solcher, die irgend welchen anderen umgekehrten Geschmack und Hang haben als die bisherigen, – Philosophen des gefährlichen Vielleicht in jedem Verstande. – Und allen Ernstes gesprochen: ich sehe solche neue Philosophen heraufkommen.

3.

Nachdem ich lange genug den Philosophen zwischen die Zeilen und auf die Finger gesehn habe, sage ich mir: man muss noch den grössten Theil des bewussten Denkens unter die Instinkt-Thätigkeiten rechnen, und sogar im Falle des philosophischen Denkens; man muss hier umlernen, wie man in Betreff der Vererbung und des »Angeborenen« umgelernt hat. So wenig der Akt der Geburt in dem ganzen Vor- und Fortgange der Vererbung in Betracht kommt: ebenso wenig ist »Bewusstsein« in irgend einem entscheidenden Sinne dem Instinktiven e n t g e g e n g e s e t z t , – das meiste bewusste Denken eines Philosophen ist durch seine Instinkte heimlich geführt und in bestimmte Bahnen gezwungen. Auch hinter aller Logik und ihrer anscheinenden Selbstherrlichkeit der Bewegung stehen Werthschätzungen, deutlicher gesprochen, physiologische Forderungen zur Erhaltung einer bestimmten Art von Leben. Zum Beispiel, dass das Bestimmte mehr werth sei als das Unbestimmte, der Schein weniger werth als die »Wahrheit«: dergleichen Schätzungen könnten, bei aller ihrer regulativen Wichtigkeit für u n s , doch nur Vordergrunds-Schätzungen sein, eine bestimmte Art von niaiserie, wie sie gerade zur [18] Erhaltung von Wesen, wie wir sind, noth thun mag. Gesetzt nämlich, dass nicht gerade der Mensch das »Maass der Dinge« ist . . . . .

4.

Die Falschheit eines Urtheils ist uns noch kein Einwand gegen ein Urtheil; darin klingt unsre neue Sprache vielleicht am fremdesten. Die Frage ist, wie weit es lebenfördernd, lebenerhaltend, Art-erhaltend, vielleicht gar Art-züchtend ist; und wir sind grundsätzlich geneigt zu behaupten, dass die falschesten Urtheile (zu denen die synthetischen Urtheile a priori gehören) uns die unentbehrlichsten sind, dass ohne ein Geltenlassen der logischen Fiktionen, ohne ein Messen der Wirklichkeit an der rein erfundenen Welt des Unbedingten, Sich-selbst-Gleichen, ohne eine beständige Fälschung der Welt durch die Zahl der Mensch nicht leben könnte, – dass Verzichtleisten auf falsche Urtheile ein Verzichtleisten auf Leben, eine Verneinung des Lebens wäre. Die Unwahrheit als Lebensbedingung zugestehn: das heisst freilich auf eine gefährliche Weise den gewohnten Werthgefühlen Widerstand leisten; und eine Philosophie, die das wagt, stellt sich damit allein schon jenseits von Gut und Böse.

5.

Was dazu reizt, auf alle Philosophen halb misstrauisch, halb spöttisch zu blicken, ist nicht, dass man wieder und wieder dahinter kommt, wie unschuldig sie sind – wie oft und wie leicht sie sich vergreifen und verirren, kurz ihre Kinderei und Kindlichkeit – sondern dass es bei ihnen nicht redlich genug zugeht: während sie allesammt einen grossen und tugendhaften Lärm machen, sobald das Problem der Wahrhaftigkeit auch nur von ferne angerührt wird. Sie stellen sich sämmtlich, als ob sie ihre eigentlichen Meinungen durch die Selbstentwicklung einer kalten, reinen, [19] göttlich unbekümmerten Dialektik entdeckt und erreicht hätten (zum Unterschiede von den Mystikern jeden Rangs, die ehrlicher als sie und tölpelhafter sind – diese reden von »Inspiration« –): während im Grunde ein vorweggenommener Satz, ein Einfall, eine »Eingebung«, zumeist ein abstrakt gemachter und durchgesiebter Herzenswunsch von ihnen mit hinterher gesuchten

Gründen vertheidigt wird: – sie sind allesammt Advokaten, welche es nicht heissen wollen, und zwar zumeist sogar verschmitzte Fürsprecher ihrer Vorurtheile, die sie »Wahrheiten« taufen – und s e h r ferne von der Tapferkeit des Gewissens, das sich dies, eben dies eingesteht, sehr ferne von dem guten Geschmack der Tapferkeit, welche dies auch zu verstehen giebt, sei es um einen Feind oder Freund zu warnen, sei es aus Uebermuth und um ihrer selbst zu spotten. Die ebenso steife als sittsame Tartüfferie des alten Kant, mit der er uns auf die dialektischen Schleichwege lockt, welche zu seinem »kategorischen Imperativ« führen, richtiger verführen – dies Schauspiel macht uns Verwöhnte lächeln, die wir keine kleine Belustigung darin finden, den feinen Tücken alter Moralisten und Moralprediger auf die Finger zu sehn. Oder gar jener Hocuspocus von mathematischer Form, mit der Spinoza seine Philosophie – »die Liebe zu s e i n e r Weisheit« zuletzt, das Wort richtig und billig ausgelegt – wie in Erz panzerte und maskirte, um damit von vornherein den Muth des Angreifenden einzuschüchtern, der auf diese unüberwindliche Jungfrau und Pallas Athene den Blick zu werfen wagen würde: – wie viel eigne Schüchternheit und Angreifbarkeit verräth diese Maskerade eines einsiedlerischen Kranken!

6.

Allmählich hat sich mir herausgestellt, was jede grosse Philosophie bisher war: nämlich das Selbstbekenntnis ihres Urhebers und eine Art ungewollter und unvermerkter mémoires; insgleichen, dass die moralischen (oder unmoralischen) Absichten in [20] jeder Philosophie den eigentlichen Lebenskeim ausmachten, aus dem jedesmal die ganze Pflanze gewachsen ist. In der That, man thut gut (und klug), zur Erklärung davon, wie eigentlich die entlegensten metaphysischen Behauptungen eines Philosophen zu Stande gekommen sind, sich immer erst zu fragen: auf welche Moral will es (will e r –) hinaus? Ich glaube demgemäss nicht, dass ein »Trieb zur Erkenntniss« der Vater der Philosophie ist, sondern dass sich ein andrer Trieb, hier wie sonst, der Erkenntniss (und der Verkenntniss!) nur wie eines Werkzeugs bedient hat. Wer aber die Grundtriebe des Menschen darauf hin ansieht, wie weit sie gerade hier als in s p i r i r e n d e Genien (oder Dämonen und Kobolde –) ihr Spiel getrieben haben mögen, wird finden, dass sie Alle schon einmal Philosophie getrieben haben, – und dass jeder Einzelne von ihnen gerade s i c h gar zu gerne als letzten Zweck des Daseins und als berechtigten H e r r n aller übrigen Triebe darstellen möchte. Denn jeder Trieb ist herrschsüchtig: und als s o l c h e r versucht er zu philosophiren. – Freilich: bei den Gelehrten, den eigentlich wissenschaftlichen Menschen, mag es anders stehn – »besser«, wenn man will –, da mag es wirklich so Etwas wie einen Erkenntnisstrieb geben, irgend ein kleines unabhängiges Uhrwerk, welches, gut aufgezogen, tapfer darauf los arbeitet, o h n e dass die gesammten übrigen Triebe des Gelehrten wesentlich dabei betheiligt sind. Die eigentlichen »Interessen« des Gelehrten liegen deshalb gewöhnlich ganz wo anders, etwa in der Familie oder im Gelderwerb oder in der Politik; ja es ist beinahe gleichgültig, ob seine kleine Maschine an diese oder jene Stelle der Wissenschaft gestellt wird, und ob der »hoffnungsvolle« junge Arbeiter aus sich einen guten Philologen oder Pilzekenner oder Chemiker macht: – es b e z e i c h n e t ihn nicht, dass er dies oder jenes wird. Umgekehrt ist an dem Philosophen ganz und gar nichts Unpersönliches; und insbesondere giebt seine Moral ein entschiedenes und entscheidendes Zeugniss dafür ab, w e r e r i s t – das heisst, in welcher Rangordnung die innersten Triebe seiner Natur zu einander gestellt sind.

[21]   7.
Wie boshaft Philosophen sein können! Ich kenne nichts Giftigeres als den Scherz, den sich Epicur gegen Plato und die Platoniker erlaubte: er nannte sie Dionysiokolakes. Das bedeutet dem Wortlaute nach und im Vordergrunde »Schmeichler des Dionysios«, also Tyrannen-Zubehör und

Speichellecker; zu alledem will es aber noch sagen »das sind Alles S c h a u s p i e l e r , daran ist nichts Ächtes« (denn Dionysokolax war eine populäre Bezeichnung des Schauspielers). Und das Letztere ist eigentlich die Bosheit, welche Epicur gegen Plato abschoss: ihn verdross die grossartige Manier, das Sich-in-Scene-Setzen, worauf sich Plato sammt seinen Schülern verstand, – worauf sich Epicur nicht verstand! er, der alte Schulmeister von Samos, der in seinem Gärtchen zu Athen versteckt sass und dreihundert Bücher schrieb, wer weiss? vielleicht aus Wuth und Ehrgeiz gegen Plato? – Es brauchte hundert Jahre, bis Griechenland dahinter kam, wer dieser Gartengott Epicur gewesen war. – Kam es dahinter? –

8.

In jeder Philosophie giebt es einen Punkt, wo die »Überzeugung« des Philosophen auf die Bühne tritt: oder, um es in der Sprache eines alten Mysteriums zu sagen:

> adventavit asinus
> pulcher et fortissimus.

9.

»Gemäss der Natur« wollt ihr l e b e n ? Oh ihr edlen Stoiker, welche Betrügerei der Worte! Denkt euch ein Wesen, wie es die Natur ist, verschwenderisch ohne Maass, gleichgültig ohne Maass, ohne Absichten und Rücksichten, ohne Erbarmen und Gerechtigkeit, fruchtbar und öde und ungewiss zugleich, denkt euch die Indifferenz selbst als Macht – wie k ö n n t e t ihr gemäss [22] dieser Indifferenz leben? Leben – ist das nicht gerade ein Anders-sein-wollen, als diese Natur ist? Ist Leben nicht Abschätzen, Vorziehn, Ungerechtsein, Begrenzt-sein, Different-sein-wollen? Und gesetzt, euer Imperativ »gemäss der Natur leben« bedeute im Grunde soviel als »gemäss dem Leben leben« – wie könntet ihr's denn n i c h t ? Wozu ein Princip aus dem machen, was ihr selbst seid und sein müsst? – In Wahrheit steht es ganz anders:

indem ihr entzückt den Kanon eures Gesetzes aus der Natur
zu lesen vorgebt, wollt ihr etwas Umgekehrtes, ihr wunderlichen Schauspieler und Selbst-Betrüger! Euer Stolz will der
Natur, sogar der Natur, eure Moral, euer Ideal vorschreiben
und einverleiben, ihr verlangt, dass sie »der Stoa gemäss«
Natur sei und möchtet alles Dasein nur nach eurem eignen
Bilde dasein machen – als eine ungeheure ewige Verherrli-
chung und Verallgemeinerung des Stoicismus! Mit aller eurer
Liebe zur Wahrheit zwingt ihr euch so lange, so beharrlich,
so hypnotisch-starr, die Natur f a l s c h, nämlich stoisch zu
sehn, bis ihr sie nicht mehr anders zu sehen vermögt, – und
irgend ein abgründlicher Hochmuth giebt euch zuletzt noch
die Tollhäusler-Hoffnung in dass, w e i l ihr euch selbst zu
tyrannisiren versteht – Stoicismus ist Selbst-Tyrannei –, auch
die Natur sich tyrannisiren lässt: ist denn der Stoiker nicht ein
S t ü c k Natur? . . . . . Aber dies ist eine alte ewige
Geschichte: was sich damals mit den Stoikern begab, begiebt
sich heute noch, sobald nur eine Philosophie anfängt, an sich
selbst zu glauben. Sie schafft immer die Welt nach ihrem
Bilde, sie kann nicht anders; Philosophie ist dieser tyrannische Trieb selbst, der geistigste Wille zur Macht, zur »Schaf-
fung der Welt«, zur causa prima.

10.

Der Eifer und die Feinheit, ich möchte sogar sagen: Schlau-
heit, mit denen man heute überall in Europa dem Probleme
»von der wirklichen und der scheinbaren Welt« auf den Leib
rückt, [23] giebt zu denken und zu horchen; und wer hier im
Hintergrunde nur einen »Willen zur Wahrheit« und nichts
weiter hört, erfreut sich gewiss nicht der schärfsten Ohren. In
einzelnen und seltenen Fällen mag wirklich ein solcher Wille
zur Wahrheit, irgend ein ausschweifender und abenteuernder
Muth, ein Metaphysiker-Ehrgeiz des verlornen Postens dabei
betheiligt sein, der zuletzt eine Handvoll »Gewissheit«
immer noch einem ganzen Wagen voll schöner Möglichkeiten
vorzieht; es mag sogar puritanische Fanatiker des Gewissens

geben, welche lieber noch sich auf ein sicheres Nichts als auf ein ungewisses Etwas sterben legen. Aber dies ist Nihilismus und Anzeichen einer verzweifelnden sterbensmüden Seele: wie tapfer auch die Gebärden einer solchen Tugend sich ausnehmen mögen. Bei den stärkeren, lebensvolleren, nach Leben noch durstigen Denkern scheint es aber anders zu stehen: indem sie Partei g e g e n den Schein nehmen und das Wort »perspektivisch« bereits mit Hochmuth aussprechen, indem sie die Glaubwürdigkeit ihres eigenen Leibes ungefähr so gering anschlagen wie die Glaubwürdigkeit des Augenscheins, welcher sagt »die Erde steht still«, und dermaassen anscheinend gut gelaunt den sichersten Besitz aus den Händen lassen (denn was glaubt man jetzt sicherer als seinen Leib?) wer weiss, ob sie nicht im Grunde Etwas zurückerobern wollen, das man ehemals noch s i c h e r e r besessen hat, irgend Etwas vom alten Grundbesitz des Glaubens von Ehedem, vielleicht »die unsterbliche Seele«, vielleicht »den alten Gott«, kurz, Ideen, auf welchen sich besser, nämlich kräftiger und heiterer leben liess als auf den »modernen Ideen«? Es ist M i s s t r a u e n gegen diese modernen Ideen darin, es ist Unglauben an alles Das, was gestern und heute gebaut worden ist; es ist vielleicht ein leichter Überdruss und Hohn eingemischt, der das bric-à-brac von Begriffen verschiedenster Abkunft nicht mehr aushält, als welches sich heute der sogenannte Positivismus auf den Markt bringt, ein Ekel des verwöhnteren Geschmacks vor der Jahrmarkts-Buntheit und Lappenhaftigkeit aller dieser Wirklichkeits-Philosophaster, an denen nichts neu [24] und ächt ist als diese Buntheit. Man soll darin, wie mich dünkt, diesen skeptischen Anti-Wirklichen und Erkenntniss-Mikroskopikern von heute Recht geben: ihr Instinkt, welcher sie aus der m o d e r n e n Wirklichkeit hinwegtreibt, ist unwiderlegt, – was gehen uns ihre rückläufigen Schleichwege an! Das Wesentliche an ihnen ist n i c h t , dass sie »zurück« wollen: sondern, dass sie – w e g wollen. Etwas Kraft, Flug, Muth, Künstlerschaft m e h r : und sie würden h i n a u s wollen, – und nicht zurück! –

11.

Es scheint mir, dass man jetzt überall bemüht ist, von dem
eigentlichen Einflusse, den Kant auf die deutsche Philosophie
ausgeübt hat, den Blick abzulenken und namentlich über den
Werth, den er sich selbst zugestand, klüglich hinwegzu-
schlüpfen. Kant war vor Allem und zuerst stolz auf seine
Kategorientafel, er sagte mit dieser Tafel in den Händen: »das
ist das Schwerste, was jemals zum Behufe der Metaphysik
unternommen werden konnte«. – Man verstehe doch dies
»werden konnte«! er war stolz darauf, im Menschen ein neues
Vermögen, das Vermögen zu synthetischen Urteilen a priori,
e n t d e c k t zu haben. Gesetzt, dass er sich hierin selbst
betrog: aber die Entwicklung und rasche Blüthe der deutschen Philosophie hängt an diesem Stolze und an dem Wetteifer aller Jüngeren, womöglich noch Stolzeres zu entdecken –
und jedenfalls »neue Vermögen«! – Aber besinnen wir uns: es
ist an der Zeit. Wie sind synthetische Urtheile a priori m ö g -
l i c h ? fragte sich Kant, – und was antwortete er eigentlich?
V e r m ö g e e i n e s V e r m ö g e n s : leider aber nicht mit drei
Worten, sondern so umständlich, ehrwürdig und mit einem
solchen Aufwande von deutschem Tief- und Schnörkelsinne,
dass man die lustige niaiserie allemande überhörte, welche in
einer solchen Antwort steckt. Man war sogar ausser sich über
dieses neue Vermögen, und der Jubel kam auf seine Höhe, als
Kant auch noch ein moralisches Vermögen im Menschen
hinzu [25] entdeckte: – denn damals waren die Deutschen
noch moralisch, und ganz und gar noch nicht »real-poli-
tisch«. – Es kam der Honigmond der deutschen Philosophie;
alle jungen Theologen des Tübinger Stifts giengen alsbald in
die Büsche, – alle suchten nach »Vermögen«. Und was fand
man nicht Alles – in jener unschuldigen, reichen, noch
jugendlichen Zeit des deutschen Geistes, in welche die
Romantik, die boshafte Fee, hineinblies, hineinsang, damals,
als man »finden« und »erfinden« noch nicht auseinander zu
halten wusste! Vor Allem ein Vermögen für's »Übersinn-
liche«: Schelling taufte es die intellektuale Anschauung und

kam damit den herzlichsten Gelüsten seiner im Grunde
frommgelüsteten Deutschen entgegen. Man kann dieser ganzen übermüthigen und schwärmerischen Bewegung, welche
Jugend war, so kühn sie sich auch in graue und greisenhafte
Begriffe verkleidete, gar nicht mehr Unrecht thun, als wenn
man sie ernst nimmt und gar etwa mit moralischer Entrüstung
behandelt; genug, man wurde älter, – der Traum verflog. Es
kam eine Zeit, wo man sich die Stirne rieb: man reibt sie sich
heute noch. Man hatte geträumt: voran und zuerst – der alte
Kant. »Vermöge eines Vermögens« – hatte er gesagt, mindestens gemeint. Aber ist denn das – eine Antwort? Eine Erklärung? Oder nicht vielmehr nur eine Wiederholung der Frage?
Wie macht doch das Opium schlafen? »Vermöge eines Vermögens«, nämlich der virtus dormitiva – antwortet jener Arzt
bei Molière,

> quia est in eo virtus dormitiva,
> cujus est natura sensus assoupire.

Aber dergleichen Antworten gehören in die Komödie, und es
ist endlich an der Zeit, die Kantische Frage »wie sind synthetische Urtheile a priori möglich?« durch eine andre Frage
zu ersetzen »warum ist der Glaube an solche Urtheile
n ö t h i g ?« – nämlich zu begreifen, dass zum Zweck der Erhaltung von Wesen unsrer Art solche Urtheile als wahr g e -
g l a u b t werden müssen; weshalb sie natürlich noch f a l -
s c h e Urtheile sein könnten! Oder, deutlicher geredet und
grob und gründlich: [26] synthetische Urtheile a priori sollten
gar nicht »möglich sein«: wir haben kein Recht auf sie, in
unserm Munde sind es lauter falsche Urtheile. Nur ist allerdings der Glaube an ihre Wahrheit nöthig, als ein Vorder-
grunds-Glaube und Augenschein, der in die Perspektiven-
Optik des Lebens gehört. – Um zuletzt noch der ungeheuren
Wirkung zu gedenken, welche »die deutsche Philosophie« –
man versteht, wie ich hoffe, ihr Anrecht auf Gänsefüsschen?
– in ganz Europa ausgeübt hat, so zweifle man nicht, dass
eine gewisse virtus dormitiva dabei betheiligt war: man war
entzückt, unter edlen Müssiggängern, Tugendhaften, Mysti-

kern, Künstlern, Dreiviertels-Christen und politischen
Dunkelmännern aller Nationen, Dank der deutschen Philosophie, ein Gegengift gegen den noch übermächtigen Sensualismus zu haben, der vom vorigen Jahrhundert in dieses
hinüberströmte, kurz – »sensus assoupire« . . . . .

12.

Was die materialistische Atomistik betrifft: so gehört dieselbe
zu den bestwiderlegten Dingen, die es giebt; und vielleicht ist
heute in Europa Niemand unter den Gelehrten mehr so unge-
lehrt, ihr ausser zum bequemen Hand- und Hausgebrauch
(nämlich als einer Abkürzung der Ausdrucksmittel) noch
eine ernstliche Bedeutung zuzumessen – Dank vorerst jenem
Polen Boscovich, der, mitsammt dem Polen Kopernicus, bisher der grösste und siegreichste Gegner des Augenscheins
war. Während nämlich Kopernicus uns überredet hat zu
glauben, wider alle Sinne, dass die Erde n i c h t fest steht,
lehrte Boscovich dem Glauben an das Letzte, was von der
Erde »feststand«, abschwören, dem Glauben an den »Stoff«,
an die »Materie«, an das Erdenrest- und Klümpchen-Atom:
es war der grösste Triumph über die Sinne, der bisher auf
Erden errungen worden ist. – Man muss aber noch weiter
gehn und auch dem »atomistischen Bedürfnisse«, das immer
noch ein gefährliches Nachleben führt, auf Gebieten, wo
[27] es Niemand ahnt, gleich jenem berühmteren »metaphysischen Bedürfnisse« – den Krieg erklären, einen schonungs-
losen Krieg auf's Messer: – man muss zunächst auch jener anderen und verhängnissvolleren Atomistik den Garaus machen,
welche das Christenthum am besten und längsten gelehrt hat,
der S e e l e n - A t o m i s t i k. Mit diesem Wort sei es erlaubt,
jenen Glauben zu bezeichnen, der die Seele als etwas Unver-
tilgbares, Ewiges, Untheilbares, als eine Monade, als ein Ato-
mon nimmt: d i e s e n Glauben soll man aus der Wissenschaft
hinausschaffen! Es ist, unter uns gesagt, ganz und gar nicht
nöthig, »die Seele« selbst dabei los zu werden und auf eine der
ältesten und ehrwürdigsten Hypothesen Verzicht zu leisten:

wie es dem Ungeschick der Naturalisten zu begegnen pflegt, welche, kaum dass sie an »die Seele« rühren, sie auch verlieren. Aber der Weg zu neuen Fassungen und Verfeinerungen der Seelen-Hypothese steht offen: und Begriffe wie »sterbliche Seele« und »Seele als Subjekts-Vielheit« und »Seele als Gesellschaftsbau der Triebe und Affekte« wollen fürderhin in der Wissenschaft Bürgerrecht haben. Indem der n e u e Psycholog dem Aberglauben ein Ende bereitet, der bisher um die Seelen-Vorstellung mit einer fast tropischen Üppigkeit wucherte, hat er sich freilich selbst gleichsam in eine neue Oede und ein neues Misstrauen hinaus gestossen – es mag sein, dass die älteren Psychologen es bequemer und lustiger hatten –: zuletzt aber weiss er sich eben damit auch zum E r f i n d e n verurtheilt – und, wer weiss? vielleicht zum F i n d e n. –

13.

Die Physiologen sollten sich besinnen, den Selbsterhaltungstrieb als kardinalen Trieb eines organischen Wesens anzusetzen. Vor Allem will etwas Lebendiges seine Kraft a u s l a s s e n – Leben selbst ist Wille zur Macht –: die Selbsterhaltung ist nur eine der indirekten und häufigsten F o l g e n davon. – Kurz, hier wie überall, Vorsicht vor ü b e r f l ü s s i g e n teleologischen [28] Principien! – wie ein solches der Selbsterhaltungstrieb ist (man dankt ihn der Inconsequenz Spinoza's –). So nämlich gebietet es die Methode, die wesentlich Principien-Sparsamkeit sein muss.

14.

Es dämmert jetzt vielleicht in fünf, sechs Köpfen, dass Physik auch nur eine Welt-Auslegung und -Zurechtlegung (nach uns! mit Verlaub gesagt) und n i c h t eine Welt-Erklärung ist: aber, insofern sie sich auf den Glauben an die Sinne stellt, gilt sie als mehr und muss auf lange hinaus noch als mehr, nämlich als Erklärung gelten. Sie hat Augen und Finger für sich, sie hat den Augenschein und die Handgreiflichkeit für sich: das

wirkt auf ein Zeitalter mit plebejischem Grundgeschmack
bezaubernd, überredend, überzeugend, – es folgt ja
instinktiv dem Wahrheits-Kanon des ewig volksthümlichen
Sensualismus. Was ist klar, was »erklärt«? Erst Das, was sich
sehen und tasten lässt, – bis so weit muss man jedes Problem
treiben. Umgekehrt: genau im Widerstreben g e g e n die Sin-
nenfälligkeit bestand der Zauber der platonischen Denkweise, welche eine v o r n e h m e Denkweise war, – vielleicht
unter Menschen, die sich sogar stärkerer und anspruchsvolle-
rer Sinne erfreuten, als unsre Zeitgenossen sie haben, aber
welche einen höheren Triumph darin zu finden wussten, über
diese Sinne Herr zu bleiben: und dies mittels blasser kalter
grauer Begriffs-Netze, die sie über den bunten Sinnen-Wirbel
– den Sinnen-Pöbel, wie Plato sagte – warfen. Es war eine
andre Art G e n u s s in dieser Welt-Überwältigung und Welt-
Auslegung nach der Manier des Plato, als der es ist, welchen
uns die Physiker von Heute anbieten, insgleichen die Darwi-
nisten und Antiteleologen unter den physiologischen Arbeitern, mit ihrem Princip der »kleinstmöglichen Kraft« und der
grösstmöglichen Dummheit. »Wo der Mensch nichts mehr
zu sehen und zu greifen hat, da hat er auch nichts mehr zu
suchen« – das ist freilich ein anderer Imperativ als der Platonische, welcher aber doch [29] für ein derbes arbeitsames
Geschlecht von Maschinisten und Brückenbauern der Zukunft, die lauter g r o b e Arbeit abzuthun haben, gerade der
rechte Imperativ sein mag.

15.

Um Physiologie mit gutem Gewissen zu treiben, muss man
darauf halten, dass die Sinnesorgane n i c h t Erscheinungen
sind im Sinne der idealistischen Philosophie: als solche könnten sie ja keine Ursachen sein! Sensualismus mindestens somit
als regulative Hypothese, um nicht zu sagen als heuristisches
Princip. – Wie? und Andere sagen gar, die Aussenwelt wäre
das Werk unsrer Organe? Aber dann wäre ja unser Leib, als
ein Stück dieser Aussenwelt, das Werk unsrer Organe! Aber

dann wären ja unsre Organe selbst – das Werk unsrer Organe!
Dies ist, wie mir scheint, eine gründliche reductio ad ab-
surdum: gesetzt, dass der Begriff causa sui etwas gründlich
Absurdes ist. Folglich ist die Aussenwelt n i c h t das Werk
unsrer Organe –?

16.

Es giebt immer noch harmlose Selbst-Beobachter, welche
glauben, dass es »unmittelbare Gewissheiten« gebe, zum Beispiel »ich denke«, oder, wie es der Aberglaube Schopenhauer's war, »ich will«: gleichsam als ob hier das Erkennen rein
und nackt seinen Gegenstand zu fassen bekäme, als »Ding an
sich«, und weder von Seiten des Subjekts, noch von Seiten des
Objekts eine Fälschung stattfände. Dass aber »unmittelbare
Gewissheit«, ebenso wie »absolute Erkenntniss« und »Ding
an sich«, eine contradictio in adjecto in sich schliesst, werde
ich hundertmal wiederholen: man sollte sich doch endlich
von der Verführung der Worte losmachen! Mag das Volk
glauben, dass Erkennen ein zu Ende-Kennen sei, der Philosoph muss sich sagen: »wenn ich den Vorgang zerlege, der in
dem Satz »ich denke« ausgedrückt ist, so bekomme [30] ich
eine Reihe von verwegenen Behauptungen, deren Begründung schwer, vielleicht unmöglich ist, – zum Beispiel, dass
i c h es bin, der denkt, dass überhaupt ein Etwas es sein muss,
das denkt, dass Denken eine Thätigkeit und Wirkung seitens
eines Wesens ist, welches als Ursache gedacht wird, dass es
ein »Ich« giebt, endlich, dass es bereits fest steht, was mit
Denken zu bezeichnen ist, – dass ich w e i s s, was Denken
ist. Denn wenn ich nicht darüber mich schon bei mir entschieden hätte, wonach sollte ich abmessen, dass, was eben
geschieht, nicht vielleicht »Wollen« oder »Fühlen« sei?
Genug, jenes »ich denke« setzt voraus, dass ich meinen
augenblicklichen Zustand mit anderen Zuständen, die ich an
mir kenne, v e r g l e i c h e, um so festzusetzen, was er ist:
wegen dieser Rückbeziehung auf anderweitiges »Wissen« hat
er für mich jedenfalls keine unmittelbare »Gewissheit«. – An

Stelle jener »unmittelbaren Gewissheit«, an welche das Volk
im gegebenen Falle glauben mag, bekommt dergestalt der
Philosoph eine Reihe von Fragen der Metaphysik in die
Hand, recht eigentliche Gewissensfragen des Intellekts, welche heissen: »Woher nehme ich den Begriff Denken? Warum
glaube ich an Ursache und Wirkung? Was giebt mir das
Recht, von einem Ich, und gar von einem Ich als Ursache,
und endlich noch von einem Ich als Gedanken-Ursache zu
reden?« Wer sich mit der Berufung auf eine Art I n t u i t i o n
der Erkenntniss getraut, jene metaphysischen Fragen sofort
zu beantworten, wie es Der thut, welcher sagt: »ich denke,
und weiss, dass dies wenigstens wahr, wirklich, gewiss ist« –
der wird bei einem Philosophen heute ein Lächeln und zwei
Fragezeichen bereit finden. »Mein Herr, wird der Philosoph
vielleicht ihm zu verstehen geben, es ist unwahrscheinlich,
dass Sie sich nicht irren: aber warum auch durchaus Wahrheit?« –

17.

Was den Aberglauben der Logiker betrifft: so will ich nicht
müde werden, eine kleine kurze Thatsache immer wieder
zu [31] unterstreichen, welche von diesen Abergläubischen
ungern zugestanden wird, – nämlich, dass ein Gedanke
kommt, wenn »er« will, und nicht wenn »ich« will; so dass es
eine F ä l s c h u n g des Thatbestandes ist, zu sagen: das Subjekt »ich« ist die Bedingung des Prädikats »denke«. Es denkt:
aber dass dies »es« gerade jenes alte berühmte »Ich« sei, ist,
milde geredet, nur eine Annahme, eine Behauptung, vor
Allem keine »unmittelbare Gewissheit«. Zuletzt ist schon mit
diesem »es denkt« zu viel gethan: schon dies »es« enthält eine
A u s l e g u n g des Vorgangs und gehört nicht zum Vorgange
selbst. Man schliesst hier nach der grammatischen Gewohnheit »Denken ist eine Thätigkeit, zu jeder Thätigkeit gehört
Einer, der thätig ist, folglich –«. Ungefähr nach dem gleichen
Schema suchte die ältere Atomistik zu der »Kraft«, die wirkt,
noch jenes Klümpchen Materie, worin sie sitzt, aus der heraus sie wirkt, das Atom; strengere Köpfe lernten endlich ohne

diesen »Erdenrest« auskommen, und vielleicht gewöhnt man
sich eines Tages noch daran, auch seitens der Logiker ohne
jenes kleine »es« (zu dem sich das ehrliche alte Ich verflüchtigt
hat) auszukommen.

18.

An einer Theorie ist wahrhaftig nicht ihr geringster Reiz, dass
sie widerlegbar ist: gerade damit zieht sie feinere Köpfe an. Es
scheint, dass die hundertfach widerlegte Theorie vom »freien
Willen« ihre Fortdauer nur noch diesem Reize verdankt –:
immer wieder kommt Jemand und fühlt sich stark genug, sie
zu widerlegen.

19.

Die Philosophen pflegen vom Willen zu reden, wie als ob er
die bekannteste Sache von der Welt sei; ja Schopenhauer gab
zu verstehen, der Wille allein sei uns eigentlich bekannt, ganz
und gar bekannt, ohne Abzug und Zuthat bekannt. Aber es
dünkt [32] mich immer wieder, dass Schopenhauer auch in
diesem Falle nur gethan hat, was Philosophen eben zu thun
pflegen: dass er ein Volks-Vorurtheil übernommen
und übertrieben hat. Wollen scheint mir vor Allem etwas
Complicirtes, Etwas, das nur als Wort eine Einheit ist, –
und eben im Einen Worte steckt das Volks-Vorurtheil, das
über die allzeit nur geringe Vorsicht der Philosophen Herr
geworden ist. Seien wir also einmal vorsichtiger, seien wir
»unphilosophisch« –, sagen wir: in jedem Wollen ist erstens
eine Mehrheit von Gefühlen, nämlich das Gefühl des Zustandes, von dem weg, das Gefühl des Zustandes, zu dem hin,
das Gefühl von diesem »weg« und »hin« selbst, dann noch ein
begleitendes Muskelgefühl, welches, auch ohne dass wir
»Arme und Beine« in Bewegung setzen, durch eine Art
Gewohnheit, sobald wir »wollen«, sein Spiel beginnt. Wie
also Fühlen und zwar vielerlei Fühlen als Ingredienz des Willens anzuerkennen ist, so zweitens auch noch Denken: in
jedem Willensakte giebt es einen commandirenden Gedan-

ken; – und man soll ja nicht glauben, diesen Gedanken von
dem »Wollen« abscheiden zu können, wie als ob dann noch
Wille übrig bliebe! Drittens ist der Wille nicht nur ein Com-
plex von Fühlen und Denken, sondern vor Allem noch ein
A f f e k t : und zwar jener Affekt des Commando's. Das, was
»Freiheit des Willens« genannt wird, ist wesentlich der Über-
legenheits-Affekt in Hinsicht auf Den, der gehorchen muss:
»ich bin frei, ›er‹ muss gehorchen« – dies Bewusstsein steckt
in jedem Willen, und ebenso jene Spannung der Aufmerksamkeit, jener gerade Blick, der ausschliesslich Eins fixirt,
jene unbedingte Werthschätzung »jetzt thut dies und nichts
Anderes Noth«, jene innere Gewissheit darüber, dass gehorcht werden wird, und was Alles noch zum Zustande des
Befehlenden gehört. Ein Mensch, der w i l l –, befiehlt einem
Etwas in sich, das gehorcht oder von dem er glaubt, dass es
gehorcht. Nun aber beachte man, was das Wunderlichste am
Willen ist – an diesem so vielfachen Dinge, für welches das
Volk nur Ein Wort hat: insofern wir im gegebenen Falle
zugleich die Befehlenden u n d [33] Gehorchenden sind, und
das Gehorchende die Gefühle des Zwingens, Drängens,
Drückens, Widerstehens, Bewegens kennen, welche sofort
nach dem Akte des Willens zu beginnen pflegen; insofern wir
andererseits die Gewohnheit haben, uns über diese Zweiheit
vermöge des synthetischen Begriffs »ich« hinwegzusetzen,
hinwegzutäuschen, hat sich an das Wollen noch eine ganze
Kette von irrthümlichen Schlüssen und folglich von falschen
Werthschätzungen des Willens selbst angehängt, – dergestalt,
dass der Wollende mit gutem Glauben glaubt, Wollen
g e n ü g e zur Aktion. Weil in den allermeisten Fällen nur
gewollt worden ist, wo auch die Wirkung des Befehls, also
der Gehorsam, also die Aktion e r w a r t e t werden durfte, so
hat sich der A n s c h e i n in das Gefühl übersetzt, als ob es da
eine N o t h w e n d i g k e i t   v o n   W i r k u n g gäbe; genug,
der Wollende glaubt, mit einem ziemlichen Grad von Sicherheit, dass Wille und Aktion irgendwie Eins seien –, er rechnet
das Gelingen, die Ausführung des Wollens noch dem Willen

selbst zu und geniesst dabei einen Zuwachs jenes Machtge-
fühls, welches alles Gelingen mit sich bringt. »Freiheit des
Willens« – das ist das Wort für jenen vielfachen Lust-Zustand
des Wollenden, der befiehlt und sich zugleich mit dem Aus-
führenden als Eins setzt, – der als solcher den Triumph über
Widerstände mit geniesst, aber bei sich urtheilt, sein Wille
selbst sei es, der eigentlich die Widerstände überwinde. Der
Wollende nimmt dergestalt die Lustgefühle der ausführen-
den, erfolgreichen Werkzeuge, der dienstbaren »Unterwil-
len« oder Unter-Seelen – unser Leib ist ja nur ein Gesellschaftsbau vieler Seelen – zu seinem Lustgefühle als Befehlender hinzu. L'effet c'est moi: es begiebt sich hier, was sich in
jedem gut gebauten und glücklichen Gemeinwesen begiebt,
dass die regierende Klasse sich mit den Erfolgen des Gemeinwesens identificirt. Bei allem Wollen handelt es sich schlechterdings um Befehlen und Gehorchen, auf der Grundlage,
wie gesagt, eines Gesellschaftsbaus vieler »Seelen«: weshalb
ein Philosoph sich das Recht nehmen sollte, Wollen an sich
schon unter den Gesichtskreis der [34] Moral zu fassen: Moral
nämlich als Lehre von den Herrschafts-Verhältnissen verstanden, unter denen das Phänomen »Leben« entsteht. –

20.

Dass die einzelnen philosophischen Begriffe nichts Beliebi-
ges, nichts Für-sich-Wachsendes sind, sondern in Beziehung
und Verwandtschaft zu einander emporwachsen, dass sie, so
plötzlich und willkürlich sie auch in der Geschichte des
Denkens anscheinend heraustreten, doch eben so gut einem
Systeme angehören als die sämmtlichen Glieder der Fauna
eines Erdtheils: das verräth sich zuletzt noch darin, wie sicher
die verschiedensten Philosophen ein gewisses Grundschema
von m ö g l i c h e n Philosophien immer wieder ausfüllen.
Unter einem unsichtbaren Banne laufen sie immer von
Neuem noch einmal die selbe Kreisbahn: sie mögen sich noch
so unabhängig von einander mit ihrem kritischen oder systematischen Willen fühlen: irgend Etwas in ihnen führt sie,

irgend Etwas treibt sie in bestimmter Ordnung hinter einander her, eben jene eingeborne Systematik und Verwandtschaft der Begriffe. Ihr Denken ist in der That viel weniger ein Entdecken, als ein Wiedererkennen, Wiedererinnern, eine Rück- und Heimkehr in einen fernen uralten Gesammt-Haushalt der Seele, aus dem jene Begriffe einstmals herausgewachsen sind: – Philosophiren ist insofern eine Art von Atavismus höchsten Ranges. Die wunderliche Familien-Ähnlichkeit alles indischen, griechischen, deutschen Philosophirens erklärt sich einfach genug. Gerade, wo Sprach-Verwandtschaft vorliegt, ist es gar nicht zu vermeiden, dass, Dank der gemeinsamen Philosophie der Grammatik – ich meine Dank der unbewussten Herrschaft und Führung durch gleiche grammatische Funktionen – von vornherein Alles für eine gleichartige Entwicklung und Reihenfolge der philosophischen Systeme vorbereitet liegt: ebenso wie zu gewissen andern Möglichkeiten der Welt-Ausdeutung der Weg wie abgesperrt er[35]scheint. Philosophen des ural-altaischen Sprachbereichs (in dem der Subjekt-Begriff am schlechtesten entwickelt ist) werden mit grosser Wahrscheinlichkeit anders »in die Welt« blicken und auf andern Pfaden zu finden sein, als Indogermanen oder Muselmänner: der Bann bestimmter grammatischer Funktionen ist im letzten Grunde der Bann p h y s i o l o g i s c h e r Werthurtheile und Rasse-Bedingungen. – So viel zur Zurückweisung von Locke's Oberflächlichkeit in Bezug auf die Herkunft der Ideen.

21.

Die causa sui ist der beste Selbst-Widerspruch, der bisher ausgedacht worden ist, eine Art logischer Nothzucht und Unnatur: aber der ausschweifende Stolz des Menschen hat es dahin gebracht, sich tief und schrecklich gerade mit diesem Unsinn zu verstricken. Das Verlangen nach »Freiheit des Willens«, in jenem metaphysischen Superlativ-Verstande, wie er leider noch immer in den Köpfen der Halb-Unterrichteten herrscht, das Verlangen, die ganze und letzte Verant-

wortlichkeit für seine Handlungen selbst zu tragen und Gott,
Welt, Vorfahren, Zufall, Gesellschaft davon zu entlasten, ist
nämlich nichts Geringeres, als eben jene causa sui zu sein und,
mit einer mehr als Münchhausen'schen Verwegenheit, sich
selbst aus dem Sumpf des Nichts an den Haaren in's Dasein
zu ziehn. Gesetzt, Jemand kommt dergestalt hinter die bäurische Einfalt dieses berühmten Begriffs »freier Wille« und
streicht ihn aus seinem Kopfe, so bitte ich ihn nunmehr, seine
»Aufklärung« noch um einen Schritt weiter zu treiben und
auch die Umkehrung jenes Unbegriffs »freier Wille« aus seinem Kopfe zu streichen: ich meine den »unfreien Willen«,
der auf einen Missbrauch von Ursache und Wirkung hinausläuft. Man soll nicht »Ursache« und »Wirkung« fehlerhaft
v e r d i n g l i c h e n, wie es die Naturforscher thun (und wer
gleich ihnen heute im Denken naturalisirt –) gemäss der herrschenden mechanistischen Tölpelei, welche die Ursache
drücken und stossen lässt, bis sie »wirkt«; [36] man soll sich
der »Ursache«, der »Wirkung« eben nur als reiner B e g r i f f e
bedienen, das heisst als conventioneller Fiktionen zum
Zweck der Bezeichnung, der Verständigung, n i c h t der
Erklärung. Im »An-sich« giebt es nichts von »Causal-Ver-
bänden«, von »Nothwendigkeit«, von »psychologischer Unfreiheit«, da folgt n i c h t »die Wirkung auf die Ursache«,
das regiert kein »Gesetz«. W i r sind es, die allein die Ursachen, das Nacheinander, das Für-einander, die Relativität,
den Zwang, die Zahl, das Gesetz, die Freiheit, den Grund,
den Zweck erdichtet haben; und wenn wir diese Zeichen-
Welt als »an sich« in die Dinge hineindichten, hineinmischen,
so treiben wir es noch einmal, wie wir es immer getrieben
haben, nämlich m y t h o l o g i s c h. Der »unfreie Wille« ist
Mythologie: im wirklichen Leben handelt es sich nur um
s t a r k e n und s c h w a c h e n Willen. – Es ist fast immer
schon ein Symptom davon, wo es bei ihm selber mangelt,
wenn ein Denker bereits in aller »Causal-Verknüpfung«
und »psychologischer Nothwendigkeit« etwas von Zwang,
Noth, Folgen-Müssen, Druck, Unfreiheit herausfühlt: es ist

verrätherisch, gerade so zu fühlen, – die Person verräth sich.
Und überhaupt wird, wenn ich recht beobachtet habe, von
zwei ganz entgegengesetzten Seiten aus, aber immer auf eine
tief p e r s ö n l i c h e Weise die »Unfreiheit des Willens« als
Problem gefasst: die Einen wollen um keinen Preis ihre »Verantwortlichkeit«, den Glauben an s i c h, das persönliche
Anrecht auf i h r Verdienst fahren lassen (die eitlen Rassen
gehören dahin –); die Anderen wollen umgekehrt nichts ver-
antworten, an nichts schuld sein und verlangen, aus einer
innerlichen Selbst-Verachtung heraus, sich selbst irgend
wohin a b w ä l z e n zu können. Diese Letzteren pflegen sich,
wenn sie Bücher schreiben, heute der Verbrecher anzunehmen; eine Art von socialistischem Mitleiden ist ihre gefälligste
Verkleidung. Und in der That, der Fatalismus der Willens-
schwachen verschönert sich erstaunlich, wenn er sich als »la
religion de la souffrance humaine« einzuführen versteht: es ist
s e i n »guter Geschmack«.

[37]   22.
Man vergebe es mir als einem alten Philologen, der von der
Bosheit nicht lassen kann, auf schlechte Interpretations-Kün-
ste den Finger zu legen: aber jene »Gesetzmässigkeit der
Natur«, von der ihr Physiker so stolz redet, wie als ob – –
besteht nur Dank eurer Ausdeutung und schlechten »Philologie«, – sie ist kein Thatbestand, kein »Text«, vielmehr nur
eine naiv-humanitäre Zurechtmachung und Sinnverdrehung,
mit der ihr den demokratischen Instinkten der modernen
Seele sattsam entgegenkommt! »Überall Gleichheit vor dem
Gesetz, – die Natur hat es darin nicht anders und nicht besser
als wir«: ein artiger Hintergedanke, in dem noch einmal die
pöbelmännische Feindschaft gegen alles Bevorrechtete und
Selbstherrliche, insgleichen ein zweiter und feinerer Atheismus verkleidet liegt. »Ni dieu, ni maître« – so wollt auch
ihr's: und darum »hoch das Naturgesetz«! – nicht wahr?
Aber, wie gesagt, das ist Interpretation, nicht Text; und es
könnte Jemand kommen, der, mit der entgegengesetzten

Absicht und Interpretationskunst, aus der gleichen Natur
und im Hinblick auf die gleichen Erscheinungen, gerade die
tyrannisch-rücksichtenlose und unerbittliche Durchsetzung
von Machtansprüchen herauszulesen verstünde, – ein Inter-
pret, der die Ausnahmslosigkeit und Unbedingtheit in allem
»Willen zur Macht« dermaassen euch vor Augen stellte, dass
fast jedes Wort und selbst das Wort »Tyrannei« schliesslich
unbrauchbar oder schon als schwächende und mildernde
Metapher – als zu menschlich – erschiene; und der dennoch
damit endete, das Gleiche von dieser Welt zu behaupten, was
ihr behauptet, nämlich dass sie einen »nothwendigen« und
»berechenbaren« Verlauf habe, aber n i c h t, weil Gesetze in
ihr herrschen, sondern weil absolut die Gesetze f e h l e n,
und jede Macht in jedem Augenblicke ihre letzte Consequenz
zieht. Gesetzt, dass auch dies nur Interpretation ist – und ihr
werdet eifrig genug sein, dies einzuwenden? – nun, um so
besser. –

[38]   23.
Die gesammte Psychologie ist bisher an moralischen Vorur-
theilen und Befürchtungen hängen geblieben: sie hat sich
nicht in die Tiefe gewagt. Dieselbe als Morphologie und
E n t w i c k l u n g s l e h r e   d e s   W i l l e n s   z u r   M a c h t zu
fassen, wie ich sie fasse – daran hat noch Niemand in seinen
Gedanken selbst gestreift: sofern es nämlich erlaubt ist, in
dem, was bisher geschrieben wurde, ein Symptom von dem,
was bisher verschwiegen wurde, zu erkennen. Die Gewalt
der moralischen Vorurtheile ist tief in die geistigste, in die
anscheinend kälteste und voraussetzungsloseste Welt ge-
drungen – und, wie es sich von selbst versteht, schädigend,
hemmend, blendend, verdrehend. Eine eigentliche Physio-
Psychologie hat mit unbewussten Widerständen im Herzen
des Forschers zu kämpfen, sie hat »das Herz« gegen sich:
schon eine Lehre von der gegenseitigen Bedingtheit der
»guten« und der »schlimmen« Triebe, macht, als feinere
Immoralität, einem noch kräftigen und herzhaften Gewissen

Noth und Überdruss, – noch mehr eine Lehre von der Ableit-
barkeit aller guten Triebe aus den schlimmen. Gesetzt aber,
Jemand nimmt gar die Affekte Hass, Neid, Habsucht,
Herrschsucht als lebenbedingende Affekte, als Etwas, das im
Gesammt-Haushalte des Lebens grundsätzlich und grund-
wesentlich vorhanden sein muss, folglich noch gesteigert
werden muss, falls das Leben noch gesteigert werden soll, –
der leidet an einer solchen Richtung seines Urtheils wie an
einer Seekrankheit. Und doch ist auch diese Hypothese bei
weitem nicht die peinlichste und fremdeste in diesem ungeheuren fast noch neuen Reiche gefährlicher Erkenntnisse:
und es giebt in der That hundert gute Gründe dafür, dass
Jeder von ihm fernbleibt, der es – k a n n! Andrerseits: ist
man einmal mit seinem Schiffe hierhin verschlagen, nun!
wohlan! jetzt tüchtig die Zähne zusammengebissen! die
Augen aufgemacht! die Hand fest am Steuer! – wir fahren
geradewegs über die Moral w e g, wir erdrücken, wir zer-
malmen vielleicht dabei unsren eignen Rest Moralität, indem
wir dorthin unsre Fahrt machen und [39] wagen, – aber was
liegt an u n s! Niemals noch hat sich verwegenen Reisenden
und Abenteurern eine t i e f e r e W e l t der Einsicht eröffnet:
und der Psychologe, welcher dergestalt »Opfer bringt« – es
ist n i c h t das sacrifizio dell'intelletto, im Gegentheil! – wird
zum Mindesten dafür verlangen dürfen, dass die Psychologie
wieder als Herrin der Wissenschaften anerkannt werde, zu
deren Dienste und Vorbereitung die übrigen Wissenschaften
da sind. Denn Psychologie ist nunmehr wieder der Weg zu
den Grundproblemen.

Zweites Hauptstück:
der freie Geist.

24.

O sancta simplicitas! In welcher seltsamen Vereinfachung und Fälschung lebt der Mensch! Man kann sich nicht zu Ende wundern, wenn man sich erst einmal die Augen für dies Wunder eingesetzt hat! Wie haben wir Alles um uns hell und frei und leicht und einfach gemacht! wie wussten wir unsern Sinnen einen Freipass für alles Oberflächliche, unserm Denken eine göttliche Begierde nach muthwilligen Sprüngen und Fehlschlüssen zu geben! – wie haben wir es von Anfang an verstanden, uns unsre Unwissenheit zu erhalten, um eine kaum begreifliche Freiheit, Unbedenklichkeit, Unvorsichtigkeit, Herzhaftigkeit, Heiterkeit des Lebens, um das Leben zu geniessen! Und erst auf diesem nunmehr festen und granitnen Grunde von Unwissenheit durfte sich bisher die Wissenschaft erheben, der Wille zum Wissen auf dem Grunde eines viel gewaltigeren Willens, des Willens zum Nicht-wissen, zum Ungewissen, zum Unwahren! Nicht als sein Gegensatz, sondern – als seine Verfeinerung! Mag nämlich auch die S p r a - c h e , hier wie anderwärts, nicht über ihre Plumpheit hinauskönnen und fortfahren, von Gegensätzen zu reden, wo es nur Grade und mancherlei Feinheit der Stufen giebt; mag ebenfalls die eingefleischte Tartüfferie der Moral, welche jetzt zu unserm unüberwindlichen »Fleisch und Blut« gehört, uns Wissenden selbst die Worte im Munde umdrehen: hier und da begreifen wir es und lachen darüber, wie gerade noch die beste Wissenschaft uns am [42] besten in dieser v e r e i n - f a c h t e n , durch und durch künstlichen, zurecht gedichteten, zurecht gefälschten Welt festhalten will, wie sie unfreiwillig-willig den Irrthum liebt, weil sie, die Lebendige, – das Leben liebt!

25.

Nach einem so fröhlichen Eingang möchte ein ernstes Wort nicht überhört werden: es wendet sich an die Ernstesten. Seht euch vor, ihr Philosophen und Freunde der Erkenntniss, und hütet euch vor dem Martyrium! Vor dem Leiden »um der Wahrheit willen«! Selbst vor der eigenen Vertheidigung! Es verdirbt eurem Gewissen alle Unschuld und feine Neutralität, es macht euch halsstarrig gegen Einwände und rothe Tücher, es verdummt, verthiert und verstiert, wenn ihr im Kampfe mit Gefahr, Verlästerung, Verdächtigung, Ausstossung und noch gröberen Folgen der Feindschaft, zuletzt euch gar als Vertheidiger der Wahrheit auf Erden ausspielen müsst: – als ob »die Wahrheit« eine so harmlose und täppische Person wäre, dass sie Vertheidiger nöthig hätte! und gerade euch, ihr Ritter von der traurigsten Gestalt, meine Herren Eckensteher und Spinneweber des Geistes! Zuletzt wisst ihr gut genug, dass nichts daran liegen darf, ob gerade i h r Recht behaltet, ebenfalls dass bisher noch kein Philosoph Recht behalten hat, und dass eine preiswürdigere Wahrhaftigkeit in jedem kleinen Fragezeichen liegen dürfte, welches ihr hinter eure Leibworte und Lieblingslehren (und gelegentlich hinter euch selbst) setzt, als in allen feierlichen Gebärden und Trümpfen vor Anklägern und Gerichtshöfen! Geht lieber bei Seite! Flieht in's Verborgene! Und habt eure Maske und Feinheit, dass man euch verwechsele! Oder ein Wenig fürchte! Und vergesst mir den Garten nicht, den Garten mit goldenem Gitterwerk! Und habt Menschen um euch, die wie ein Garten sind, – oder wie Musik über Wassern, zur Zeit des Abends, wo der Tag schon zur Erinnerung wird: – wählt die g u t e Einsamkeit, die freie [43] muthwillige leichte Einsamkeit, welche euch auch ein Recht giebt, selbst in irgend einem Sinne noch gut zu bleiben! Wie giftig, wie listig, wie schlecht macht jeder lange Krieg, der sich nicht mit offener Gewalt führen lässt! Wie p e r s ö n l i c h macht eine lange Furcht, ein langes Augenmerk auf Feinde, auf mögliche Feinde! Diese Ausgestossenen der Gesellschaft, diese Lang-Verfolgten, Schlimm-

Gehetzten, – auch die Zwangs-Einsiedler, die Spinoza's oder
Giordano Bruno's – werden zuletzt immer, und sei es unter
der geistigsten Maskerade, und vielleicht ohne dass sie selbst
es wissen, zu raffinirten Rachsüchtigen und Giftmischern
(man grabe doch einmal den Grund der Ethik und Theologie
Spinoza's auf!) – gar nicht zu reden von der Tölpelei der
moralischen Entrüstung, welche an einem Philosophen das
unfehlbare Zeichen dafür ist, dass ihm der philosophische
Humor davon lief. Das Martyrium des Philosophen, seine
»Aufopferung für die Wahrheit« zwingt an's Licht heraus,
was vom Agitator und vom Schauspieler in ihm steckte; und
gesetzt, dass man ihm nur mit einer artistischen Neugierde
bisher zugeschaut hat, so kann in Bezug auf manchen Philosophen der gefährliche Wunsch freilich begreiflich sein, ihn
auch einmal in seiner Entartung zu sehn (entartet zum »Mär-
tyrer«, zum Bühnen- und Tribünen-Schreihals). Nur dass
man sich, mit einem solchen Wunsche, darüber klar sein
muss, w a s man jedenfalls dabei zu sehen bekommen wird: –
nur ein Satyrspiel, nur eine Nachspiel-Farce, nur den fortwährend Beweis dafür, dass die lange eigentliche Tragödie
z u E n d e i s t: vorausgesetzt, dass jede Philosophie im Entstehen eine lange Tragödie war. –

26.

Jeder auserlesene Mensch trachtet instinktiv nach seiner Burg
und Heimlichkeit, wo er von der Menge, den Vielen, den
Allermeisten e r l ö s t ist, wo er die Regel »Mensch« vergessen darf, als deren Ausnahme: – den Einen Fall ausgenommen, dass er [44] von einem noch stärkeren Instinkte geradewegs auf diese Regel gestossen wird, als Erkennender im
grossen und ausnahmsweisen Sinne. Wer nicht im Verkehr
mit Menschen gelegentlich in allen Farben der Noth, grün
und grau vor Ekel, Überdruss, Mitgefühl, Verdüsterung,
Vereinsamung schillert, der ist gewiss kein Mensch höheren
Geschmacks; gesetzt aber, er nimmt alle diese Last und
Unlust nicht freiwillig auf sich, er weicht ihr immerdar aus

und bleibt, wie gesagt, still und stolz auf seiner Burg versteckt, nun, so ist Eins gewiss: er ist zur Erkenntniss nicht
gemacht, nicht vorherbestimmt. Denn als solcher würde er
eines Tages sich sagen müssen »hole der Teufel meinen guten
Geschmack! aber die Regel ist interessanter als die Ausnahme, – als ich, die Ausnahme!« – und würde sich h i n a b
begeben, vor Allem »hinein«. Das Studium des d u r c h -
s c h n i t t l i c h e n Menschen, lang, ernsthaft, und zu diesem
Zwecke viel Verkleidung, Selbstüberwindung, Vertraulichkeit, schlechter Umgang – jeder Umgang ist schlechter
Umgang ausser dem mit Seines-Gleichen –: das macht ein
nothwendiges Stück der Lebensgeschichte jedes Philosophen
aus, vielleicht das unangenehmste, übelriechendste, an Enttäuschungen reichste Stück. Hat er aber Glück, wie es einem
Glückskinde der Erkenntniss geziemt, so begegnet er eigentlichen Abkürzern und Erleichterern seiner Aufgabe, – ich
meine sogenannten Cynikern, also Solchen, welche das
Thier, die Gemeinheit, die »Regel« an sich einfach anerkennen und dabei noch jenen Grad von Geistigkeit und Kitzel
haben, um über sich und ihres Gleichen v o r Z e u g e n reden
zu müssen: – mitunter wälzen sie sich sogar in Büchern wie
auf ihrem eignen Miste. Cynismus ist die einzige Form, in
welcher gemeine Seelen an Das streifen, was Redlichkeit ist;
und der höhere Mensch hat bei jedem gröberen und feineren
Cynismus die Ohren aufzumachen und sich jedes Mal Glück
zu wünschen, wenn gerade vor ihm der Possenreisser ohne
Scham oder der wissenschaftliche Satyr laut werden. Es giebt
sogar Fälle, wo zum Ekel sich die Bezauberung mischt: da
nämlich, wo an einen solchen indiskreten Bock und Affen,
durch eine Laune der [45] Natur, das Genie gebunden ist, wie
bei dem Abbé Galiani, dem tiefsten, scharfsichtigsten und
vielleicht auch schmutzigsten Menschen seines Jahrhunderts
– er war viel tiefer als Voltaire und folglich auch ein gut Theil
schweigsamer. Häufiger schon geschieht es, dass, wie angedeutet, der wissenschaftliche Kopf auf einen Affenleib, ein
feiner Ausnahme-Verstand auf eine gemeine Seele gesetzt ist,

– unter Ärzten und Moral-Physiologen namentlich kein seltenes Vorkommniss. Und wo nur Einer ohne Erbitterung, vielmehr harmlos vom Menschen redet als von einem Bauche mit zweierlei Bedürfnissen und einem Kopfe mit Einem; überall wo Jemand immer nur Hunger, Geschlechts-Begierde und Eitelkeit sieht, sucht und sehn will, als seien es die eigentlichen und einzigen Triebfedern der menschlichen Handlungen; kurz, wo man »schlecht« vom Menschen redet – und nicht einmal s c h l i m m –, da soll der Liebhaber der Erkenntniss fein und fleissig hinhorchen, er soll seine Ohren überhaupt dort haben, wo ohne Entrüstung geredet wird. Denn der entrüstete Mensch, und wer immer mit seinen eignen Zähnen sich selbst (oder, zum Ersatz dafür, die Welt, oder Gott, oder die Gesellschaft) zerreisst und zerfleischt, mag zwar moralisch gerechnet, höher stehn als der lachende und selbstzufriedene Satyr, in jedem anderen Sinne aber ist er der gewöhnlichere, gleichgültigere, unbelehrendere Fall. Und Niemand l ü g t soviel als der Entrüstete. –

27.

Es ist schwer, verstanden zu werden: besonders wenn man gangasrotogati denkt und lebt, unter lauter Menschen, welche anders denken und leben, nämlich kurmagati oder besten Falles »nach der Gangart des Frosches« mandeikagati – ich thue eben Alles, um selbst schwer verstanden zu werden? – und man soll schon für den guten Willen zu einiger Feinheit der Interpretation von Herzen erkenntlich sein. Was aber »die guten Freunde« anbetrifft, welche immer zu bequem sind und gerade als Freunde ein [46] Recht auf Bequemlichkeit zu haben glauben: so thut man gut, ihnen von vornherein einen Spielraum und Tummelplatz des Missverständnisses zuzugestehn: – so hat man noch zu lachen; – oder sie ganz abzuschaffen, diese guten Freunde, – und auch zu lachen!

28.

Was sich am schlechtesten aus einer Sprache in die andere übersetzen lässt, ist das tempo ihres Stils: als welcher im Charakter der Rasse seinen Grund hat, physiologischer gesprochen, im Durchschnitts-tempo ihres »Stoffwechsels«. Es giebt ehrlich gemeinte Übersetzungen, die beinahe Fälschungen sind, als unfreiwillige Vergemeinerungen des Originals, bloss weil sein tapferes und lustiges tempo nicht mit übersetzt werden konnte, welches über alles Gefährliche in Dingen und Worten wegspringt, weghilft. Der Deutsche ist beinahe des Presto in seiner Sprache unfähig: also, wie man billig schliessen darf, auch vieler der ergötzlichsten und verwegensten Nuances des freien, freigeisterischen Gedankens. So gut ihm der Buffo und der Satyr fremd ist, in Leib und Gewissen, so gut ist ihm Aristophanes und Petronius unübersetzbar. Alles Gravitätische, Schwerflüssige, Feierlich-Plumpe, alle langwierigen und langweiligen Gattungen des Stils sind bei den Deutschen in überreicher Mannichfaltigkeit entwickelt, – man vergebe mir die Thatsache, dass selbst Goethe's Prosa, in ihrer Mischung von Steifheit und Zierlichkeit, keine Ausnahme macht, als ein Spiegelbild der »alten guten Zeit«, zu der sie gehört, und als Ausdruck des deutschen Geschmacks, zur Zeit, wo es noch einen »deutschen Geschmack« gab: der ein Rokoko-Geschmack war, in moribus et artibus. Lessing macht eine Ausnahme, Dank seiner Schauspieler-Natur, die Vieles verstand und sich auf Vieles verstand: er, der nicht umsonst der Übersetzer Bayle's war und sich gerne in die Nähe Diderot's und Voltaire's, noch lieber unter die römischen Lustspieldichter flüchtete: – Les[47]sing liebte auch im tempo die Freigeisterei, die Flucht aus Deutschland. Aber wie vermöchte die deutsche Sprache, und sei es selbst in der Prosa eines Lessing, das tempo Macchiavell's nachzuahmen, der, in seinem principe, die trockne feine Luft von Florenz athmen lässt und nicht umhin kann, die ernsteste Angelegenheit in einem unbändigen Allegrissimo vorzutragen: vielleicht nicht ohne ein boshaftes Artisten-Gefühl davon, wel-

chen Gegensatz er wagt, – Gedanken, lang, schwer, hart,
gefährlich, und ein tempo des Galopps und der allerbesten
muthwilligsten Laune. Wer endlich dürfte gar eine deutsche
Übersetzung des Petronius wagen, der, mehr als irgend ein
grosser Musiker bisher, der Meister des presto gewesen ist, in
Erfindungen, Einfällen, Worten: – was liegt zuletzt an allen
Sümpfen der kranken, schlimmen Welt, auch der »alten
Welt«, wenn man, wie er, die Füsse eines Windes hat, den
Zug und Athem, den befreienden Hohn eines Windes, der
Alles gesund macht, indem er Alles l a u f e n macht! Und was
Aristophanes angeht, jenen verklärenden, complementären
Geist, um dessentwillen man dem ganzen Griechenthum
v e r z e i h t, dass es da war, gesetzt, dass man in aller Tiefe
begriffen hat, w a s da Alles der Verzeihung, der Verklärung
bedarf: – so wüsste ich nichts, was mich über P l a t o ' s Ver-
borgenheit und Sphinx-Natur mehr hat träumen lassen als
jenes glücklich erhaltene petit fait: dass man unter dem Kopf-
kissen seines Sterbelagers keine »Bibel« vorfand, nichts
Ägyptisches, Pythagoreisches, Platonisches, – sondern den
Aristophanes. Wie hätte auch ein Plato das Leben ausgehalten
– ein griechisches Leben, zu dem er Nein sagte, – ohne einen
Aristophanes! –

29.

Es ist die Sache der Wenigsten, unabhängig zu sein: – es ist ein
Vorrecht der Starken. Und wer es versucht, auch mit dem
besten Rechte dazu, aber ohne es zu m ü s s e n, beweist
damit, dass er wahrscheinlich nicht nur stark, sondern bis zur
Ausgelas[48]senheit verwegen ist. Er begiebt sich in ein Labyrinth, er vertausendfältigt die Gefahren, welche das Leben an
sich schon mit sich bringt; von denen es nicht die kleinste ist,
dass Keiner mit Augen sieht, wie und wo er sich verirrt,
vereinsamt und stückweise von irgend einem Höhlen-Mino-
taurus des Gewissens zerrissen wird. Gesetzt, ein Solcher
geht zu Grunde, so geschieht es so ferne vom Verständniss

der Menschen, dass sie es nicht fühlen und mitfühlen: – und er
kann nicht mehr zurück! er kann auch zum Mitleiden der
Menschen nicht mehr zurück! – –

30.

Unsre höchsten Einsichten müssen – und sollen! – wie Thorheiten, unter Umständen wie Verbrechen klingen, wenn sie
unerlaubter Weise Denen zu Ohren kommen, welche nicht
dafür geartet und vorbestimmt sind. Das Exoterische und das
Esoterische, wie man ehedem unter Philosophen unterschied, bei Indern, wie bei Griechen, Persern und Muselmän-
nern, kurz überall, wo man eine Rangordnung und n i c h t an
Gleichheit und gleiche Rechte glaubte, – das hebt sich nicht
sowohl dadurch von einander ab, dass der Exoteriker draus-
sen steht und von aussen her, nicht von innen her, sieht,
schätzt, misst, urtheilt: das Wesentlichere ist, dass er von
Unten hinauf die Dinge sieht, – der Esoteriker aber v o n
O b e n   h e r a b! Es giebt Höhen der Seele, von wo aus gesehen selbst die Tragödie aufhört, tragisch zu wirken; und, alles
Weh der Welt in Eins genommen, wer dürfte zu entscheiden
wagen, ob sein Anblick n o t h w e n d i g gerade zum Mitleiden und dergestalt zur Verdoppelung des Wehs verführen
und zwingen werde? . . . Was der höheren Art von Menschen
zur Nahrung oder zur Labsal dient, muss einer sehr unter-
schiedlichen und geringeren Art beinahe Gift sein. Die
Tugenden des gemeinen Manns würden vielleicht an einem
Philosophen Laster und Schwächen bedeuten; es wäre möglich, dass ein hochgearteter Mensch, gesetzt, dass er entartete
und zu Grunde gienge, erst da[49]durch in den Besitz von
Eigenschaften käme, derentwegen man nöthig hätte, ihn in
der niederen Welt, in welche er hinab sank, nunmehr wie
einen Heiligen zu verehren. Es giebt Bücher, welche für Seele
und Gesundheit einen umgekehrten Werth haben, je nachdem die niedere Seele, die niedrigere Lebenskraft oder aber
die höhere und gewaltigere sich ihrer bedienen: im ersten
Falle sind es gefährliche, anbröckelnde, auflösende Bücher,

im anderen Heroldsrufe, welche die Tapfersten zu i h r e r
Tapferkeit herausfordern. Allerwelts-Bücher sind immer
übelriechende Bücher: der Kleine-Leute-Geruch klebt daran.
Wo das Volk isst und trinkt, selbst wo es verehrt, da pflegt es
zu stinken. Man soll nicht in Kirchen gehn, wenn man r e i n e
Luft athmen will. – –

31.

Man verehrt und verachtet in jungen Jahren noch ohne jene
Kunst der Nuance, welche den besten Gewinn des Lebens
ausmacht, und muss es billigerweise hart büssen, solcherge-
stalt Menschen und Dinge mit Ja und Nein überfallen zu
haben. Es ist Alles darauf eingerichtet, dass der schlechteste
aller Geschmäcker, der Geschmack für das Unbedingte grau-
sam genarrt und gemissbraucht werde, bis der Mensch lernt,
etwas Kunst in seine Gefühle zu legen und lieber noch mit
dem Künstlichen den Versuch zu wagen: wie es die rechten
Artisten des Lebens thun. Das Zornige und Ehrfürchtige, das
der Jugend eignet, scheint sich keine Ruhe zu geben, bevor es
nicht Menschen und Dinge so zurecht gefälscht hat, dass es
sich an ihnen auslassen kann: – Jugend ist an sich schon etwas
Fälschendes und Betrügerisches. Später, wenn die junge
Seele, durch lauter Enttäuschungen gemartert, sich endlich
argwöhnisch gegen sich selbst zurück wendet, immer noch
heiss und wild, auch in ihrem Argwohne und Gewissens-
bisse: wie zürnt sie sich nunmehr, wie zerreisst sie sich ungeduldig, wie nimmt sie Rache für ihre lange Selbst-Verblen-
dung, wie als ob sie eine willkürliche Blindheit gewesen sei!
In diesem Übergange [50] bestraft man sich selber, durch
Misstrauen gegen sein Gefühl; man foltert seine Begeisterung
durch den Zweifel, ja man fühlt schon das gute Gewissen als
eine Gefahr, gleichsam als Selbst-Verschleierung und Ermü-
dung der feineren Redlichkeit; und vor Allem, man nimmt
Partei, grundsätzlich Partei g e g e n »die Jugend«. – Ein Jahrzehend später: und man begreift, dass auch dies Alles noch –
Jugend war!

32.

Die längste Zeit der menschlichen Geschichte hindurch – man nennt sie die prähistorische Zeit – wurde der Werth oder der Unwerth einer Handlung aus ihren Folgen abgeleitet: die Handlung an sich kam dabei ebensowenig als ihre Herkunft in Betracht, sondern ungefähr so, wie heute noch in China eine Auszeichnung oder Schande vom Kinde auf die Eltern zurückgreift, so war es die rückwirkende Kraft des Erfolgs oder Misserfolgs, welche den Menschen anleitete, gut oder schlecht von einer Handlung zu denken. Nennen wir diese Periode die vormoralische Periode der Menschheit: der Imperativ »erkenne dich selbst!« war damals noch unbekannt. In den letzten zehn Jahrtausenden ist man hingegen auf einigen grossen Flächen der Erde Schritt für Schritt so weit gekommen, nicht mehr die Folgen, sondern die Herkunft der Handlung über ihren Werth entscheiden zu lassen: ein grosses Ereigniss als Ganzes, eine erhebliche Verfeinerung des Blicks und Maassstabs, die unbewusste Nachwirkung von der Herrschaft aristokratischer Werthe und des Glaubens an »Herkunft«, das Abzeichen einer Periode, welche man im engeren Sinne als die moralische bezeichnen darf: der erste Versuch zur Selbst-Erkenntniss ist damit gemacht. Statt der Folgen die Herkunft: welche Umkehrung der Perspektive! Und sicherlich eine erst nach langen Kämpfen und Schwankungen erreichte Umkehrung! Freilich: ein verhängnissvoller neuer Aberglaube, eine eigenthümliche Engigkeit der Interpretation kam eben damit zur [51] Herrschaft: man interpretirte die Herkunft einer Handlung im allerbestimmtesten Sinne als Herkunft aus einer Absicht; man wurde Eins im Glauben daran, dass der Werth einer Handlung im Werthe ihrer Absicht belegen sei. Die Absicht als die ganze Herkunft und Vorgeschichte einer Handlung: unter diesem Vorurtheile ist fast bis auf die neueste Zeit auf Erden moralisch gelobt, getadelt, gerichtet, auch philosophirt worden. – Sollten wir aber heute nicht bei der Nothwendigkeit angelangt sein, uns nochmals über eine Umkehrung und Grundverschiebung der Werthe schlüssig zu machen, Dank einer nochmaligen Selbstbesinnung und Vertiefung des Menschen, – sollten wir nicht an der Schwelle einer Periode stehen, welche, negativ, zunächst als die aussermoralische zu bezeichnen wäre: heute, wo wenigstens unter uns Immoralisten der Verdacht sich regt, dass gerade in dem, was nicht-absichtlich an einer Handlung ist, ihr entscheidender Werth belegen sei, und dass alle ihre Absichtlichkeit, Alles, was von ihr gesehn, gewusst, »bewusst« werden kann, noch zu ihrer Oberfläche und Haut gehöre, – welche, wie jede Haut, Etwas verräth, aber noch mehr verbirgt? Kurz, wir glauben, dass die Absicht nur ein Zeichen und Symptom ist, das erst der Auslegung bedarf, dazu ein Zeichen, das zu Vielerlei und folglich für sich allein fast nichts bedeutet, – dass Moral, im bisherigen Sinne, also Absichten-Moral ein Vorurtheil gewesen ist, eine Voreiligkeit, eine Vorläufigkeit vielleicht, ein Ding etwa vom Range der Astrologie und Alchymie, aber jedenfalls Etwas, das überwunden werden muss. Die Überwindung der Moral, in einem gewissen Verstande sogar die Selbstüberwindung der Moral: mag das der Name für jene lange geheime Arbeit sein, welche den feinsten und redlichsten, auch den boshaftesten Gewissen von heute, als lebendigen Probirsteinen der Seele, vorbehalten blieb. –

[52]   33.

Es hilft nichts: man muss die Gefühle der Hingebung, der Aufopferung für den Nächsten, die ganze Selbstentäusserungs-Moral erbarmungslos zur Rede stellen und vor Gericht führen: ebenso wie die Aesthetik der »interesselosen Anschauung«, unter welcher sich die Entmännlichung der Kunst verführerisch genug heute ein gutes Gewissen zu schaffen sucht. Es ist viel zu viel Zauber und Zucker in jenen Gefühlen des »für Andere«, des »nicht für mich«, als dass man nicht nöthig hätte, hier doppelt misstrauisch zu werden und zu fragen: »sind es nicht vielleicht – Verführung e n ?« – Dass sie g e f a l l e n – Dem, der sie hat, und Dem, der ihre Früchte geniesst, auch dem blossen Zuschauer, – dies giebt noch kein Argument f ü r sie ab, sondern fordert gerade zur Vorsicht auf. Seien wir also vorsichtig!

34.

Auf welchen Standpunkt der Philosophie man sich heute auch stellen mag: von jeder Stelle aus gesehn ist die I r r - t h ü m l i c h k e i t der Welt, in der wir zu leben glauben, das Sicherste und Festeste, dessen unser Auge noch habhaft werden kann: – wir finden Gründe über Gründe dafür, die uns zu Muthmaassungen über ein betrügerisches Princip im »Wesen der Dinge« verlocken möchten. Wer aber unser Denken selbst, also »den Geist« für die Falschheit der Welt verantwortlich macht – ein ehrenhafter Ausweg, den jeder bewusste oder unbewusste advocatus dei geht –: wer diese Welt, sammt Raum, Zeit, Gestalt, Bewegung, als falsch e r s c h l o s s e n nimmt: ein Solcher hätte mindestens guten Anlass, gegen alles Denken selbst endlich Misstrauen zu lernen: hätte es uns nicht bisher den allergrössten Schabernack gespielt? und welche Bürgschaft dafür gäbe es, dass es nicht fortführe, zu thun, was es immer gethan hat? In allem Ernste: die Unschuld der Denker hat etwas Rührendes und Ehrfurcht Einflössendes, welche ihnen erlaubt, sich auch heute noch vor das Be[53]wusstsein hinzustellen, mit der Bitte, dass es ihnen e h r l i c h e Antworten gebe: zum Beispiel ob es »real« sei, und warum es eigentlich die äussere Welt sich so entschlossen vom Halse halte, und was dergleichen Fragen mehr sind. Der Glaube an »unmittelbare Gewissheiten« ist eine m o r a l i - s c h e Naivetät, welche uns Philosophen Ehre macht: aber – wir sollen nun einmal nicht »n u r moralische« Menschen sein! Von der Moral abgesehn, ist jener Glaube eine Dummheit, die uns wenig Ehre macht! Mag im bürgerlichen Leben das allzeit bereite Misstrauen als Zeichen des »schlechten Charakters« gelten und folglich unter die Unklugheiten gehören: hier unter uns, jenseits der bürgerlichen Welt und

ihres Ja's und Nein's, – was sollte uns hindern, unklug zu sein
und zu sagen: der Philosoph hat nachgerade ein R e c h t auf
»schlechten Charakter«, als das Wesen, welches bisher auf
Erden immer am besten genarrt worden ist, – er hat heute die
P f l i c h t zum Misstrauen, zum boshaftesten Schielen aus
jedem Abgrunde des Verdachts heraus. – Man vergebe mir
den Scherz dieser düsteren Fratze und Wendung: denn ich
selbst gerade habe längst über Betrügen und Betrogenwerden
anders denken, anders schätzen gelernt und halte mindestens
ein paar Rippenstösse für die blinde Wuth bereit, mit der die
Philosophen sich dagegen sträuben, betrogen zu werden.
Warum n i c h t ? Es ist nicht mehr als ein moralisches Vorurtheil, dass Wahrheit mehr werth ist als Schein; es ist sogar die
schlechtest bewiesene Annahme, die es in der Welt giebt.
Man gestehe sich doch so viel ein: es bestünde gar kein Leben,
wenn nicht auf dem Grunde perspektivischer Schätzungen
und Scheinbarkeiten; und wollte man, mit der tugendhaften Begeisterung und Tölpelei mancher Philosophen, die
»scheinbare Welt« ganz abschaffen, nun, gesetzt, i h r könntet das, – so bliebe mindestens dabei auch von eurer »Wahrheit« nichts mehr übrig! Ja, was zwingt uns überhaupt zur
Annahme, dass es einen wesenhaften Gegensatz von »wahr«
und »falsch« giebt? Genügt es nicht, Stufen der Scheinbarkeit
anzunehmen und gleichsam hellere und dunklere Schatten
und Gesammttöne des [54] Scheins, – verschiedene valeurs,
um die Sprache der Maler zu reden? Warum dürfte die Welt,
d i e u n s e t w a s a n g e h t –, nicht eine Fiktion sein? Und
wer da fragt: »aber zur Fiktion gehört ein Urheber?« – dürfte
dem nicht rund geantwortet werden: W a r u m ? Gehört dieses »Gehört« nicht vielleicht mit zur Fiktion? Ist es denn
nicht erlaubt, gegen Subjekt, wie gegen Prädikat und Objekt,
nachgerade ein Wenig ironisch zu sein? Dürfte sich der Philosoph nicht über die Gläubigkeit an die Grammatik erheben? Alle Achtung vor den Gouvernanten: aber wäre es nicht
an der Zeit, dass die Philosophie dem Gouvernanten-Glau-
ben absagte? –

35.

Oh Voltaire! Oh Humanität! Oh Blödsinn! Mit der »Wahrheit«, mit dem S u c h e n der Wahrheit hat es etwas auf sich;
und wenn der Mensch es dabei gar zu menschlich treibt – »il
ne cherche le vrai que pour faire le bien« – ich wette, er findet
nichts!

36.

Gesetzt, dass nichts Anderes als real »gegeben« ist als unsre
Welt der Begierden und Leidenschaften, dass wir zu keiner
anderen »Realität« hinab oder hinauf können als gerade zur
Realität unsrer Triebe – denn Denken ist nur ein Verhalten
dieser Triebe zu einander –: ist es nicht erlaubt, den Versuch
zu machen und die Frage zu fragen, ob dies Gegeben nicht
a u s r e i c h t, um aus Seines-Gleichen auch die sogenannte
mechanistische (oder »materielle«) Welt zu verstehen? Ich
meine nicht als eine Täuschung, einen »Schein«, eine »Vorstellung« (im Berkeley'schen und Schopenhauerischen Sinne), sondern als vom gleichen Realitäts-Range, welchen unser Affekt selbst hat, – als eine primitivere Form der Welt
der Affekte, in der noch Alles in mächtiger Einheit beschlos-
sen liegt, was sich dann im organischen Prozesse abzweigt
und [55] ausgestaltet (auch, wie billig, verzärtelt und
abschwächt –), als eine Art von Triebleben, in dem noch
sämmtliche organische Funktionen, mit Selbst-Regulirung,
Assimilation, Ernährung, Ausscheidung, Stoffwechsel, syn-
thetisch gebunden in einander sind, – als eine V o r f o r m des
Lebens? – Zuletzt ist es nicht nur erlaubt, diesen Versuch zu
machen: es ist, vom Gewissen der M e t h o d e aus, geboten.
Nicht mehrere Arten von Causalität annehmen, so lange
nicht der Versuch, mit einer einzigen auszureichen, bis an
seine äusserste Grenze getrieben ist (– bis zum Unsinn, mit
Verlaub zu sagen): das ist eine Moral der Methode, der man
sich heute nicht entziehen darf; – es folgt »aus ihrer Defi-
nition«, wie ein Mathematiker sagen würde. Die Frage ist
zuletzt, ob wir den Willen wirklich als w i r k e n d anerken-

nen, ob wir an die Causalität des Willens glauben: thun wir
das – und im Grunde ist der Glaube d a r a n eben unser
Glaube an Causalität selbst –, so m ü s s e n wir den Versuch
machen, die Willens-Causalität hypothetisch als die einzige
zu setzen. »Wille« kann natürlich nur auf »Wille« wirken –
und nicht auf »Stoffe« (nicht auf »Nerven« zum Beispiel –):
genug, man muss die Hypothese wagen, ob nicht überall, wo
»Wirkungen« anerkannt werden, Wille auf Wille wirkt – und
ob nicht alles mechanische Geschehen, insofern eine Kraft
darin thätig wird, eben Willenskraft, Willens-Wirkung ist. –
Gesetzt endlich, dass es gelänge, unser gesammtes Triebleben
als die Ausgestaltung und Verzweigung Einer Grundform des
Willens zu erklären – nämlich des Willens zur Macht, wie es
m e i n Satz ist –; gesetzt, dass man alle organischen Funktionen auf diesen Willen zur Macht zurückführen könnte und in
ihm auch die Lösung des Problems der Zeugung und Ernährung – es ist Ein Problem – fände, so hätte man damit sich das
Recht verschafft, a l l e wirkende Kraft eindeutig zu bestimmen als: W i l l e z u r M a c h t. Die Welt von innen gesehen,
die Welt auf ihren »intelligiblen Charakter« hin bestimmt und
bezeichnet – sie wäre eben »Wille zur Macht« und nichts
ausserdem. –

[56]   37.

»Wie? Heisst das nicht, populär geredet: Gott ist widerlegt,
der Teufel aber nicht –?« Im Gegentheil! Im Gegentheil,
meine Freunde! Und, zum Teufel auch, wer zwingt euch,
populär zu reden! –

38.

Wie es zuletzt noch, in aller Helligkeit der neueren Zeiten,
mit der französischen Revolution gegangen ist, jener schauerlichen und, aus der Nähe beurtheilt, überflüssigen Posse, in
welche aber die edlen und schwärmerischen Zuschauer von
ganz Europa aus der Ferne her so lange und so leidenschaftlich ihre eignen Empörungen und Begeisterungen hinein

interpretirt haben, bis der Text unter der Interpretation verschwand: so könnte eine edle Nachwelt
noch einmal die ganze Vergangenheit missverstehen und
dadurch vielleicht erst ihren Anblick erträglich machen. –
Oder vielmehr: ist dies nicht bereits geschehen? waren wir
nicht selbst – diese »edle Nachwelt«? Und ist es nicht gerade
jetzt, insofern wir dies begreifen, – damit vorbei?

39.

Niemand wird so leicht eine Lehre, bloss weil sie glücklich
macht, oder tugendhaft macht, deshalb für wahr halten: die
lieblichen »Idealisten« etwa ausgenommen, welche für das
Gute, Wahre, Schöne schwärmen und in ihrem Teiche alle
Arten von bunten plumpen und gutmüthigen Wünschbarkei-
ten durcheinander schwimmen lassen. Glück und Tugend
sind keine Argumente. Man vergisst aber gerne, auch auf
Seiten besonnener Geister, dass Unglücklich-machen und
Böse-machen ebensowenig Gegenargumente sind. Etwas
dürfte wahr sein: ob es gleich im höchsten Grade schädlich
und gefährlich wäre; ja es könnte selbst zur Grundbeschaf-
fenheit des Daseins gehören, dass man an seiner [57] völligen
Erkenntniss zu Grunde gienge, – so dass sich die Stärke eines
Geistes darnach bemässe, wie viel er von der »Wahrheit«
gerade noch aushielte, deutlicher, bis zu welchem Grade
er sie verdünnt, verhüllt, versüsst, verdumpft, verfälscht
nöthig hätte. Aber keinem Zweifel unterliegt es, dass für
die Entdeckung gewisser Theile der Wahrheit die Bösen
und Unglücklichen begünstigter sind und eine grössere
Wahrscheinlichkeit des Gelingens haben; nicht zu reden von
den Bösen, die glücklich sind, – eine Species, welche von den
Moralisten verschwiegen wird. Vielleicht, dass Härte und
List günstigere Bedingungen zur Entstehung des starken,
unabhängigen Geistes und Philosophen abgeben, als jene
sanfte feine nachgebende Gutartigkeit und Kunst des Leicht-
nehmens, welche man an einem Gelehrten schätzt und mit
Recht schätzt. Vorausgesetzt, was voran steht, dass man den

Begriff »Philosoph« nicht auf den Philosophen einengt, der
Bücher schreibt – oder gar s e i n e Philosophie in Bücher
bringt! – Einen letzten Zug im Bilde des freigeisterischen
Philosophen bringt Stendhal bei, den ich um des deutschen
Geschmacks willen nicht unterlassen will zu unterstreichen: –
denn er geht w i d e r den deutschen Geschmack. »Pour être
bon philosophe«, sagt dieser letzte grosse Psycholog, »il faut
être sec, clair, sans illusion. Un banquier, qui a fait fortune, a
une partie du caractère requis pour faire des découvertes en
philosophie, c'est-à-dire pour voir clair dans ce qui est.«

40.

Alles, was tief ist, liebt die Maske; die allertiefsten Dinge
haben sogar einen Hass auf Bild und Gleichniss. Sollte nicht
erst der G e g e n s a t z die rechte Verkleidung sein, in der die
Scham eines Gottes einhergienge? Eine fragwürdige Frage: es
wäre wunderlich, wenn nicht irgend ein Mystiker schon dergleichen bei sich gewagt hätte. Es giebt Vorgänge so zarter
Art, dass man gut thut, sie durch eine Grobheit zu verschüt-
ten und unkenntlich [58] zu machen; es giebt Handlungen
der Liebe und einer ausschweifenden Grossmuth, hinter denen nichts räthlicher ist, als einen Stock zu nehmen und
den Augenzeugen durchzuprügeln: damit trübt man dessen Gedächtniss. Mancher versteht sich darauf, das eigne Gedächtniss zu trüben und zu misshandeln, um wenigstens
an diesem einzigen Mitwisser seine Rache zu haben: – die
Scham ist erfinderisch. Es sind nicht die schlimmsten Dinge,
deren man sich am schlimmsten schämt: es ist nicht nur
Arglist hinter einer Maske, – es giebt so viel Güte in der List.
Ich könnte mir denken, dass ein Mensch, der etwas Kostbares
und Verletzliches zu bergen hätte, grob und rund wie ein
grünes altes schwerbeschlagenes Weinfass durch's Leben
rollte: die Feinheit seiner Scham will es so. Einem Menschen,
der Tiefe in der Scham hat, begegnen auch seine Schicksale
und zarten Entscheidungen auf Wegen, zu denen Wenige je
gelangen, und um deren Vorhandensein seine Nächsten und

Vertrautesten nicht wissen dürfen: seine Lebensgefahr verbirgt sich ihren Augen und ebenso seine wieder eroberte Lebens-Sicherheit. Ein solcher Verborgener, der aus Instinkt das Reden zum Schweigen und Verschweigen braucht und unerschöpflich ist in der Ausflucht vor Mittheilung, w i l l es und fördert es, dass eine Maske von ihm an seiner Statt in den Herzen und Köpfen seiner Freunde herum wandelt; und gesetzt, er will es nicht, so werden ihm eines Tages die Augen darüber aufgehn, dass es trotzdem dort eine Maske von ihm giebt, – und dass es gut so ist. Jeder tiefe Geist braucht eine Maske: mehr noch, um jeden tiefen Geist wächst fortwährend eine Maske, Dank der beständig falschen, nämlich f l a - c h e n Auslegung jedes Wortes, jedes Schrittes, jedes Lebens-Zeichens, das er giebt. –

41.

Man muss sich selbst seine Proben geben, dafür dass man zur Unabhängigkeit und zum Befehlen bestimmt ist; und dies zur rechten Zeit. Man soll seinen Proben nicht aus dem Wege gehn, [59] obgleich sie vielleicht das gefährlichste Spiel sind, das man spielen kann, und zuletzt nur Proben, die vor uns selber als Zeugen und vor keinem anderen Richter abgelegt werden. Nicht an einer Person hängen bleiben: und sei sie die geliebteste, – jede Person ist ein Gefängnis, auch ein Winkel. Nicht an einem Vaterlande hängen bleiben: und sei es das leidendste und hülfbedürftigste, – es ist schon weniger schwer, sein Herz von einem siegreichen Vaterlande los zu binden. Nicht an einem Mitleiden hängen bleiben: und gälte es höheren Menschen, in deren seltne Marter und Hülflosigkeit uns ein Zufall hat blicken lassen. Nicht an einer Wissenschaft hängen bleiben: und locke sie Einen mit den kostbarsten, anscheinend gerade u n s aufgesparten Funden. Nicht an seiner eignen Loslösung hängen bleiben, an jener wollüstigen Ferne und Fremde des Vogels, der immer weiter in die Höhe flieht, um immer mehr unter sich zu sehn: – die Gefahr des Fliegenden. Nicht an unsern eignen Tugenden hängen bleiben und als Ganzes das Opfer irgend einer Einzelheit an uns werden, zum Beispiel unsrer »Gastfreundschaft«: wie es die Gefahr der Gefahren bei hochgearteten und reichen Seelen ist, welche verschwenderisch, fast gleichgültig mit sich selbst umgehn und die Tugend der Liberalität bis zum Laster treiben. Man muss wissen, s i c h z u b e w a h r e n : stärkste Probe der Unabhängigkeit.

42.

Eine neue Gattung von Philosophen kommt herauf: ich wage es, sie auf einen nicht ungefährlichen Namen zu taufen. So wie ich sie errathe, so wie sie sich errathen lassen – denn es gehört zu ihrer Art, irgend worin Räthsel bleiben zu w o l l e n –, möchten diese Philosophen der Zukunft ein Recht, vielleicht auch ein Unrecht darauf haben, als V e r s u c h e r bezeichnet zu werden. Dieser Name selbst ist zuletzt nur ein Versuch, und, wenn man will, eine Versuchung.

[60]
43.

Sind es neue Freunde der »Wahrheit«, diese kommenden Philosophen? Wahrscheinlich genug: denn alle Philosophen liebten bisher ihre Wahrheiten. Sicherlich aber werden es keine Dogmatiker sein. Es muss ihnen wider den Stolz gehn, auch wider den Geschmack, wenn ihre Wahrheit gar noch eine Wahrheit für Jedermann sein soll: was bisher der geheime Wunsch und Hintersinn aller dogmatischen Bestrebungen war. »Mein Urtheil ist m e i n Urtheil: dazu hat nicht leicht auch ein Anderer das Recht« – sagt vielleicht solch ein Philosoph der Zukunft. Man muss den schlechten Geschmack von sich abthun, mit Vielen übereinstimmen zu wollen. »Gut« ist nicht mehr gut, wenn der Nachbar es in den Mund nimmt. Und wie könnte es gar ein »Gemeingut« geben! Das Wort widerspricht sich selbst: was gemein sein kann, hat immer nur wenig Werth. Zuletzt muss es so stehn, wie es steht und immer stand: die grossen Dinge bleiben für die Grossen übrig, die Abgründe für die Tiefen, die Zartheiten und Schauder für die Feinen, und, im Ganzen und Kurzen, alles Seltene für die Seltenen. –

44.

Brauche ich nach alledem noch eigens zu sagen, dass auch sie freie, s e h r freie Geister sein werden, diese Philosophen der Zukunft, – so gewiss sie auch nicht bloss freie Geister sein werden, sondern etwas Mehreres, Höheres, Grösseres und Gründlich-Anderes, das nicht verkannt und verwechselt werden will? Aber, indem ich dies sage, fühle ich fast ebenso sehr gegen sie selbst, als gegen uns, die wir ihre Herolde und Vorläufer sind, wir freien Geister! – die S c h u l d i g k e i t, ein altes dummes Vorurtheil und Missverständniss von uns gemeinsam fortzublasen, welches allzulange wie ein Nebel den Begriff »freier Geist« undurchsichtig gemacht hat. In allen Ländern Europa's und ebenso in Amerika giebt es jetzt Etwas, das Missbrauch mit diesem Namen treibt, [61] eine sehr enge, eingefangne, an Ketten gelegte Art von Geistern, welche ungefähr das Gegentheil von dem wollen, was in unsern Absichten und Instinkten liegt, – nicht zu reden davon, dass sie in Hinsicht auf jene heraufkommenden n e u e n Philosophen erst recht zugemachte Fenster und verriegelte Thüren sein müssen. Sie gehören, kurz und schlimm, unter die N i v e l l i r e r, diese fälschlich genannten »freien Geister« – als beredte und schreibfingrige Sklaven des demokratischen Geschmacks und seiner »modernen Ideen«: allesammt Menschen ohne Einsamkeit, ohne eigne Einsamkeit, plumpe brave Burschen, welchen weder Muth noch achtbare Sitte abgesprochen werden soll, nur dass sie eben unfrei und zum Lachen oberflächlich sind, vor Allem mit ihrem Grundhange, in den Formen der bisherigen alten Gesellschaft ungefähr die Ursache für a l l e s menschliche Elend und Missrathen zu sehn: wobei die Wahrheit glücklich auf den Kopf zu stehn kommt! Was sie mit allen Kräften erstreben möchten, ist das allgemeine grüne Weide-Glück der Heerde, mit

Sicherheit, Ungefährlichkeit, Behagen, Erleichterung des
Lebens für Jedermann; ihre beiden am reichlichsten abge-
sungnen Lieder und Lehren heissen »Gleichheit der Rechte«
und »Mitgefühl für alles Leidende«, – und das Leiden selbst
wird von ihnen als Etwas genommen, das man a b s c h a f f e n
muss. Wir Umgekehrten, die wir uns ein A u g e und ein
Gewissen für die Frage aufgemacht haben, wo und wie bisher
die Pflanze »Mensch« am kräftigsten in die Höhe gewachsen
ist, vermeinen, dass dies jedes Mal unter den umgekehrten
Bedingungen geschehn ist, dass dazu die Gefährlichkeit seiner Lage erst in's Ungeheure wachsen, seine Erfindungs- und
Verstellungskraft (sein »Geist« –) unter langem Druck und
Zwang sich in's Feine und Verwegene entwickeln, sein
Lebens-Wille bis zum unbedingten Macht-Willen gesteigert
werden musste: – wir vermeinen, dass Härte, Gewaltsamkeit,
Sklaverei, Gefahr auf der Gasse und im Herzen, Verborgenheit, Stoicismus, Versucherkunst und Teufelei jeder Art, dass
alles Böse, Furchtbare, Tyrannische, Raubthier- und Schlan-
genhafte [62] am Menschen so gut zur Erhöhung der Species
»Mensch« dient, als sein Gegensatz: – wir sagen sogar nicht
einmal genug, wenn wir nur so viel sagen, und befinden uns
jedenfalls, mit unserm Reden und Schweigen an dieser Stelle,
am a n d e r n Ende aller modernen Ideologie und Heerden-
Wünschbarkeit: als deren Antipoden vielleicht? Was Wunder, dass wir »freien Geister« nicht gerade die mittheilsam-
sten Geister sind? dass wir nicht in jedem Betrachte zu verrathen wünschen, w o v o n ein Geist sich frei machen kann und
w o h i n er dann vielleicht getrieben wird? Und was es mit der
gefährlichen Formel »jenseits von Gut und Böse« auf sich hat,
mit der wir uns zum Mindesten vor Verwechslung behüten:
wir s i n d etwas Anderes als »libres-penseurs«, »liberi pensa-
tori«, »Freidenker« und wie alle diese braven Fürsprecher der
»modernen Ideen« sich zu benennen lieben. In vielen Ländern des Geistes zu Hause, mindestens zu Gaste gewesen;
den dumpfen angenehmen Winkeln immer wieder ent-
schlüpft, in die uns Vorliebe und Vorhass, Jugend, Abkunft,

der Zufall von Menschen und Büchern, oder selbst die Ermü-
dungen der Wanderschaft zu bannen schienen; voller Bosheit
gegen die Lockmittel der Abhängigkeit, welche in Ehren,
oder Geld, oder Ämtern, oder Begeisterungen der Sinne versteckt liegen; dankbar sogar gegen Noth und wechselreiche
Krankheit, weil sie uns immer von irgend einer Regel und
ihrem »Vorurtheil« losmachte, dankbar gegen Gott, Teufel,
Schaf und Wurm in uns, neugierig bis zum Laster, Forscher
bis zur Grausamkeit, mit unbedenklichen Fingern für Un-
fassbares, mit Zähnen und Mägen für das Unverdaulich-
ste, bereit zu jedem Handwerk, das Scharfsinn und scharfe
Sinne verlangt, bereit zu jedem Wagniss, Dank einem Über-
schusse von »freiem Willen«, mit Vorder- und Hinterseelen,
denen Keiner leicht in die letzten Absichten sieht, mit Vor-
der- und Hintergründen, welche kein Fuss zu Ende laufen dürfte, Verborgene unter den Mänteln des Lichts, Erobernde, ob wir gleich Erben und Verschwendern gleich
sehn, Ordner und Sammler von früh bis Abend, Geizhälse
unsres Reichthums und [63] unsrer vollgestopften Schubfä-
cher, haushälterisch im Lernen und Vergessen, erfinderisch
in Schematen, mitunter stolz auf Kategorien-Tafeln, mitunter Pedanten, mitunter Nachteulen der Arbeit auch am hellen
Tage; ja, wenn es noth thut, selbst Vogelscheuchen – und
heute thut es noth: nämlich insofern wir die geborenen
geschworenen eifersüchtigen Freunde der E i n s a m k e i t
sind, unsrer eignen tiefsten mitternächtlichsten mittäglich-
sten Einsamkeit: – eine solche Art Menschen sind wir, wir
freien Geister! und vielleicht seid auch i h r etwas davon, ihr
Kommenden? ihr n e u e n Philosophen? –

Drittes Hauptstück:
das religiöse Wesen.

45.

Die menschliche Seele und ihre Grenzen, der bisher überhaupt erreichte Umfang menschlicher innerer Erfahrungen,
die Höhen, Tiefen und Fernen dieser Erfahrungen, die ganze
bisherige Geschichte der Seele und ihre noch unausge-
trunkenen Möglichkeiten: das ist für einen geborenen Psychologen und Freund der »grossen Jagd« das vorbestimmte
Jagdbereich. Aber wie oft muss er sich verzweifelt sagen: »ein
Einzelner! ach, nur ein Einzelner! und dieser grosse Wald
und Urwald!« Und so wünscht er sich einige hundert Jagd-
gehülfen und feine gelehrte Spürhunde, welche er in die
Geschichte der menschlichen Seele treiben könnte, um dort
sein Wild zusammenzutreiben. Umsonst: er erprobt es
immer wieder, gründlich und bitterlich, wie schlecht zu allen
Dingen, die gerade seine Neugierde reizen, Gehülfen und
Hunde zu finden sind. Der Übelstand, den es hat, Gelehrte
auf neue und gefährliche Jagdbereiche auszuschicken, wo
Muth, Klugheit, Feinheit in jedem Sinne noth thun, liegt
darin, dass sie gerade dort nicht mehr brauchbar sind, wo die
»grosse Jagd«, aber auch die grosse Gefahr beginnt: –
gerade dort verlieren sie ihr Spürauge und ihre Spürnase. Um
zum Beispiel zu errathen und festzustellen, was für eine
Geschichte bisher das Problem von Wissen und Gewissen in der Seele der homines religiosi gehabt hat, dazu
müsste Einer vielleicht selbst so tief, so verwundet, so ungeheuer sein, wie es das intellektuelle Gewissen Pascal's war:
[66] – und dann bedürfte es immer noch jenes ausgespannten
Himmels von heller, boshafter Geistigkeit, welcher von
Oben herab dies Gewimmel von gefährlichen und schmerzlichen Erlebnissen zu übersehn, zu ordnen, in Formeln zu
zwingen vermöchte. – Aber wer thäte mir diesen Dienst!
Aber wer hätte Zeit, auf solche Diener zu warten! – sie wach-

sen ersichtlich zu selten, sie sind zu allen Zeiten so unwahrscheinlich! Zuletzt muss man Alles s e l b e r thun, um selber Einiges zu wissen: das heisst, man hat v i e l zu thun! – Aber eine Neugierde meiner Art bleibt nun einmal das angenehmste aller Laster, – Verzeihung! ich wollte sagen: die Liebe zur Wahrheit hat ihren Lohn im Himmel und schon auf Erden. –

46.

Der Glaube, wie ihn das erste Christenthum verlangt und nicht selten erreicht hat, inmitten einer skeptischen und südlich-freigeisterischen Welt, die einen Jahrhunderte langen Kampf von Philosophenschulen hinter sich und in sich hatte, hinzugerechnet die Erziehung zur Toleranz, welche das imperium Romanum gab, – dieser Glaube ist n i c h t jener treuherzige und bärbeissige Unterthanen-Glaube, mit dem etwa ein Luther oder ein Cromwell oder sonst ein nordischer Barbar des Geistes an ihrem Gotte und Christenthum gehangen haben; viel eher schon jener Glaube Pascal's, der auf schreckliche Weise einem dauernden Selbstmorde der Vernunft ähnlich sieht, – einer zähen langlebigen wurmhaften Vernunft, die nicht mit Einem Male und Einem Streiche todtzumachen ist. Der christliche Glaube ist von Anbeginn Opferung: Opferung aller Freiheit, alles Stolzes, aller Selbstgewissheit des Geistes; zugleich Verknechtung und Selbst-Verhöhnung, Selbst-Verstümmelung. Es ist Grausamkeit und religiöser Phönicismus in diesem Glauben, der einem mürben, vielfachen und viel verwöhnten Gewissen zugemuthet wird: seine Voraussetzung ist, dass die Unterwerfung des Geistes unbeschreiblich w e h e t h u t, [67] dass die ganze Vergangenheit und Gewohnheit eines solchen Geistes sich gegen das Absurdissimum wehrt, als welches ihm der »Glaube« entgegentritt. Die modernen Menschen, mit ihrer Abstumpfung gegen alle christliche Nomenklatur, fühlen das Schauerlich-Superlativische nicht mehr nach, das für einen antiken Geschmack in der Paradoxie der Formel »Gott am Kreuze« lag. Es hat bisher noch niemals und nirgendswo eine

gleiche Kühnheit im Umkehren, etwas gleich Furchtbares,
Fragendes und Fragwürdiges gegeben wie diese Formel: sie
verhiess eine Umwerthung aller antiken Werthe. – Es ist der
Orient, der t i e f e Orient, es ist der orientalische Sklave, der
auf diese Weise an Rom und seiner vornehmen und frivolen
Toleranz, am römischen »Katholicismus« des Glaubens
Rache nahm: – und immer war es nicht der Glaube, sondern
die Freiheit vom Glauben, jene halb stoische und lächelnde
Unbekümmertheit um den Ernst des Glaubens, was die Sklaven an ihren Herrn, gegen ihre Herrn empört hat. Die »Aufklärung« empört: der Sklave nämlich will Unbedingtes, er
versteht nur das Tyrannische, auch in der Moral, er liebt wie
er hasst, ohne Nuance, bis in die Tiefe, bis zum Schmerz, bis
zur Krankheit, – sein vieles v e r b o r g e n e s Leiden empört
sich gegen den vornehmen Geschmack, der das Leiden zu
l e u g n e n scheint. Die Skepsis gegen das Leiden, im Grunde
nur eine Attitüde der aristokratischen Moral, ist nicht am
wenigsten auch an der Entstehung des letzten grossen Skla-
ven-Aufstandes betheiligt, welcher mit der französischen
Revolution begonnen hat.

47.

Wo nur auf Erden bisher die religiöse Neurose aufgetreten
ist, finden wir sie verknüpft mit drei gefährlichen Diät-Ver-
ordnungen: Einsamkeit, Fasten und geschlechtlicher Ent-
haltsamkeit, – doch ohne dass hier mit Sicherheit zu entscheiden wäre, was da Ursache, was Wirkung sei, und o b hier
überhaupt ein Ver[68]hältniss von Ursache und Wirkung vor-
liege. Zum letzten Zweifel berechtigt, dass gerade zu ihren
regelmässigsten Symptomen, bei wilden wie bei zahmen Völkern, auch die plötzlichste ausschweifendste Wollüstigkeit
gehört, welche dann, ebenso plötzlich, in Busskrampf und
Welt- und Willens-Verneinung umschlägt: beides vielleicht
als maskirte Epilepsie deutbar? Aber nirgendswo sollte man
sich der Deutungen mehr entschlagen: um keinen Typus
herum ist bisher eine solche Fülle von Unsinn und Aberglau-

ben aufgewachsen, keiner scheint bisher die Menschen, selbst die Philosophen, mehr interessirt zu haben, – es wäre an der Zeit, hier gerade ein Wenig kalt zu werden, Vorsicht zu lernen, besser noch: wegzusehn, w e g z u g e h n. – Noch im Hintergrunde der letztgekommenen Philosophie, der Schopenhauerischen, steht, beinahe als das Problem an sich, dieses schauerliche Fragezeichen der religiösen Krisis und Erwekkung. Wie ist Willensverneinung m ö g l i c h ? wie ist der Heilige möglich? – das scheint wirklich die Frage gewesen zu sein, bei der Schopenhauer zum Philosophen wurde und anfieng. Und so war es eine ächt Schopenhauerische Consequenz, dass sein überzeugtester Anhänger (vielleicht auch sein letzter, was Deutschland betrifft –), nämlich Richard Wagner, das eigne Lebenswerk gerade hier zu Ende brachte und zuletzt noch jenen furchtbaren und ewigen Typus als Kundry auf der Bühne vorführte, type vécu, und wie er leibt und lebt; zu gleicher Zeit, wo die Irrenärzte fast aller Länder Europa's einen Anlass hatten, ihn aus der Nähe zu studiren, überall, wo die religiöse Neurose – oder, wie ich es nenne, »das religiöse Wesen« – als »Heilsarmee« ihren letzten epidemischen Ausbruch und Aufzug gemacht hat. – Fragt man sich aber, was eigentlich am ganzen Phänomen des Heiligen den Menschen aller Art und Zeit, auch den Philosophen, so unbändig interessant gewesen ist: so ist es ohne allen Zweifel der ihm anhaftende Anschein des Wunders, nämlich der unmittelbaren A u f e i n a n d e r f o l g e v o n G e g e n s ä t z e n, von moralisch entgegengesetzt gewertheten Zuständen der Seele: man glaubte hier mit Händen zu greifen, [69] dass aus einem »schlechten Menschen« mit Einem Male ein »Heiliger«, ein guter Mensch werde. Die bisherige Psychologie litt an dieser Stelle Schiffbruch: sollte es nicht vornehmlich darum geschehen sein, weil sie sich unter die Herrschaft der Moral gestellt hatte, weil sie an die moralischen Werth-Gegensätze selbst g l a u b t e, und diese Gegensätze in den Text u n d Thatbestand hineinsah, hineinlas, hinein d e u t e t e ? – Wie? Das »Wunder« nur ein Fehler der Interpretation? Ein Mangel an Philologie? –

48.

Es scheint, dass den lateinischen Rassen ihr Katholicismus viel innerlicher zugehört, als uns Nordländern das ganze Christenthum überhaupt: und dass folglich der Unglaube in katholischen Ländern etwas ganz Anderes zu bedeuten hat, als in protestantischen – nämlich eine Art Empörung gegen den Geist der Rasse, während er bei uns eher eine Rückkehr zum Geist (oder Ungeist –) der Rasse ist. Wir Nordländer stammen unzweifelhaft aus Barbaren-Rassen, auch in Hinsicht auf unsere Begabung zur Religion: wir sind s c h l e c h t für sie begabt. Man darf die Kelten ausnehmen, welche deshalb auch den besten Boden für die Aufnahme der christlichen Infektion im Norden abgegeben haben: – in Frankreich kam das christliche Ideal, soweit es nur die blasse Sonne des Nordens erlaubt hat, zum Ausblühen. Wie fremdartig fromm sind unserm Geschmack selbst diese letzten französischen Skeptiker noch, sofern etwas keltisches Blut in ihrer Abkunft ist! Wie katholisch, wie undeutsch riecht uns Auguste Comte's Sociologie mit ihrer römischen Logik der Instinkte! Wie jesuitisch jener liebenswürdige und kluge Cicerone von Port-Royal, Sainte-Beuve, trotz all seiner Jesuiten-Feindschaft! Und gar Ernest Renan: wie unzugänglich klingt uns Nordländern die Sprache solch eines Renan, in dem alle Augenblicke irgend ein Nichts von religiöser Spannung seine in feinerem Sinne wollüstige und bequem sich bettende Seele um ihr Gleichgewicht bringt! Man spreche ihm [70] einmal diese schönen Sätze nach, – und was für Bosheit und Übermuth regt sich sofort in unserer wahrscheinlich weniger schönen und härteren, nämlich deutscheren Seele als Antwort! –
»disons donc hardiment que la religion est un produit de l'homme normal, que l'homme est le plus dans le vrai quand il est le plus religieux et le plus assuré d'une destinée infinie . . . . C'est quand il est bon qu'il veut que la vertu corresponde à un ordre éternel, c'est quand il contemple les choses d'une manière désintéressée qu'il trouve la mort révoltante et absurde. Comment ne pas supposer que c'est dans ces

moments-là, que l'homme voit le mieux? . . . .« Diese Sätze sind meinen Ohren und Gewohnheiten so sehr a n t i p o - d i s c h , dass, als ich sie fand, mein erster Ingrimm daneben schrieb »la niaiserie religieuse par excellence!« – bis mein letzter Ingrimm sie gar noch lieb gewann, diese Sätze mit ihrer auf den Kopf gestellten Wahrheit! Es ist so artig, so auszeichnend, seine eignen Antipoden zu haben!

49.

Das, was an der Religiosität der alten Griechen staunen macht, ist die unbändige Fülle von Dankbarkeit, welche sie ausströmt: – es ist eine sehr vornehme Art Mensch, welche s o vor der Natur und vor dem Leben steht! – Später, als der Pöbel in Griechenland zum Übergewicht kommt, überwuchert die F u r c h t auch in der Religion; und das Christenthum bereitete sich vor. –

50.

Die Leidenschaft für Gott: es giebt bäurische, treuherzige und zudringliche Arten, wie die Luther's, – der ganze Protestantismus entbehrt der südlichen delicatezza. Es giebt ein orientalisches Aussersichsein darin, wie bei einem unverdient begnadeten oder erhobenen Sklaven, zum Beispiel bei Augustin, der auf [71] eine beleidigende Weise aller Vornehmheit der Gebärden und Begierden ermangelt. Es giebt frauenhafte Zärtlichkeit und Begehrlichkeit darin, welche schamhaft und unwissend nach einer unio mystica et physica drängt: wie bei Madame de Guyon. In vielen Fällen erscheint sie wunderlich genug als Verkleidung der Pubertät eines Mädchens oder Jünglings; hier und da selbst als Hysterie einer alten Jungfer, auch als deren letzter Ehrgeiz: – die Kirche hat das Weib schon mehrfach in einem solchen Falle heilig gesprochen.

51.

Bisher haben sich die mächtigsten Menschen immer noch verehrend vor dem Heiligen gebeugt, als dem Räthsel der Selbst-

bezwingung und absichtlichen letzten Entbehrung: warum
beugten sie sich? Sie ahnten in ihm – und gleichsam hinter
dem Fragezeichen seines gebrechlichen und kläglichen
Anscheins – die überlegene Kraft, welche sich an einer solchen Bezwingung erproben wollte, die Stärke des Willens, in
der sie die eigne Stärke und herrschaftliche Lust wieder
erkannten und zu ehren wussten: sie ehrten Etwas an sich,
wenn sie den Heiligen ehrten. Es kam hinzu, dass der Anblick des Heiligen ihnen einen Argwohn eingab: ein solches
Ungeheures von Verneinung, von Wider-Natur wird nicht
umsonst begehrt worden sein, so sagten und fragten sie sich.
Es giebt vielleicht einen Grund dazu, eine ganz grosse
Gefahr, über welche der Asket, Dank seinen geheimen
Zusprechern und Besuchern, näher unterrichtet sein möchte?
Genug, die Mächtigen der Welt lernten vor ihm eine neue
Furcht, sie ahnten eine neue Macht, einen fremden, noch
unbezwungenen Feind: – der »Wille zur Macht« war es, der
sie nöthigte, vor dem Heiligen stehen zu bleiben. Sie mussten
ihn fragen – –

[72]   52.

Im jüdischen »alten Testament«, dem Buche von der göttlichen Gerechtigkeit, giebt es Menschen, Dinge und Reden in
einem so grossen Stile, dass das griechische und indische
Schriftenthum ihm nichts zur Seite zu stellen hat. Man steht
mit Schrecken und Ehrfurcht vor diesen ungeheuren Über-
bleibseln dessen, was der Mensch einstmals war, und wird
dabei über das alte Asien und sein vorgeschobenes Halbinsel-
chen Europa, das durchaus gegen Asien den »Fortschritt des
Menschen« bedeuten möchte, seine traurigen Gedanken
haben. Freilich: wer selbst nur ein dünnes zahmes Hausthier
ist und nur Hausthier-Bedürfnisse kennt (gleich unsren
Gebildeten von heute, die Christen des »gebildeten« Christenthums hinzugenommen –), der hat unter jenen Ruinen
weder sich zu verwundern, noch gar sich zu betrüben – der
Geschmack am alten Testament ist ein Prüfstein in Hinsicht

auf »Gross« und »Klein« –: vielleicht, dass er das neue Testament, das Buch von der Gnade, immer noch eher nach seinem Herzen findet (in ihm ist viel von dem rechten zärtlichen dumpfen Betbrüder- und Kleinen-Seelen-Geruch). Dieses neue Testament, eine Art Rokoko des Geschmacks in jedem Betrachte, mit dem alten Testament zu Einem Buche zusammengeleimt zu haben, als »Bibel«, als »das Buch an sich«: das ist vielleicht die grösste Verwegenheit und »Sünde wider den Geist«, welche das litterarische Europa auf dem Gewissen hat.

53.

Warum heute Atheismus? – »Der Vater« in Gott ist gründlich widerlegt; ebenso »der Richter«, »der Belohner«. Insgleichen sein »freier Wille«: er hört nicht, – und wenn er hörte, wüsste er trotzdem nicht zu helfen. Das Schlimmste ist: er scheint unfähig, sich deutlich mitzutheilen: ist er unklar? – Dies ist es, was ich, als Ursachen für den Niedergang des europäischen Theismus, aus vielerlei Gesprächen, fragend, hinhorchend, ausfindig ge[73]macht habe; es scheint mir, dass zwar der religiöse Instinkt mächtig im Wachsen ist, – dass er aber gerade die theistische Befriedigung mit tiefem Misstrauen ablehnt.

54.

Was thut denn im Grunde die ganze neuere Philosophie? Seit Descartes – und zwar mehr aus Trotz gegen ihn, als auf Grund seines Vorgangs – macht man seitens aller Philosophen ein Attentat auf den alten Seelen-Begriff, unter dem Anschein einer Kritik des Subjekt- und Prädikat-Begriffs – das heisst: ein Attentat auf die Grundvoraussetzung der christlichen Lehre. Die neuere Philosophie, als eine erkenntnisstheoretische Skepsis, ist, versteckt oder offen, antichristlich: obschon, für feinere Ohren gesagt, keineswegs antireligiös. Ehemals nämlich glaubte man an »die Seele«, wie man an die Grammatik und das grammatische Subjekt glaubte: man sagte, »Ich« ist Bedingung, »denke« ist

Prädikat und bedingt – Denken ist eine Thätigkeit, zu der ein Subjekt als Ursache gedacht werden **muss**. Nun versuchte man, mit einer bewunderungswürdigen Zähigkeit und List, ob man nicht aus diesem Netze heraus könne, – ob nicht vielleicht das Umgekehrte wahr sei: »denke« Bedingung, »Ich« bedingt; »Ich« also erst eine Synthese, welche durch das Denken selbst **gemacht** wird. **Kant** wollte im Grunde beweisen, dass vom Subjekt aus das Subjekt nicht bewiesen werden könne, – das Objekt auch nicht: die Möglichkeit einer **Scheinexistenz** des Subjekts, also »der Seele«, mag ihm nicht immer fremd gewesen sein, jener Gedanke, welcher als Vedanta-Philosophie schon einmal und in ungeheurer Macht auf Erden dagewesen ist.

[74] **55.**

Es giebt eine grosse Leiter der religiösen Grausamkeit, mit vielen Sprossen; aber drei davon sind die wichtigsten. Einst opferte man seinem Gotte Menschen, vielleicht gerade solche, welche man am besten liebte, – dahin gehören die Erstlings-Opfer aller Vorzeit-Religionen, dahin auch das Opfer des Kaisers Tiberius in der Mithrasgrotte der Insel Capri, jener schauerlichste aller römischen Anachronismen. Dann, in der moralischen Epoche der Menschheit, opferte man seinem Gotte die stärksten Instinkte, die man besass, seine »Natur«; **diese** Festfreude glänzt im grausamen Blicke des Asketen, des begeisterten »Wider-Natürlichen«. Endlich: was blieb noch übrig zu opfern? Musste man nicht endlich einmal alles Tröstliche, Heilige, Heilende, alle Hoffnung, allen Glauben an verborgene Harmonie, an zukünftige Seligkeiten und Gerechtigkeiten opfern? musste man nicht Gott selber opfern und, aus Grausamkeit gegen sich, den Stein, die Dummheit, die Schwere, das Schicksal, das Nichts anbeten? Für das Nichts Gott opfern – dieses paradoxe Mysterium der letzten Grausamkeit blieb dem Geschlechte, welches jetzt eben herauf kommt, aufgespart: wir Alle kennen schon etwas davon. –

56.

Wer, gleich mir, mit irgend einer räthselhaften Begierde sich lange darum bemüht hat, den Pessimismus in die Tiefe zu denken und aus der halb christlichen, halb deutschen Enge und Einfalt zu erlösen, mit der er sich diesem Jahrhundert zuletzt dargestellt hat, nämlich in Gestalt der Schopenhauerischen Philosophie; wer wirklich einmal mit einem asiatischen und überasiatischen Auge in die weltverneinendste aller möglichen Denkweisen hinein und hinunter geblickt hat – jenseits von Gut und Böse, und nicht mehr, wie Buddha und Schopenhauer, im Bann und Wahne der Moral –, der hat vielleicht ebendamit, ohne dass er es eigentlich [75] wollte, sich die Augen für das umgekehrte Ideal aufgemacht: für das Ideal des übermüthigsten lebendigsten und weltbejahendsten Menschen, der sich nicht nur mit dem, was war und ist, abgefunden und vertragen gelernt hat, sondern es, s o w i e e s w a r u n d i s t, wieder haben will, in alle Ewigkeit hinaus, unersättlich da capo rufend, nicht nur zu sich, sondern zum ganzen Stücke und Schauspiele, und nicht nur zu einem Schauspiele, sondern im Grunde zu Dem, der gerade dies Schauspiel nöthig hat – und nöthig macht: weil er immer wieder sich nöthig hat – und nöthig macht – – Wie? Und dies wäre nicht – circulus vitiosus deus?

57.

Mit der Kraft seines geistigen Blicks und Einblicks wächst die Ferne und gleichsam der Raum um den Menschen: seine Welt wird tiefer, immer neue Sterne, immer neue Räthsel und Bilder kommen ihm in Sicht. Vielleicht war Alles, woran das Auge des Geistes seinen Scharfsinn und Tiefsinn geübt hat, eben nur ein Anlass zu seiner Übung, eine Sache des Spiels, Etwas für Kinder und Kindsköpfe. Vielleicht erscheinen uns einst die feierlichsten Begriffe, um die am meisten gekämpft und gelitten worden ist, die Begriffe »Gott« und »Sünde«, nicht wichtiger, als dem alten Manne ein Kinder-Spielzeug und Kinder-Schmerz erscheint, – und vielleicht hat dann »der

alte Mensch« wieder ein andres Spielzeug und einen andren
Schmerz nöthig, – immer noch Kinds genug, ein ewiges
Kind!

58.

Hat man wohl beachtet, in wiefern zu einem eigentlich religiösen Leben (und sowohl zu seiner mikroskopischen Lieb-
lings-Arbeit der Selbstprüfung, als zu jener zarten Gelassenheit, welche sich »Gebet« nennt und eine beständige Bereitschaft für das »Kommen Gottes« ist) der äussere Müssiggang
oder Halb-Müs[76]siggang noth thut, ich meine der Müssiggang mit gutem Gewissen, von Alters her, von Geblüt, dem
das Aristokraten-Gefühl nicht ganz fremd ist, dass Arbeit
s c h ä n d e t , – nämlich Seele und Leib gemein macht? Und
dass folglich die moderne, lärmende, Zeit-auskaufende, auf
sich stolze, dumm-stolze Arbeitsamkeit, mehr als alles
Übrige, gerade zum »Unglauben« erzieht und vorbereitet?
Unter Denen, welche zum Beispiel jetzt in Deutschland
abseits von der Religion leben, finde ich Menschen von vielerlei Art und Abkunft der »Freidenkerei«, vor Allem aber eine
Mehrzahl solcher, denen Arbeitsamkeit, von Geschlecht zu
Geschlecht, die religiösen Instinkte aufgelöst hat: so dass sie
gar nicht mehr wissen, wozu Religionen nütze sind, und nur
mit einer Art stumpfen Erstaunens ihr Vorhandensein in der
Welt gleichsam registriren. Sie fühlen sich schon reichlich in
Anspruch genommen, diese braven Leute, sei es von ihren
Geschäften, sei es von ihren Vergnügungen, gar nicht zu
reden vom »Vaterlande« und den Zeitungen und den »Pflichten der Familie«: es scheint, dass sie gar keine Zeit für die
Religion übrig haben, zumal es ihnen unklar bleibt, ob es sich
dabei um ein neues Geschäft oder ein neues Vergnügen handelt, – denn unmöglich, sagen sie sich, geht man in die Kirche, rein um sich die gute Laune zu verderben. Sie sind keine
Feinde der religiösen Gebräuche; verlangt man in gewissen
Fällen, etwa von Seiten des Staates, die Betheiligung an solchen Gebräuchen, so thun sie, was man verlangt, wie man so

Vieles thut –, mit einem geduldigen und bescheidenen Ernste und ohne viel Neugierde und Unbehagen: – sie leben eben zu sehr abseits und ausserhalb, um selbst nur ein Für und Wider in solchen Dingen bei sich nöthig zu finden. Zu diesen Gleichgültigen gehört heute die Überzahl der deutschen Protestanten in den mittleren Ständen, sonderlich in den arbeitsamen grossen Handels- und Verkehrscentren; ebenfalls die Überzahl der arbeitsamen Gelehrten und der ganze Universitäts-Zubehör (die Theologen ausgenommen, deren Dasein und Möglichkeit daselbst dem Psychologen immer mehr und immer feinere Räthsel zu rathen giebt). [77] Man macht sich selten von Seiten frommer oder auch nur kirchlicher Menschen eine Vorstellung davon, w i e   v i e l guter Wille, man könnte sagen, willkürlicher Wille jetzt dazu gehört, dass ein deutscher Gelehrter das Problem der Religion ernst nimmt; von seinem ganzen Handwerk her (und, wie gesagt, von der handwerkerhaften Arbeitsamkeit her, zu welcher ihn sein modernes Gewissen verpflichtet) neigt er zu einer überlegenen, beinahe gütigen Heiterkeit gegen die Religion, zu der sich bisweilen eine leichte Geringschätzung mischt, gerichtet gegen die »Unsauberkeit« des Geistes, welche er überall dort voraussetzt, wo man sich noch zur Kirche bekennt. Es gelingt dem Gelehrten erst mit Hülfe der Geschichte (also n i c h t von seiner persönlichen Erfahrung aus), es gegenüber den Religionen zu einem ehrfurchtsvollen Ernste und zu einer gewissen scheuen Rücksicht zu bringen; aber wenn er sein Gefühl sogar bis zur Dankbarkeit gegen sie gehoben hat, so ist er mit seiner Person auch noch keinen Schritt weit dem, was noch als Kirche oder Frömmigkeit besteht, näher gekommen: vielleicht umgekehrt. Die praktische Gleichgültigkeit gegen religiöse Dinge, in welche hinein er geboren und erzogen ist, pflegt sich bei ihm zur Behutsamkeit und Reinlichkeit zu sublimiren, welche die Berührung mit religiösen Menschen und Dingen scheut; und es kann gerade die Tiefe seiner Toleranz und Menschlichkeit sein, die ihn vor dem feinen Nothstande ausweichen heisst, welchen das Toleriren selbst

mit sich bringt. – Jede Zeit hat ihre eigene göttliche Art von
Naivetät, um deren Erfindung sie andre Zeitalter beneiden
dürfen: – und wie viel Naivetät, verehrungswürdige, kindli-
che und unbegrenzt tölpelhafte Naivetät liegt in diesem
Überlegenheits-Glauben des Gelehrten, im guten Gewissen
seiner Toleranz, in der ahnungslosen schlichten Sicherheit,
mit der sein Instinkt den religiösen Menschen als einen min-
derwerthigen und niedrigeren Typus behandelt, über den er
selbst hinaus, hinweg, h i n a u f gewachsen ist, – er, der
kleine anmaassliche Zwerg und Pöbelmann, der fleissig-
flinke Kopf- und Handarbeiter der »Ideen«, der »modernen
Ideen«!

[78]   59.
Wer tief in die Welt gesehen hat, erräth wohl, welche Weisheit darin liegt, dass die Menschen oberflächlich sind. Es ist
ihr erhaltender Instinkt, der sie lehrt, flüchtig, leicht und
falsch zu sein. Man findet hier und da eine leidenschaftliche
und übertreibende Anbetung der »reinen Formen«, bei Philosophen wie bei Künstlern: möge Niemand zweifeln, dass
wer dergestalt den Cultus der Oberfläche n ö t h i g hat,
irgend wann einmal einen unglückseligen Griff u n t e r sie
gethan hat. Vielleicht giebt es sogar hinsichtlich dieser ver-
brannten Kinder, der geborenen Künstler, welche den
Genuss des Lebens nur noch in der Absicht finden, sein Bild
zu f ä l s c h e n (gleichsam in einer langwierigen Rache am
Leben –), auch noch eine Ordnung des Ranges: man könnte
den Grad, in dem ihnen das Leben verleidet ist, daraus abneh-
men, bis wie weit sie sein Bild verfälscht, verdünnt, verjensei-
tigt, vergöttlicht zu sehn wünschen, – man könnte die homines religiosi mit unter die Künstler rechnen, als ihren h ö c h -
s t e n Rang. Es ist die tiefe argwöhnische Furcht vor einem
unheilbaren Pessimismus, der ganze Jahrtausende zwingt,
sich mit den Zähnen in eine religiöse Interpretation des Daseins zu verbeissen: die Furcht jenes Instinktes, welcher ahnt,
dass man der Wahrheit z u f r ü h habhaft werden könnte,

ehe der Mensch stark genug, hart genug, Künstler genug
geworden ist. . . . Die Frömmigkeit, das »Leben in Gott«,
mit diesem Blicke betrachtet, erschiene dabei als die feinste
und letzte Ausgeburt der F u r c h t vor der Wahrheit, als
Künstler-Anbetung und -Trunkenheit vor der consequente-
sten aller Fälschungen, als der Wille zur Umkehrung der
Wahrheit, zur Unwahrheit um jeden Preis. Vielleicht, dass es
bis jetzt kein stärkeres Mittel gab, den Menschen selbst zu
verschönern, als eben Frömmigkeit: durch sie kann der
Mensch so sehr Kunst, Oberfläche, Farbenspiel, Güte werden, dass man an seinem Anblicke nicht mehr leidet. –

[79]　　　　　　　　　60.
Den Menschen zu lieben u m G o t t e s W i l l e n – das war
bis jetzt das vornehmste und entlegenste Gefühl, das unter
Menschen erreicht worden ist. Dass die Liebe zum Menschen
ohne irgendeine heiligende Hinterabsicht eine Dummheit
und Thierheit m e h r ist, dass der Hang zu dieser Menschenliebe erst von einem höheren Hange sein Maass, seine Feinheit, sein Körnchen Salz und Stäubchen Ambra zu bekommen hat: – welcher Mensch es auch war, der dies zuerst empfunden und »erlebt« hat, wie sehr auch seine Zunge gestolpert
haben mag, als sie versuchte, solch eine Zartheit auszudrük-
ken, er bleibe uns in alle Zeiten heilig und verehrenswerth,
als der Mensch, der am höchsten bisher geflogen umd am
schönsten sich verirrt hat!

61.
Der Philosoph, wie w i r ihn verstehen, wir freien Geister –,
als der Mensch der umfänglichsten Verantwortlichkeit, der
das Gewissen für die Gesammt-Entwicklung des Menschen
hat: dieser Philosoph wird sich der Religionen zu seinem
Züchtungs- und Erziehungswerke bedienen, wie er sich der
jeweiligen politischen und wirthschaftlichen Zustände bedienen wird. Der auslesende, züchtende, das heisst immer
ebensowohl der zerstörende als der schöpferische und gestal-

tende Einfluss, welcher mit Hülfe der Religionen ausgeübt werden kann, ist je nach der Art Menschen, die unter ihren Bann und Schutz gestellt werden, ein vielfacher und verschiedener. Für die Starken, Unabhängigen, zum Befehlen Vorbereiteten und Vorbestimmten, in denen die Vernunft und Kunst einer regierenden Rasse leibhaft wird, ist Religion ein Mittel mehr, um Widerstände zu überwinden, um herrschen zu können: als ein Band, das Herrscher und Unterthanen gemeinsam bindet und die Gewissen der Letzteren, ihr Verborgenes und Innerlichstes, das sich gerne dem Gehorsam entziehen möchte, den Ersteren verräth und überantwortet; und falls einzelne Naturen [80] einer solchen vornehmen Herkunft, durch hohe Geistigkeit, einem abgezogeneren und beschaulicheren Leben sich zuneigen und nur die feinste Artung des Herrschens (über ausgesuchte Jünger oder Ordensbrüder) sich vorbehalten, so kann Religion selbst als Mittel benutzt werden, sich Ruhe vor dem Lärm und der Mühsal des g r ö b e r e n Regierens und Reinheit vor dem n o t h w e n d i g e n Schmutz alles Politik-Machens zu schaffen. So verstanden es zum Beispiel die Brahmanen: mit Hülfe einer religiösen Organisation gaben sie sich die Macht, dem Volke seine Könige zu ernennen, während sie sich selber abseits und ausserhalb hielten und fühlten, als die Menschen höherer und überköniglicher Aufgaben. Inzwischen giebt die Religion auch einem Theile der Beherrschten Anleitung und Gelegenheit, sich auf einstmaliges Herrschen und Befehlen vorzubereiten, jenen langsam heraufkommenden Klassen und Ständen nämlich, in denen, durch glückliche Ehesitten, die Kraft und Lust des Willens, der Wille zur Selbstbeherrschung, immer im Steigen ist: – ihnen bietet die Religion Anstösse und Versuchungen genug, die Wege zur höheren Geistigkeit zu gehen, die Gefühle der grossen Selbstüberwindung, des Schweigens und der Einsamkeit zu erproben: – Asketismus und Puritanismus sind fast unentbehrliche Erziehungs- und Veredelungsmittel, wenn eine Rasse über ihre Herkunft aus dem Pöbel Herr werden will und sich zur einstmaligen Herrschaft emporarbeitet. Den gewöhnlichen Menschen endlich, den Allermeisten, welche zum Dienen und zum allgemeinen Nutzen dasind und nur insofern dasein d ü r f e n , giebt die Religion eine unschätzbare Genügsamkeit mit ihrer Lage und Art, vielfachen Frieden des Herzens, eine Veredelung des Gehorsams, ein Glück und Leid mehr mit Ihres-Gleichen und Etwas von Verklärung und Verschönerung, Etwas von Rechtfertigung des ganzen Alltags, der ganzen Niedrigkeit, der ganzen Halbthier-Armuth ihrer Seele. Religion und religiöse Bedeutsamkeit des Lebens legt Sonnenglanz auf solche immer geplagte Menschen und macht ihnen selbst den eigenen Anblick erträglich, sie wirkt, wie eine epiku[81]rische Philosophie auf Leidende höheren Ranges zu wirken pflegt, erquickend, verfeinernd, das Leiden gleichsam a u s n ü t z e n d , zuletzt gar heiligend und rechtfertigend. Vielleicht ist am Christenthum und Buddhismus nichts so ehrwürdig als ihre Kunst, noch den Niedrigsten anzulehren, sich durch Frömmigkeit in eine höhere Schein-Ordnung der Dinge zu stellen und damit das Genügen an der wirklichen Ordnung, innerhalb deren sie hart genug leben, – und gerade diese Härte thut Noth! – bei sich festzuhalten.

62.

Zuletzt freilich, um solchen Religionen auch die schlimme Gegenrechnung zu machen und ihre unheimliche Gefährlichkeit an's Licht zu stellen: – es bezahlt sich immer theuer und fürchterlich, wenn Religionen n i c h t als Züchtungs- und Erziehungsmittel in der Hand des Philosophen, sondern von sich aus und s o u v e r ä n walten, wenn sie selber letzte Zwecke und nicht Mittel neben anderen Mitteln sein wollen. Es giebt bei dem Menschen wie bei jeder anderen Thierart einen Überschuss von Missrathenen, Kranken, Entartenden, Gebrechlichen, nothwendig Leidenden; die gelungenen Fälle sind auch beim Menschen immer die Ausnahme und sogar in Hinsicht darauf, dass der Mensch das n o c h n i c h t f e s t -g e s t e l l t e T h i e r ist, die spärliche Ausnahme. Aber noch

schlimmer: je höher geartet der Typus eines Menschen ist, der
durch ihn dargestellt wird, um so mehr steigt noch die Un-
wahrscheinlichkeit, dass er g e r ä t h : das Zufällige, das Gesetz des Unsinns im gesammten Haushalte der Menschheit
zeigt sich am erschrecklichsten in seiner zerstörerischen Wirkung auf die höheren Menschen, deren Lebensbedingungen
fein, vielfach und schwer auszurechnen sind. Wie verhalten
sich nun die genannten beiden grössten Religionen zu diesem
Ü b e r s c h u s s der misslungenen Fälle? Sie suchen zu erhalten, im Leben festzuhalten, was sich nur irgend halten lässt, ja
sie nehmen grundsätz[82]lich für sie Partei, als Religionen
f ü r L e i d e n d e , sie geben allen Denen Recht, welche am
Leben wie an einer Krankheit leiden, und möchten es durchsetzen, dass jede andre Empfindung des Lebens als falsch
gelte und unmöglich werde. Möchte man diese schonende
und erhaltende Fürsorge, insofern sie neben allen anderen
auch dem höchsten, bisher fast immer auch leidendsten
Typus des Menschen gilt und galt, noch so hoch anschlagen:
in der Gesammt-Abrechnung gehören die bisherigen, nämlich s o u v e r ä n e n Religionen zu den Hauptursachen, welche den Typus »Mensch« auf einer niedrigeren Stufe festhiel-
ten, – sie erhielten zu viel von dem, w a s z u G r u n d e g e h n
s o l l t e . Man hat ihnen Unschätzbares zu danken; und wer ist
reich genug an Dankbarkeit, um nicht vor alle dem arm zu
werden, was zum Beispiel die »geistlichen Menschen« des
Christenthums bisher für Europa gethan haben! Und doch,
wenn sie den Leidenden Trost, den Unterdrückten und Verzweifelnden Muth, den Unselbständigen einen Stab und Halt
gaben und die Innerlich-Zerstörten und Wild-Gewordenen
von der Gesellschaft weg in Klöster und seelische Zuchthäu-
ser lockten: was mussten sie ausserdem thun, um mit gutem
Gewissen dergestalt grundsätzlich an der Erhaltung alles
Kranken und Leidenden, das heisst in That und Wahrheit an
der V e r s c h l e c h t e r u n g d e r e u r o p ä i s c h e n R a s s e
zu arbeiten? Alle Werthschätzungen a u f d e n K o p f stellen
– d a s mussten sie! Und die Starken zerbrechen, die grossen

Hoffnungen ankränkeln, das Glück in der Schönheit ver-
dächtigen, alles Selbstherrliche, Männliche, Erobernde,
Herrschsüchtige, alle Instinkte, welche dem höchsten und
wohlgerathensten Typus »Mensch« zu eigen sind, in Unsicherheit, Gewissens-Noth, Selbstzerstörung umknicken, ja
die ganze Liebe zum Irdischen und zur Herrschaft über die
Erde in Hass gegen die Erde und das Irdische verkehren –
d a s stellte sich die Kirche zur Aufgabe und musste es sich
stellen, bis für ihre Schätzung endlich »Entweltlichung«,
»Entsinnlichung« und »höherer Mensch« in Ein Gefühl
zusammenschmolzen. Gesetzt, dass man [83] mit dem spötti-
schen und unbetheiligten Auge eines epikurischen Gottes die
wunderlich schmerzliche und ebenso grobe wie feine Komödie des europäischen Christenthums zu überschauen vermöchte, ich glaube, man fände kein Ende mehr zu staunen
und zu lachen: scheint es denn nicht, dass Ein Wille über
Europa durch achtzehn Jahrhunderte geherrscht hat, aus dem
Menschen eine s u b l i m e M i s s g e b u r t zu machen? Wer
aber mit umgekehrten Bedürfnissen, nicht epikurisch mehr,
sondern mit irgend einem göttlichen Hammer in der Hand
auf diese fast willkürliche Entartung und Verkümmerung des
Menschen zuträte, wie sie der christliche Europäer ist (Pascal
zum Beispiel), müsste er da nicht mit Grimm, mit Mitleid,
mit Entsetzen schreien: »Oh ihr Tölpel, ihr anmaassenden
mitleidigen Tölpel, was habt ihr da gemacht! War das eine
Arbeit für eure Hände! Wie habt ihr mir meinen schönsten
Stein verhauen und verhunzt! Was nahmt i h r euch heraus!«
– Ich wollte sagen: das Christenthum war bisher die verhäng-
nissvollste Art von Selbst-Überhebung. Menschen, nicht
hoch und hart genug, um a m M e n s c h e n als Künstler
gestalten zu dürfen; Menschen, nicht stark und fernsichtig
genug, um, mit einer erhabenen Selbst-Bezwingung, das
Vordergrund-Gesetz des tausendfältigen Missrathens und
Zugrundegehns walten zu l a s s e n ; Menschen, nicht vornehm genug, um die abgründlich verschiedene Rangordnung
und Rangkluft zwischen Mensch und Mensch zu sehen: –

s o l c h e Menschen haben, mit ihrem »Gleich vor Gott«, bisher über dem Schicksale Europa's gewaltet, bis endlich eine verkleinerte, fast lächerliche Art, ein Heerdenthier, etwas Gutwilliges, Kränkliches und Mittelmässiges, herangezüchtet ist, der heutige Europäer . . . .

Viertes Hauptstück:
Sprüche und Zwischenspiele.

63.

Wer von Grund aus Lehrer ist, nimmt alle Dinge nur in Bezug
auf seine Schüler ernst, – sogar sich selbst.

64.

»Die Erkenntniss um ihrer selbst willen« – das ist der letzte
Fallstrick, den die Moral legt: damit verwickelt man sich noch
einmal völlig in sie.

65.

Der Reiz der Erkenntniss wäre gering, wenn nicht auf dem
Wege zu ihr so viel Scham zu überwinden wäre.

65a.

Man ist am unehrlichsten gegen seinen Gott: er d a r f nicht
sündigen!

66.

Die Neigung, sich herabzusetzen, sich bestehlen, belügen
und ausbeuten zu lassen, könnte die Scham eines Gottes unter
Menschen sein.

67.

Die Liebe zu Einem ist eine Barbarei: denn sie wird auf Unkosten aller Übrigen ausgeübt. Auch die Liebe zu Gott.

68.

»Das habe ich gethan« sagt mein Gedächtniss. Das kann ich
nicht gethan haben – sagt mein Stolz und bleibt unerbittlich.
Endlich – giebt das Gedächtniss nach.

69.

Man hat schlecht dem Leben zugeschaut, wenn man nicht auch die Hand gesehn hat, die auf eine schonende Weise – tödtet.

70.

Hat man Charakter, so hat man auch sein typisches Erlebniss, das immer wiederkommt.

71.

Der Weise als Astronom. – So lange du noch die Sterne fühlst als ein »Über-dir«, fehlt dir noch der Blick des Erkennenden.

72.

Nicht die Stärke, sondern die Dauer der hohen Empfindung macht die hohen Menschen.

73.

Wer sein Ideal erreicht, kommt eben damit über dasselbe hinaus.

[87]   73a.

Mancher Pfau verdeckt vor Aller Augen seinen Pfauen-schweif – und heisst es seinen Stolz.

74.

Ein Mensch mit Genie ist unausstehlich, wenn er nicht min-destens noch zweierlei dazu besitzt: Dankbarkeit und Rein-lichkeit.

75.

Grad und Art der Geschlechtlichkeit eines Menschen reicht bis in den letzten Gipfel seines Geistes hinauf.

76.

Unter friedlichen Umständen fällt der kriegerische Mensch über sich selber her.

77.

Mit seinen Grundsätzen will man seine Gewohnheiten tyrannisiren oder rechtfertigen oder ehren oder beschimpfen oder verbergen: – zwei Menschen mit gleichen Grundsätzen wollen damit wahrscheinlich noch etwas Grund-Verschiedenes.

78.

Wer sich selbst verachtet, achtet sich doch immer noch dabei als Verächter.

[88]

79.

Eine Seele, die sich geliebt weiss, aber selbst nicht liebt, verräth ihren Bodensatz: – ihr Unterstes kommt herauf.

80.

Eine Sache, die sich aufklärt, hört auf, uns etwas anzugehn. – Was meinte jener Gott, welcher anrieth: »erkenne dich selbst«! Hiess es vielleicht: »höre auf, dich etwas anzugehn! werde objektiv!« – Und Sokrates? – Und der »wissenschaftliche Mensch«? –

81.

Es ist furchtbar, im Meere vor Durst zu sterben. Müsst ihr denn gleich eure Wahrheit so salzen, dass sie nicht einmal mehr – den Durst löscht?

82.

»Mitleiden mit Allen« – wäre Härte und Tyrannei mit d i r , mein Herr Nachbar! –

83.

D e r   I n s t i n k t . – Wenn das Haus brennt, vergisst man sogar das Mittagsessen. – Ja: aber man holt es auf der Asche nach.

84.

Das Weib lernt hassen, in dem Maasse, in dem es zu bezaubern – verlernt.

[89]
85.

Die gleichen Affekte sind bei Mann und Weib doch im Tempo verschieden: deshalb hören Mann und Weib nicht auf, sich misszuverstehn.

86.

Die Weiber selber haben im Hintergrunde aller persönlichen Eitelkeit immer noch ihre unpersönliche Verachtung – für »das Weib«.

87.

Gebunden Herz, freier Geist. – Wenn man sein Herz hart bindet und gefangen legt, kann man seinem Geist viele Freiheiten geben: ich sagte das schon Ein Mal. Aber man glaubt mir's nicht, gesetzt, dass man's nicht schon weiss. . . . .

88.

Sehr klugen Personen fängt man an zu misstrauen, wenn sie verlegen werden.

89.

Fürchterliche Erlebnisse geben zu rathen, ob Der, welcher sie erlebt, nicht etwas Fürchterliches ist.

90.

Schwere, schwermüthige Menschen werden gerade durch das, was Andre schwer macht, durch Hass und Liebe, leichter und kommen zeitweilig an ihre Oberfläche.

[90]   91.
So kalt, so eisig, dass man sich an ihm die Finger verbrennt!
Jede Hand erschrickt, die ihn anfasst! – Und gerade darum
halten Manche ihn für glühend.

92.
Wer hat nicht für seinen guten Ruf schon einmal – sich selbst
geopfert? –

93.
In der Leutseligkeit ist Nichts von Menschenhass, aber eben
darum allzuviel von Menschenverachtung.

94.
Reife des Mannes: das heisst den Ernst wiedergefunden
haben, den man als Kind hatte, beim Spiel.

95.
Sich seiner Unmoralität schämen: das ist eine Stufe auf der
Treppe, an deren Ende man sich auch seiner Moralität
schämt.

96.
Man soll vom Leben scheiden wie Odysseus von Nausikaa
schied, – mehr segnend als verliebt.

97.
Wie? Ein grosser Mann? Ich sehe immer nur den Schauspieler
seines eignen Ideals.

[91]   98.
Wenn man sein Gewissen dressirt, so küsst es uns zugleich,
indem es beisst.

99.
Der Enttäuschte spricht. – »Ich horchte auf Widerhall, und
ich hörte nur Lob –«

100.

Vor uns selbst stellen wir uns Alle einfältiger als wir sind: wir ruhen uns so von unsern Mitmenschen aus.

101.

Heute möchte sich ein Erkennender leicht als Thierwerdung Gottes fühlen.

102.

Gegenliebe entdecken sollte eigentlich den Liebenden über das geliebte Wesen ernüchtern. »Wie? e s ist bescheiden genug, sogar dich zu lieben? Oder dumm genug? Oder – oder –«

103.

Die Gefahr im Glücke. – »Nun gereicht mir Alles zum Besten, nunmehr liebe ich jedes Schicksal: – wer hat Lust, mein Schicksal zu sein?«

104.

Nicht ihre Menschenliebe, sondern die Ohnmacht ihrer Menschenliebe hindert die Christen von heute, uns – zu verbrennen.

[92]
105.

Dem freien Geiste, dem »Frommen der Erkenntniss« – geht die pia fraus noch mehr wider den Geschmack (wider s e i n e »Frömmigkeit«) als die impia fraus. Daher sein tiefer Unverstand gegen die Kirche, wie er zum Typus »freier Geist« gehört, – als s e i n e Unfreiheit.

106.

Vermöge der Musik geniessen sich die Leidenschaften selbst.

107.

Wenn der Entschluss einmal gefasst ist, das Ohr auch für den besten Gegengrund zu schliessen: Zeichen des starken Charakters. Also ein gelegentlicher Wille zur Dummheit.

108.

Es giebt gar keine moralischen Phänomene, sondern nur eine moralische Ausdeutung von Phänomenen. . . . .

109.

Der Verbrecher ist häufig genug seiner That nicht gewachsen: er verkleinert und verleumdet sie.

110.

Die Advokaten eines Verbrechers sind selten Artisten genug, um das schöne Schreckliche der That zu Gunsten ihres Thäters zu wenden.

[93]
111.

Unsre Eitelkeit ist gerade dann am schwersten zu verletzen, wenn eben unser Stolz verletzt wurde.

112.

Wer sich zum Schauen und nicht zum Glauben vorherbestimmt fühlt, dem sind alle Gläubigen zu lärmend und zudringlich: er erwehrt sich ihrer.

113.

»Du willst ihn für dich einnehmen? So stelle dich vor ihm verlegen –«

114.

Die ungeheure Erwartung in Betreff der Geschlechtsliebe, und die Scham in dieser Erwartung, verdirbt den Frauen von vornherein alle Perspektiven.

115.

Wo nicht Liebe oder Hass mitspielt, spielt das Weib mittelmässig.

116.

Die grossen Epochen unsres Lebens liegen dort, wo wir den
Muth gewinnen, unser Böses als unser Bestes umzutaufen.

117.

Der Wille, einen Affekt zu überwinden, ist zuletzt doch nur
der Wille eines anderen oder mehrer anderer Affekte.

[94] 118.

Es giebt eine Unschuld der Bewunderung: Der hat sie, dem es
noch nicht in den Sinn gekommen ist, auch er könne einmal
bewundert werden.

119.

Der Ekel vor dem Schmutze kann so gross sein, dass er uns
hindert, uns zu reinigen, – uns zu »rechtfertigen«.

120.

Die Sinnlichkeit übereilt oft das Wachsthum der Liebe, so
dass die Wurzel schwach bleibt und leicht auszureissen ist.

121.

Es ist eine Feinheit, dass Gott griechisch lernte, als er
Schriftsteller werden wollte – und dass er es nicht besser
lernte.

122.

Sich über ein Lob freuen ist bei Manchem nur eine Höflichkeit des Herzens – und gerade das Gegenstück einer Eitelkeit
des Geistes.

123.

Auch das Concubinat ist corrumpirt worden: – durch die
Ehe.

124.

Wer auf dem Scheiterhaufen noch frohlockt, triumphirt nicht
[95] über den Schmerz, sondern darüber, keinen Schmerz zu
fühlen, wo er ihn erwartete. Ein Gleichniss.

125.

Wenn wir über Jemanden umlernen müssen, so rechnen wir
ihm die Unbequemlichkeit hart an, die er uns damit macht.

126.

Ein Volk ist der Umschweif der Natur, um zu sechs, sieben
grossen Männern zu kommen. – Ja: und um dann um sie
herum zu kommen.

127.

Allen rechten Frauen geht Wissenschaft wider die Scham. Es
ist ihnen dabei zu Muthe, als ob man damit ihnen unter die
Haut, – schlimmer noch! unter Kleid und Putz gucken wolle.

128.

Je abstrakter die Wahrheit ist, die du lehren willst, um so
mehr musst du noch die Sinne zu ihr verführen.

129.

Der Teufel hat die weitesten Perspektiven für Gott, deshalb
hält er sich von ihm so fern: – der Teufel nämlich als der
älteste Freund der Erkenntniss.

130.

Was Jemand i s t , fängt an, sich zu verrathen, wenn sein [96]
Talent nachlässt, – wenn er aufhört, zu zeigen, was er k a n n .
Das Talent ist auch ein Putz; ein Putz ist auch ein Versteck.

131.

Die Geschlechter täuschen sich über einander: das macht, sie ehren und lieben im Grunde nur sich selbst (oder ihr eigenes Ideal, um es gefälliger auszudrücken –). So will der Mann das Weib friedlich, – aber gerade das Weib ist w e s e n t l i c h unfriedlich, gleich der Katze, so gut es sich auch auf den Anschein des Friedens eingeübt hat.

132.

Man wird am besten für seine Tugenden bestraft.

133.

Wer den Weg zu s e i n e m Ideale nicht zu finden weiss, lebt leichtsinniger und frecher, als der Mensch ohne Ideal.

134.

Von den Sinnen her kommt erst alle Glaubwürdigkeit, alles gute Gewissen, aller Augenschein der Wahrheit.

135.

Der Pharisäismus ist nicht eine Entartung am guten Menschen: ein gutes Stück davon ist vielmehr die Bedingung von allem Gut-sein.

[97]
136.

Der Eine sucht einen Geburtshelfer für seine Gedanken, der Andre Einen, dem er helfen kann: so entsteht ein gutes Gespräch.

137.

Im Verkehre mit Gelehrten und Künstlern verrechnet man sich leicht in umgekehrter Richtung: man findet hinter einem merkwürdigen Gelehrten nicht selten einen mittelmässigen Menschen, und hinter einem mittelmässigen Künstler sogar oft – einen sehr merkwürdigen Menschen.

138.

Wir machen es auch im Wachen wie im Traume: wir erfinden und erdichten erst den Menschen, mit dem wir verkehren – und vergessen es sofort.

139.

In der Rache und in der Liebe ist das Weib barbarischer, als der Mann.

140.

Rath als Räthsel. – »Soll das Band nicht reissen, – musst du erst drauf beissen.«

141.

Der Unterleib ist der Grund dafür, dass der Mensch sich nicht so leicht für einen Gott hält.

[98]   142.

Das züchtigste Wort, das ich gehört habe: »Dans le véritable amour c'est l'âme, qui enveloppe le corps.«

143.

Was wir am besten thun, von dem möchte unsre Eitelkeit, dass es grade als Das gelte, was uns am schwersten werde. Zum Ursprung mancher Moral.

144.

Wenn ein Weib gelehrte Neigungen hat, so ist gewöhnlich Etwas an ihrer Geschlechtlichkeit nicht in Ordnung. Schon Unfruchtbarkeit disponirt zu einer gewissen Männlichkeit des Geschmacks; der Mann ist nämlich, mit Verlaub, »das unfruchtbare Thier«.

145.

Mann und Weib im Ganzen verglichen, darf man sagen: das Weib hätte nicht das Genie des Putzes, wenn es nicht den Instinkt der z w e i t e n Rolle hätte.

146.

Wer mit Ungeheuern kämpft, mag zusehn, dass er nicht dabei zum Ungeheuer wird. Und wenn du lange in einen Abgrund blickst, blickt der Abgrund auch in dich hinein.

147.

Aus alten florentinischen Novellen, überdies – aus dem Leben: buona femmina e mala femmina vuol bastone. Sacchetti Nov. 86.

[99]   148.

Den Nächsten zu einer guten Meinung verführen und hinterdrein an diese Meinung des Nächsten gläubig glauben: wer thut es in diesem Kunststück den Weibern gleich? –

149.

Was eine Zeit als böse empfindet, ist gewöhnlich ein unzeitgemässer Nachschlag dessen, was ehemals als gut empfunden wurde, – der Atavismus eines älteren Ideals.

150.

Um den Helden herum wird Alles zur Tragödie, um den Halbgott herum Alles zum Satyrspiel; und um Gott herum wird Alles – wie? vielleicht zur »Welt«? –

151.

Ein Talent haben ist nicht genug: man muss auch eure Erlaubniss dazu haben, – wie? meine Freunde?

152.

»Wo der Baum der Erkenntniss steht, ist immer das Paradies«: so reden die ältesten und die jüngsten Schlangen.

153.

Was aus Liebe gethan wird, geschieht immer jenseits von Gut und Böse.

[100]　　　　　　　　　　154.

Der Einwand, der Seitensprung, das fröhliche Misstrauen,
die Spottlust sind Anzeichen der Gesundheit: alles Unbedingte gehört in die Pathologie.

155.

Der Sinn für das Tragische nimmt mit der Sinnlichkeit ab und
zu.

156.

Der Irrsinn ist bei Einzelnen etwas Seltenes, – aber bei Gruppen, Parteien, Völkern, Zeiten die Regel.

157.

Der Gedanke an den Selbstmord ist ein starkes Trostmittel:
mit ihm kommt man gut über manche böse Nacht hinweg.

158.

Unserm stärksten Triebe, dem Tyrannen in uns, unterwirft
sich nicht nur unsre Vernunft, sondern auch unser Gewissen.

159.

Man m u s s vergelten, Gutes und Schlimmes: aber warum
gerade an der Person, die uns Gutes oder Schlimmes that?

160.

Man liebt seine Erkenntniss nicht genug mehr, sobald man sie
mittheilt.

[101]　　　　　　　　　　161.

Die Dichter sind gegen ihre Erlebnisse schamlos: sie beuten
sie aus.

162.

»Unser Nächster ist nicht unser Nachbar, sondern dessen
Nachbar« – so denkt jedes Volk.

163.

Die Liebe bringt die hohen und verborgenen Eigenschaften
eines Liebenden an's Licht, – sein Seltenes, Ausnahmsweises:
insofern täuscht sie leicht über Das, was Regel an ihm ist.

164.

Jesus sagte zu seinen Juden: »das Gesetz war für Knechte, –
liebt Gott, wie ich ihn liebe, als sein Sohn! Was geht uns
Söhne Gottes die Moral an!« –

165.

Angesichts jeder Partei. – Ein Hirt hat immer auch
noch einen Leithammel nöthig, – oder er muss selbst gelegentlich Hammel sein.

166.

Man lügt wohl mit dem Munde; aber mit dem Maule, das man
dabei macht, sagt man doch noch die Wahrheit.

[102]   167.

Bei harten Menschen ist die Innigkeit eine Sache der Scham –
und etwas Kostbares.

168.

Das Christenthum gab dem Eros Gift zu trinken – er starb
zwar nicht daran, aber entartete, zum Laster.

169.

Viel von sich reden kann auch ein Mittel sein, sich zu verbergen.

170.

Im Lobe ist mehr Zudringlichkeit, als im Tadel.

171.

Mitleiden wirkt an einem Menschen der Erkenntniss beinahe
zum Lachen, wie zarte Hände an einem Cyklopen.

172.

Man umarmt aus Menschenliebe bisweilen einen Beliebigen (weil man nicht Alle umarmen kann): aber gerade Das darf man dem Beliebigen nicht verrathen. . . . .

173.

Man hasst nicht, so lange man noch gering schätzt, sondern erst, wenn man gleich oder höher schätzt.

[103]   174.

Ihr Utilitarier, auch ihr liebt alles utile nur als ein F u h r - w e r k eurer Neigungen, – auch ihr findet eigentlich den Lärm seiner Räder unausstehlich?

175.

Man liebt zuletzt seine Begierde, und nicht das Begehrte.

176.

Die Eitelkeit Andrer geht uns nur dann wider den Geschmack, wenn sie wider unsre Eitelkeit geht.

177.

Über Das, was »Wahrhaftigkeit« ist, war vielleicht noch Niemand wahrhaftig genug.

178.

Klugen Menschen glaubt man ihre Thorheiten nicht: welche Einbusse an Menschenrechten!

179.

Die Folgen unsrer Handlungen fassen uns am Schopfe, sehr gleichgültig dagegen, dass wir uns inzwischen »gebessert« haben.

180.

Es giebt eine Unschuld in der Lüge, welche das Zeichen des
guten Glaubens an eine Sache ist.

[104]   181.

Es ist unmenschlich, da zu segnen, wo Einem geflucht wird.

182.

Die Vertraulichkeit des Überlegenen erbittert, weil sie nicht
zurückgegeben werden darf. –

183.

»Nicht dass du mich belogst, sondern dass ich dir nicht mehr
glaube, hat mich erschüttert.« –

184.

Es giebt einen Übermuth der Güte, welcher sich wie Bosheit
ausnimmt.

185.

»Er missfällt mir.« – Warum? – »Ich bin ihm nicht gewachsen.« – Hat je ein Mensch so geantwortet?

Fünftes Hauptstück:
           zur Naturgeschichte der Moral.

                        186.

Die moralische Empfindung ist jetzt in Europa ebenso fein,
spät, vielfach, reizbar, raffinirt, als die dazu gehörige »Wissenschaft der Moral« noch jung, anfängerhaft, plump und
grobfingrig ist: – ein anziehender Gegensatz, der bisweilen in
der Person eines Moralisten selbst sichtbar und leibhaft wird.
Schon das Wort »Wissenschaft der Moral« ist in Hinsicht auf
Das, was damit bezeichnet wird, viel zu hochmüthig und
wider den guten Geschmack: welcher immer ein Vorge-
schmack für die bescheideneren Worte zu sein pflegt. Man
sollte, in aller Strenge, sich eingestehn, was hier auf lange
hinaus noch noth thut, was vorläufig allein Recht hat: nämlich Sammlung des Materials, begriffliche Fassung und
Zusammenordnung eines ungeheuren Reichs zarter Werth-
gefühle und Werthunterschiede, welche leben, wachsen, zeugen und zu Grunde gehn, – und, vielleicht, Versuche, die
wiederkehrenden und häufigeren Gestaltungen dieser lebenden Krystallisation anschaulich zu machen, – als Vorbereitung zu einer Typenlehre der Moral. Freilich: man war
bisher nicht so bescheiden. Die Philosophen allesammt forderten, mit einem steifen Ernste, der lachen macht, von sich
etwas sehr viel Höheres, Anspruchsvolleres, Feierlicheres,
sobald sie sich mit der Moral als Wissenschaft befassten: sie
wollten die Begründung der Moral, – und jeder Philosoph hat bisher geglaubt, die Moral begründet zu haben; die
Moral selbst aber galt als [106] »gegeben«. Wie ferne lag ihrem
plumpen Stolze jene unscheinbar dünkende und in Staub und
Moder belassene Aufgabe einer Beschreibung, obwohl für sie
kaum die feinsten Hände und Sinne fein genug sein könnten!
Gerade dadurch, dass die Moral-Philosophen die moralischen facta nur gröblich, in einem willkürlichen Auszuge
oder als zufällige Abkürzung kannten, etwa als Moralität

ihrer Umgebung, ihres Standes, ihrer Kirche, ihres Zeitgeistes, ihres Klima's und Erdstriches, – gerade dadurch, dass sie in Hinsicht auf Völker, Zeiten, Vergangenheiten schlecht unterrichtet und selbst wenig wissbegierig waren, bekamen sie die eigentlichen Probleme der Moral gar nicht zu Gesichte: – als welche alle erst bei einer Vergleichung v i e l e r Moralen auftauchen. In aller bisherigen »Wissenschaft der Moral« f e h l t e, so wunderlich es klingen mag, noch das Problem der Moral selbst: es fehlte der Argwohn dafür, dass es hier etwas Problematisches gebe. Was die Philosophen »Begründung der Moral« nannten und von sich forderten, war, im rechten Lichte gesehn, nur eine gelehrte Form des guten G l a u b e n s an die herrschende Moral, ein neues Mittel ihres A u s d r u c k s, also ein Thatbestand selbst innerhalb einer bestimmten Moralität, ja sogar, im letzten Grunde, eine Art Leugnung, dass diese Moral als Problem gefasst werden d ü r f e: – und jedenfalls das Gegenstück einer Prüfung, Zerlegung, Anzweiflung, Vivisektion eben dieses Glaubens. Man höre zum Beispiel, mit welcher beinahe verehrenswürdigen Unschuld noch Schopenhauer seine eigene Aufgabe hinstellt, und man mache seine Schlüsse über die Wissenschaftlichkeit einer »Wissenschaft«, deren letzte Meister noch wie die Kinder und die alten Weibchen reden: – »das Princip, sagt er (p. 136 der Grundprobleme der Moral), der Grundsatz, über dessen Inhalt alle Ethiker e i g e n t l i c h einig sind; neminem laede, immo omnes, quantum potes, juva – das ist e i g e n t l i c h der Satz, welchen zu begründen alle Sittenlehrer sich abmühen .... das e i g e n t l i c h e Fundament der Ethik, welches man wie den Stein der Weisen seit Jahrtausenden sucht.« – Die Schwierigkeit, den an[107]geführten Satz zu begründen, mag freilich gross sein – bekanntlich ist es auch Schopenhauern damit nicht geglückt –; und wer einmal gründlich nachgefühlt hat, wie abgeschmackt falsch und sentimental dieser Satz ist, in einer Welt, deren Essenz Wille zur Macht ist –, der mag sich daran erinnern lassen, dass Schopenhauer, obschon Pessimist, e i g e n t l i c h

– die Flöte blies. . . . Täglich, nach Tisch: man lese hierüber
seinen Biographen. Und beiläufig gefragt: ein Pessimist,
ein Gott- und Welt-Verneiner, der vor der Moral H a l t
m a c h t , – der zur Moral Ja sagt und Flöte bläst, zur laede-
neminem-Moral: wie? ist das eigentlich – ein Pessimist?

                              187.
Abgesehn noch vom Werthe solcher Behauptungen wie »es
giebt in uns einen kategorischen Imperativ«, kann man immer
noch fragen: was sagt eine solche Behauptung von dem sie
Behauptenden aus? Es giebt Moralen, welche ihren Urheber
vor Anderen rechtfertigen sollen; andre Moralen sollen ihn
beruhigen und mit sich zufrieden stimmen; mit anderen will
er sich selbst an's Kreuz schlagen und demüthigen; mit
andern will er Rache üben, mit andern sich verstecken, mit
andern sich verklären und hinaus, in die Höhe und Ferne
setzen; diese Moral dient ihrem Urheber, um zu vergessen,
jene, um sich oder Etwas von sich vergessen zu machen; mancher Moralist möchte an der Menschheit Macht und schöpferische Laune ausüben; manch Anderer, vielleicht gerade auch
Kant, giebt mit seiner Moral zu verstehn: »was an mir achtbar
ist, das ist, dass ich gehorchen kann, – und bei euch s o l l es
nicht anders stehn, als bei mir!« – kurz, die Moralen sind auch
nur eine Z e i c h e n s p r a c h e d e r A f f e k t e .

[108]   188.
Jede Moral ist, im Gegensatz zum laisser aller, ein Stück
Tyrannei gegen die »Natur«, auch gegen die »Vernunft«: das
ist aber noch kein Einwand gegen sie, man müsste denn selbst
schon wieder von irgend einer Moral aus dekretiren, dass alle
Art Tyrannei und Unvernunft unerlaubt sei. Das Wesentliche
und Unschätzbare an jeder Moral ist, dass sie ein langer
Zwang ist: um den Stoicismus oder Port-Royal oder das
Puritanerthum zu verstehen, mag man sich des Zwangs erinnern, unter dem bisher jede Sprache es zur Stärke und Freiheit
gebracht, – des metrischen Zwangs, der Tyrannei von Reim

und Rhythmus. Wie viel Noth haben sich in jedem Volke die
Dichter und die Redner gemacht! – einige Prosaschreiber von
heute nicht ausgenommen, in deren Ohr ein unerbittliches
Gewissen wohnt – »um einer Thorheit willen«, wie utilitari-
sche Tölpel sagen, welche sich damit klug dünken, – »aus
Unterwürfigkeit gegen Willkür-Gesetze«, wie die Anarchi-
sten sagen, die sich damit »frei«, selbst freigeistisch wähnen.
Der wunderliche Thatbestand ist aber, dass Alles, was es von
Freiheit, Feinheit, Kühnheit, Tanz und meisterlicher Sicherheit auf Erden giebt oder gegeben hat, sei es nun in dem
Denken selbst, oder im Regieren, oder im Reden und Überreden, in den Künsten ebenso wie in den Sittlichkeiten, sich erst
vermöge der »Tyrannei solcher Willkür-Gesetze« entwickelt
hat; und allen Ernstes, die Wahrscheinlichkeit dafür ist nicht
gering, dass gerade dies »Natur« und »natürlich« sei – und
n i c h t jenes laisser aller! Jeder Künstler weiss, wie fern vom
Gefühl des Sich-gehen-lassens sein »natürlichster« Zustand
ist, das freie Ordnen, Setzen, Verfügen, Gestalten in den
Augenblicken der »Inspiration«, – und wie streng und fein er
gerade da tausendfältigen Gesetzen gehorcht, die aller For-
mulirung durch Begriffe gerade auf Grund ihrer Härte und
Bestimmtheit spotten (auch der festeste Begriff hat, dagegen
gehalten, etwas Schwimmendes, Vielfaches, Vieldeutiges –).
Das Wesentliche, »im Himmel und auf Erden«, wie es
scheint, ist, nochmals gesagt, dass lange und in [109] Einer
Richtung g e h o r c h t werde: dabei kommt und kam auf die
Dauer immer Etwas heraus, dessentwillen es sich lohnt, auf
Erden zu leben, zum Beispiel Tugend, Kunst, Musik, Tanz,
Vernunft, Geistigkeit, – irgend etwas Verklärendes, Raffinir-
tes, Tolles und Göttliches. Die lange Unfreiheit des Geistes,
der misstrauische Zwang in der Mittheilbarkeit der Gedanken, die Zucht, welche sich der Denker auferlegte, innerhalb
einer kirchlichen und höfischen Richtschnur oder unter ari-
stotelischen Voraussetzungen zu denken, der lange geistige
Wille, Alles, was geschieht, nach einem christlichen Schema
auszulegen und den christlichen Gott noch in jedem Zufalle

wieder zu entdecken und zu rechtfertigen, – all dies Gewalt-
same, Willkürliche, Harte, Schauerliche, Widervernünftige
hat sich als das Mittel herausgestellt, durch welches dem
europäischen Geiste seine Stärke, seine rücksichtslose Neugierde und feine Beweglichkeit angezüchtet wurde: zugege-
ben, dass dabei ebenfalls unersetzbar viel an Kraft und Geist
erdrückt, erstickt und verdorben werden musste (denn hier
wie überall zeigt sich »die Natur«, wie sie ist, in ihrer ganzen
verschwenderischen und g l e i c h g ü l t i g e n Grossartigkeit,
welche empört, aber vornehm ist). Dass Jahrtausende lang die
europäischen Denker nur dachten, um Etwas zu beweisen –
heute ist uns umgekehrt jeder Denker verdächtig, der »Etwas
beweisen will« –, dass ihnen bereits immer feststand, was
als Resultat ihres strengsten Nachdenkens herauskommen
s o l l t e , etwa wie ehemals bei der asiatischen Astrologie oder
wie heute noch bei der harmlosen christlich-moralischen
Auslegung der nächsten persönlichen Ereignisse »zu Ehren
Gottes« und »zum Heil der Seele«: – diese Tyrannei, diese
Willkür, diese strenge und grandiose Dummheit hat den
Geist e r z o g e n ; die Sklaverei ist, wie es scheint, im gröberen und feineren Verstande das unentbehrliche Mittel auch
der geistigen Zucht und Züchtung. Man mag jede Moral darauf hin ansehn: die »Natur« in ihr ist es, welche das laisser
aller, die allzugrosse Freiheit hassen lehrt und das Bedürfniss
nach beschränkten Horizonten, nach nächsten [110] Aufgaben pflanzt, – welche die V e r e n g e r u n g d e r P e r s p e k -
t i v e , und also in gewissem Sinne die Dummheit, als eine
Lebens- und Wachsthums-Bedingung lehrt. »Du sollst gehorchen, irgend wem, und auf lange: s o n s t gehst du zu
Grunde und verlierst die letzte Achtung vor dir selbst« – dies
scheint mir der moralische Imperativ der Natur zu sein, welcher freilich weder »kategorisch« ist, wie es der alte Kant von
ihm verlangte (daher das »sonst« –), noch an den Einzelnen
sich wendet (was liegt ihr am Einzelnen!), wohl aber an Völker, Rassen, Zeitalter, Stände, vor Allem aber an das ganze
Thier »Mensch«, an d e n Menschen.

189.

Die arbeitsamen Rassen finden eine grosse Beschwerde darin, den Müssiggang zu ertragen: es war ein Meisterstück des englischen Instinktes, den Sonntag in dem Maasse zu heiligen und zu langweilen, dass der Engländer dabei wieder unvermerkt nach seinem Wochen- und Werktage lüstern wird: – als eine Art klug erfundenen, klug eingeschalteten Fastens, wie dergleichen auch in der antiken Welt reichlich wahrzunehmen ist (wenn auch, wie billig bei südländischen Völkern, nicht gerade in Hinsicht auf Arbeit –). Es muss Fasten von vielerlei Art geben; und überall, wo mächtige Triebe und Gewohnheiten herrschen, haben die Gesetzgeber dafür zu sorgen, Schalttage einzuschieben, an denen solch ein Trieb in Ketten gelegt wird und wieder einmal hungern lernt. Von einem höheren Orte aus gesehn, erscheinen ganze Geschlechter und Zeitalter, wenn sie mit irgend einem moralischen Fanatismus behaftet auftreten, als solche eingelegte Zwangs- und Fastenzeiten, während welchen ein Trieb sich ducken und niederwerfen, aber auch sich reinigen und schärfen lernt; auch einzelne philosophische Sekten (zum Beispiel die Stoa inmitten der hellenistischen Cultur und ihrer mit aphrodisischen Düften überladenen und geil gewordenen Luft) [111] erlauben eine derartige Auslegung. – Hiermit ist auch ein Wink zur Erklärung jenes Paradoxons gegeben, warum gerade in der christlichsten Periode Europa's und überhaupt erst unter dem Druck christlicher Werthurtheile der Geschlechtstrieb sich bis zur Liebe (amour-passion) sublimirt hat.

190.

Es giebt Etwas in der Moral Plato's, das nicht eigentlich zu Plato gehört, sondern sich nur an seiner Philosophie vorfindet, man könnte sagen, trotz Plato: nämlich der Sokratismus, für den er eigentlich zu vornehm war. »Keiner will sich selbst Schaden thun, daher geschieht alles Schlechte unfreiwillig. Denn der Schlechte fügt sich selbst Schaden zu: das würde er

nicht thun, falls er wüsste, dass das Schlechte schlecht ist.
Demgemäss ist der Schlechte nur aus einem Irrthum schlecht;
nimmt man ihm seinen Irrthum, so macht man ihn notwendig
– gut.« – Diese Art zu schliessen riecht nach dem Pöbel,
der am Schlechthandeln nur die leidigen Folgen in's Auge
fasst und eigentlich urtheilt »es ist dumm, schlecht zu handeln«; während er »gut« mit »nützlich und angenehm« ohne
Weiteres als identisch nimmt. Man darf bei jedem Utilitarismus der Moral von vornherein auf diesen gleichen Ursprung
rathen und seiner Nase folgen: man wird selten irre gehn. –
Plato hat Alles gethan, um etwas Feines und Vornehmes in
den Satz seines Lehrers hinein zu interpretiren, vor Allem
sich selbst –, er, der verwegenste aller Interpreten, der den
ganzen Sokrates nur wie ein populäres Thema und Volkslied
von der Gasse nahm, um es in's Unendliche und Unmögliche
zu variiren: nämlich in alle seine eignen Masken und Vielfäl-
tigkeiten. Im Scherz gesprochen, und noch dazu homerisch:
was ist denn der platonische Sokrates, wenn nicht

πρόσθε Πλάτων ὄπιϑέν τε Πλάτων μέσση τε Χίμαιρα.

[112]   191.
Das alte theologische Problem von »Glauben« und »Wissen«
– oder, deutlicher, von Instinkt und Vernunft – also die
Frage, ob in Hinsicht auf Werthschätzung der Dinge der
Instinkt mehr Autorität verdiene, als die Vernünftigkeit, welche nach Gründen, nach einem »Warum?«, als nach Zweck-
mässigkeit und Nützlichkeit gefragt und gehandelt wissen
will, – es ist immer noch jenes alte moralische Problem, wie es
zuerst in der Person des Sokrates auftrat und lange vor dem
Christenthum schon die Geister gespalten hat. Sokrates selbst
hatte sich zwar mit dem Geschmack seines Talentes – dem
eines überlegenen Dialektikers – zunächst auf Seiten der Vernunft gestellt; und in Wahrheit, was hat er sein Leben lang
gethan, als über die linkische Unfähigkeit seiner vornehmen
Athener zu lachen, welche Menschen des Instinktes waren
gleich allen vornehmen Menschen und niemals genügend

über die Gründe ihres Handelns Auskunft geben konnten? Zuletzt aber, im Stillen und Geheimen, lachte er auch über sich selbst: er fand bei sich, vor seinem feineren Gewissen und Selbstverhör, die gleiche Schwierigkeit und Unfähigkeit. Wozu aber, redete er sich zu, sich deshalb von den Instinkten lösen! Man muss ihnen und a u c h der Vernunft zum Recht verhelfen, – man muss den Instinkten folgen, aber die Vernunft überreden, ihnen dabei mit guten Gründen nachzuhelfen. Dies war die eigentliche F a l s c h h e i t jenes grossen geheimnissreichen Ironikers; er brachte sein Gewissen dahin, sich mit einer Art Selbstüberlistung zufrieden zu geben: im Grunde hatte er das Irrationale im moralischen Urtheile durchschaut. – Plato, in solchen Dingen unschuldiger und ohne die Verschmitztheit des Plebejers, wollte mit Aufwand aller Kraft – der grössten Kraft, die bisher ein Philosoph aufzuwenden hatte! – sich beweisen, dass Vernunft und Instinkt von selbst auf Ein Ziel zugehen, auf das Gute, auf »Gott«; und seit Plato sind alle Theologen und Philosophen auf der gleichen Bahn, – das heisst, in Dingen der Moral hat bisher der Instinkt, oder wie die Christen es nennen, »der [113] Glaube«, oder wie ich es nenne, »die Heerde« gesiegt. Man müsste denn Descartes ausnehmen, den Vater des Rationalismus (und folglich Grossvater der Revolution), welcher der Vernunft allein Autorität zuerkannte: aber die Vernunft ist nur ein Werkzeug, und Descartes war oberflächlich.

192.

Wer der Geschichte einer einzelnen Wissenschaft nachgegangen ist, der findet in ihrer Entwicklung einen Leitfaden zum Verständniss der ältesten und gemeinsten Vorgänge alles »Wissens und Erkennens«: dort wie hier sind die voreiligen Hypothesen, die Erdichtungen, der gute dumme Wille zum »Glauben«, der Mangel an Misstrauen und Geduld zuerst entwickelt, – unsre Sinne lernen es spät, und lernen es nie ganz, feine treue vorsichtige Organe der Erkenntniss zu sein. Unserm Auge fällt es bequemer, auf einen gegebenen Anlass

hin ein schon öfter erzeugtes Bild wieder zu erzeugen, als das
Abweichende und Neue eines Eindrucks bei sich festzuhalten: letzteres braucht mehr Kraft, mehr »Moralität«. Etwas
Neues hören ist dem Ohre peinlich und schwierig; fremde
Musik hören wir schlecht. Unwillkürlich versuchen wir,
beim Hören einer andren Sprache, die gehörten Laute in
Worte einzuformen, welche uns vertrauter und heimischer
klingen: so machte sich zum Beispiel der Deutsche ehemals
aus dem gehörten arcubalista das Wort Armbrust zurecht.
Das Neue findet auch unsre Sinne feindlich und widerwillig;
und überhaupt h e r r s c h e n schon bei den »einfachsten«
Vorgängen der Sinnlichkeit die Affekte, wie Furcht, Liebe,
Hass, eingeschlossen die passiven Affekte der Faulheit. – So
wenig ein Leser heute die einzelnen Worte (oder gar Silben)
einer Seite sämmtlich abliest – er nimmt vielmehr aus zwanzig
Worten ungefähr fünf nach Zufall heraus und »erräth« den zu
diesen fünf Worten muthmaasslich zugehörigen Sinn –, eben
so wenig sehen wir einen Baum genau und vollständig, in
Hinsicht auf Blätter, Zweige, [114] Farbe, Gestalt; es fällt uns
so sehr viel leichter, ein Ungefähr von Baum hin zu phantasi-
ren. Selbst inmitten der seltsamsten Erlebnisse machen wir es
noch ebenso: wir erdichten uns den grössten Theil des Erleb-
nisses und sind kaum dazu zu zwingen, n i c h t als »Erfin-
der« irgend einem Vorgange zuzuschauen. Dies Alles will
sagen: wir sind von Grund aus, von Alters her – a n ' s
L ü g e n g e w ö h n t. Oder, um es tugendhafter und heuchle-
rischer, kurz angenehmer auszudrücken: man ist viel mehr
Künstler als man weiss. – In einem lebhaften Gespräch sehe
ich oftmals das Gesicht der Person, mit der ich rede, je nach
dem Gedanken, den sie äussert, oder den ich bei ihr hervorgerufen glaube, so deutlich und feinbestimmt vor mir, dass dieser Grad von Deutlichkeit weit über die K r a f t meines Seh-
vermögens hinausgeht: – die Feinheit des Muskelspiels und
des Augen-Ausdrucks m u s s also von mir hinzugedichtet
sein. Wahrscheinlich machte die Person ein ganz anderes
Gesicht oder gar keins.

193.

Quidquid luce fuit, tenebris agit: aber auch umgekehrt. Was
wir im Traume erleben, vorausgesetzt, dass wir es oftmals
erleben, gehört zuletzt so gut zum Gesammt-Haushalt unsrer
Seele, wie irgend etwas »wirklich« Erlebtes: wir sind vermöge
desselben reicher oder ärmer, haben ein Bedürfniss mehr oder
weniger und werden schliesslich am hellen lichten Tage, und
selbst in den heitersten Augenblicken unsres wachen Geistes,
ein Wenig von den Gewöhnungen unsrer Träume gegängelt.
Gesetzt, dass Einer in seinen Träumen oftmals geflogen ist
und endlich, sobald er träumt, sich einer Kraft und Kunst des
Fliegens wie seines Vorrechtes bewusst wird, auch wie seines
eigensten beneidenswerthen Glücks: ein Solcher, der jede Art
von Bogen und Winkeln mit dem leisesten Impulse verwirkli-
chen zu können glaubt, der das Gefühl einer gewissen göttlichen Leichtfertigkeit kennt, ein »nach Oben« ohne Spannung
und Zwang, ein »nach Unten« ohne Her[115]ablassung und
Erniedrigung – ohne S c h w e r e ! – wie sollte der Mensch
solcher Traum-Erfahrungen und Traum-Gewohnheiten
nicht endlich auch für seinen wachen Tag das Wort »Glück«
anders gefärbt und bestimmt finden! wie sollte er nicht
a n d e r s nach Glück – verlangen? »Aufschwung«, so wie
dies von Dichtern beschrieben wird, muss ihm, gegen jenes
»Fliegen« gehalten, schon zu erdenhaft, muskelhaft, gewalt-
sam, schon zu »schwer« sein.

194.

Die Verschiedenheit der Menschen zeigt sich nicht nur in der
Verschiedenheit ihrer Gütertafeln, also darin, dass sie verschiedene Güter für erstrebenswerth halten und auch über
das Mehr und Weniger des Werthes, über die Rangordnung
der gemeinsam anerkannten Güter mit einander uneins sind:
– sie zeigt sich noch mehr in dem, was ihnen als wirkliches
H a b e n und B e s i t z e n eines Gutes gilt. In Betreff eines
Weibes zum Beispiel gilt dem Bescheideneren schon die Verfügung über den Leib und der Geschlechtsgenuss als ausrei-

chendes und genugthuendes Anzeichen des Habens, des Be-
sitzens; ein Anderer, mit seinem argwöhnischeren und anspruchsvolleren Durste nach Besitz, sieht das »Fragezeichen«, das nur Scheinbare eines solchen Habens, und will
feinere Proben, vor Allem, um zu wissen, ob das Weib nicht
nur ihm sich giebt, sondern auch für ihn lässt, was sie hat oder
gerne hätte –: s o erst gilt es ihm als »besessen«. Ein Dritter
aber ist auch hier noch nicht am Ende seines Misstrauens und
Habenwollens, er fragt sich, ob das Weib, wenn es Alles für
ihn lässt, dies nicht etwa für ein Phantom von ihm thut: er will
erst gründlich, ja abgründlich gut gekannt sein, um überhaupt geliebt werden zu können, er wagt es, sich errathen zu
lassen –. Erst dann fühlt er die Geliebte völlig in seinem
Besitze, wenn sie sich nicht mehr über ihn betrügt, wenn sie
ihn um seiner Teufelei und versteckten Unersättlichkeit willen eben so sehr liebt, als um sei[116]ner Güte, Geduld und
Geistigkeit willen. Jener möchte ein Volk besitzen: und alle
höheren Cagliostro- und Catilina-Künste sind ihm zu diesem
Zwecke recht. Ein Anderer, mit einem feineren Besitzdurste,
sagt sich »man darf nicht betrügen, wo man besitzen will« –,
er ist gereizt und ungeduldig bei der Vorstellung, dass eine
Maske von ihm über das Herz des Volks gebietet: »also muss
ich mich kennen l a s s e n und, vorerst, mich selbst kennen!«
Unter hülfreichen und wohlthätigen Menschen findet man
jene plumpe Arglist fast regelmässig vor, welche sich Den,
dem geholfen werden soll, erst zurecht macht: als ob er zum
Beispiel Hülfe »verdiene«, gerade nach i h r e r Hülfe verlange, und für alle Hülfe sich ihnen tief dankbar, anhänglich,
unterwürfig beweisen werde, – mit diesen Einbildungen verfügen sie über den Bedürftigen wie über ein Eigenthum, wie
sie aus einem Verlangen nach Eigenthum überhaupt wohlthä-
tige und hülfreiche Menschen sind. Man findet sie eifersüch-
tig, wenn man sie beim Helfen kreuzt oder ihnen zuvor-
kommt. Die Eltern machen unwillkürlich aus dem Kinde
etwas ihnen Ähnliches – sie nennen das »Erziehung« –, keine
Mutter zweifelt im Grunde ihres Herzens daran, am Kinde

sich ein Eigenthum geboren zu haben, kein Vater bestreitet
sich das Recht, es s e i n e n Begriffen und Werthschätzungen
unterwerfen zu dürfen. Ja, ehemals schien es den Vätern billig, über Leben und Tod des Neugebornen (wie unter den
alten Deutschen) nach Gutdünken zu verfügen. Und wie der
Vater, so sehen auch jetzt noch der Lehrer, der Stand, der
Priester, der Fürst in jedem neuen Menschen eine unbedenkliche Gelegenheit zu neuem Besitze. Woraus folgt. . . . .

195.

Die Juden – ein Volk »geboren zur Sklaverei«, wie Tacitus
und die ganze antike Welt sagt, »das auserwählte Volk unter
den Völkern«, wie sie selbst sagen und glauben – die Juden
haben jenes Wunderstück von Umkehrung der Werthe zu
Stande ge[117]bracht, Dank welchem das Leben auf der Erde
für ein Paar Jahrtausende einen neuen und gefährlichen Reiz
erhalten hat: – ihre Propheten haben »reich« »gottlos« »böse«
»gewaltthätig« »sinnlich« in Eins geschmolzen und zum
ersten Male das Wort »Welt« zum Schandwort gemünzt. In
dieser Umkehrung der Werthe (zu der es gehört, das Wort für
»Arm« als synonym mit »Heilig« und »Freund« zu brauchen)
liegt die Bedeutung des jüdischen Volks: mit ihm beginnt der
S k l a v e n - A u f s t a n d   i n   d e r   M o r a l.

196.

Es giebt unzählige dunkle Körper neben der Sonne zu
e r s c h l i e s s e n, – solche die wir nie sehen werden. Das ist,
unter uns gesagt, ein Gleichniss; und ein Moral-Psycholog
liest die gesammte Sternenschrift nur als eine Gleichniss- und
Zeichensprache, mit der sich Vieles verschweigen lässt.

197.

Man missversteht das Raubthier und den Raubmenschen
(zum Beispiele Cesare Borgia) gründlich, man missversteht
die »Natur«, so lange man noch nach einer »Krankhaftigkeit«
im Grunde dieser gesündesten aller tropischen Unthiere und

Gewächse sucht, oder gar nach einer ihnen eingeborenen »Hölle« –: wie es bisher fast alle Moralisten gethan haben. Es scheint, dass es bei den Moralisten einen Hass gegen den Urwald und gegen die Tropen giebt? Und dass der »tropische Mensch« um jeden Preis diskreditirt werden muss, sei es als Krankheit und Entartung des Menschen, sei es als eigne Hölle und Selbst-Marterung? Warum doch? Zu Gunsten der »gemässigten Zonen«? Zu Gunsten der gemässigten Menschen? Der »Moralischen«? Der Mittelmässigen? – Dies zum Kapitel »Moral als Furchtsamkeit«. –

[118]   198.

Alle diese Moralen, die sich an die einzelne Person wenden, zum Zwecke ihres »Glückes«, wie es heisst, – was sind sie Anderes, als Verhaltungs-Vorschläge im Verhältniss zum Grade der G e f ä h r l i c h k e i t, in welcher die einzelne Person mit sich selbst lebt; Recepte gegen ihre Leidenschaften, ihre guten und schlimmen Hänge, so fern sie den Willen zur Macht haben und den Herrn spielen möchten; kleine und grosse Klugheiten und Künsteleien, behaftet mit dem Winkelgeruch alter Hausmittel und Altweiber-Weisheit; allesammt in der Form barock und unvernünftig – weil sie sich an »Alle« wenden, weil sie generalisiren, wo nicht generalisirt werden darf –, allesammt unbedingt redend, sich unbedingt nehmend, allesammt nicht nur mit Einem Korne Salz gewürzt, vielmehr erst erträglich, und bisweilen sogar verführerisch, wenn sie überwürzt und gefährlich zu riechen lernen, vor Allem »nach der anderen Welt«: Das ist Alles, intellektuell gemessen, wenig werth und noch lange nicht »Wissenschaft«, geschweige denn »Weisheit«, sondern, nochmals gesagt und dreimal gesagt, Klugheit, Klugheit, Klugheit, gemischt mit Dummheit, Dummheit, Dummheit, – sei es nun jene Gleichgültigkeit und Bildsäulenkälte gegen die hitzige Narrheit der Affekte, welche die Stoiker anriethen und ankurirten; oder auch jenes Nicht-mehr-Lachen und Nicht-mehr-Weinen des Spinoza, seine so naiv befürwortete

Zerstörung der Affekte durch Analysis und Vivisektion derselben; oder jene Herabstimmung der Affekte auf ein unschädliches Mittelmaass, bei welchem sie befriedigt werden dürfen, der Aristotelismus der Moral; selbst Moral als Genuss der Affekte in einer absichtlichen Verdünnung und Vergeistigung durch die Symbolik der Kunst, etwa als Musik, oder als Liebe zu Gott und zum Menschen um Gotteswillen – denn in der Religion haben die Leidenschaften wieder Bürgerrecht, vorausgesetzt dass. . . . .; zuletzt selbst jene entgegenkommende und muthwillige Hingebung an die Affekte, wie sie Hafis und Goethe gelehrt haben, jenes kühne Fallenlassen der Zügel, jene geistig-[119]leibliche licentia morum in dem Ausnahmefalle alter weiser Käuze und Trunkenbolde, bei denen es »wenig Gefahr mehr hat«. Auch Dies zum Kapitel »Moral als Furchtsamkeit«.

199.

Insofern es zu allen Zeiten, so lange es Menschen giebt, auch Menschenheerden gegeben hat (Geschlechts-Verbände, Gemeinden, Stämme, Völker, Staaten, Kirchen) und immer sehr viel Gehorchende im Verhältniss zu der kleinen Zahl Befehlender, – in Anbetracht also, dass Gehorsam bisher am besten und längsten unter Menschen geübt und gezüchtet worden ist, darf man billig voraussetzen, dass durchschnittlich jetzt einem Jeden das Bedürfniss darnach angeboren ist, als eine Art formalen Gewissens, welches gebietet: »du sollst irgend Etwas unbedingt thun, irgend Etwas unbedingt lassen«, kurz »du sollst«. Dies Bedürfniss sucht sich zu sättigen und seine Form mit einem Inhalte zu füllen; es greift dabei, gemäss seiner Stärke, Ungeduld und Spannung, wenig wählerisch, als ein grober Appetit, zu und nimmt an, was ihm nur von irgend welchen Befehlenden – Eltern, Lehrern, Gesetzen, Standesvorurtheilen, öffentlichen Meinungen – in's Ohr gerufen wird. Die seltsame Beschränktheit der menschlichen Entwicklung, das Zögernde, Langwierige, oft Zurücklaufende und Sich-Drehende derselben beruht darauf, dass der

Heerden-Instinkt des Gehorsams am besten und auf Kosten
der Kunst des Befehlens vererbt wird. Denkt man sich diesen
Instinkt einmal bis zu seinen letzten Ausschweifungen schrei-
tend, so fehlen endlich geradezu die Befehlshaber und Unabhängigen; oder sie leiden innerlich am schlechten Gewissen
und haben nöthig, sich selbst erst eine Täuschung vorzuma-
chen, um befehlen zu können: nämlich als ob auch sie nur
gehorchten. Dieser Zustand besteht heute thatsächlich in
Europa: ich nenne ihn die moralische Heuchelei der Befehlenden. Sie wissen sich nicht anders vor ihrem schlechten
Gewissen zu schützen als dadurch, dass sie sich als [120] Aus-
führer älterer oder höherer Befehle gebärden (der Vorfahren,
der Verfassung, des Rechts, der Gesetze oder gar Gottes)
oder selbst von der Heerden-Denkweise her sich Heerden-
Maximen borgen, zum Beispiel als »erste Diener ihres Volks«
oder als »Werkzeuge des gemeinen Wohls«. Auf der anderen
Seite giebt sich heute der Heerdenmensch in Europa das
Ansehn, als sei er die einzig erlaubte Art Mensch, und verherrlicht seine Eigenschaften, vermöge deren er zahm, ver-
träglich und der Heerde nützlich ist, als die eigentlich
menschlichen Tugenden: also Gemeinsinn, Wohlwollen,
Rücksicht, Fleiss, Mässigkeit, Bescheidenheit, Nachsicht,
Mitleiden. Für die Fälle aber, wo man der Führer und Leithammel nicht entrathen zu können glaubt, macht man heute
Versuche über Versuche, durch Zusammen-Addiren kluger
Heerdenmenschen die Befehlshaber zu ersetzen: dieses Ursprungs sind zum Beispiel alle repräsentativen Verfassungen.
Welche Wohlthat, welche Erlösung von einem unerträglich
werdenden Druck trotz Alledem das Erscheinen eines unbedingt Befehlenden für diese Heerdenthier-Europäer ist, dafür
gab die Wirkung, welche das Erscheinen Napoleon's machte,
das letzte grosse Zeugniss: – die Geschichte der Wirkung
Napoleon's ist beinahe die Geschichte des höheren Glücks,
zu dem es dieses ganze Jahrhundert in seinen werthvollsten
Menschen und Augenblicken gebracht hat.

200.

Der Mensch aus einem Auflösungs-Zeitalter, welches die
Rassen durch einander wirft, der als Solcher die Erbschaft
einer vielfältigen Herkunft im Leibe hat, das heisst gegensätzliche und oft nicht einmal nur gegensätzliche Triebe und
Werthmaasse, welche mit einander kämpfen und sich selten
Ruhe geben, – ein solcher Mensch der späten Culturen und
der gebrochenen Lichter wird durchschnittlich ein schwäche-
rer Mensch sein: sein gründlichstes Verlangen geht darnach,
dass der Krieg, der er i s t , einmal ein Ende habe; das Glück
erscheint ihm, in Übereinstimmung mit [121] einer beruhigen-
den (zum Beispiel epikurischen oder christlichen) Medizin
und Denkweise, vornehmlich als das Glück des Ausruhens,
der Ungestörtheit, der Sattheit, der endlichen Einheit, als
»Sabbat der Sabbate«, um mit dem heiligen Rhetor Augustin
zu reden, der selbst ein solcher Mensch war. – Wirkt aber der
Gegensatz und Krieg in einer solchen Natur wie ein Lebens-
reiz und -Kitzel m e h r –, und ist andererseits zu ihren mächtigen und unversöhnlichen Trieben auch die eigentliche Meisterschaft und Feinheit im Kriegführen mit sich, also Selbst-
Beherrschung, Selbst-Überlistung hinzuvererbt und angezüchtet: so entstehen jene zauberhaften Unfassbaren und
Unausdenklichen, jene zum Siege und zur Verführung vor-
herbestimmten Räthselmenschen, deren schönster Ausdruck
Alcibiades und Caesar (– denen ich gerne jenen e r s t e n
Europäer nach meinem Geschmack, den Hohenstaufen
Friedrich den Zweiten zugesellen möchte), unter Künstlern
vielleicht Lionardo da Vinci ist. Sie erscheinen genau in den
selben Zeiten, wo jener schwächere Typus, mit seinem Verlangen nach Ruhe, in den Vordergrund tritt: beide Typen
gehören zu einander und entspringen den gleichen Ursachen.

201.

So lange die Nützlichkeit, die in den moralischen Werth-
urtheilen herrscht, allein die Heerden-Nützlichkeit ist, so
lange der Blick einzig der Erhaltung der Gemeinde zugewen-

det ist, und das Unmoralische genau und ausschliesslich in
dem gesucht wird, was dem Gemeinde-Bestand gefährlich
scheint: so lange kann es noch keine »Moral der Nächsten-
liebe« geben. Gesetzt, es findet sich auch da bereits eine
beständige kleine Übung von Rücksicht, Mitleiden, Billigkeit, Milde, Gegenseitigkeit der Hülfeleistung, gesetzt, es
sind auch auf diesem Zustande der Gesellschaft schon alle
jene Triebe thätig, welche später mit Ehrennamen, als
»Tugenden« bezeichnet werden und schliesslich fast mit dem
Begriff »Moralität« in Eins zusammenfallen: in jener Zeit
gehören sie [122] noch gar nicht in das Reich der moralischen
Werthschätzungen – sie sind noch aussermoralisch.
Eine mitleidige Handlung zum Beispiel heisst in der besten
Römerzeit weder gut noch böse, weder moralisch noch
unmoralisch; und wird sie selbst gelobt, so verträgt sich mit
diesem Lobe noch auf das Beste eine Art unwilliger Geringschätzung, sobald sie nämlich mit irgend einer Handlung
zusammengehalten wird, welche der Förderung des Ganzen,
der res publica, dient. Zuletzt ist die »Liebe zum Nächsten«
immer etwas Nebensächliches, zum Theil Conventionelles
und Willkürlich-Scheinbares im Verhältniss zur Furcht
vor dem Nächsten. Nachdem das Gefüge der Gesellschaft im Ganzen festgestellt und gegen äussere Gefahren
gesichert erscheint, ist es diese Furcht vor dem Nächsten,
welche wieder neue Perspektiven der moralischen Werthschätzung schafft. Gewisse starke und gefährliche Triebe, wie
Unternehmungslust, Tollkühnheit, Rachsucht, Verschlagenheit, Raubgier, Herrschsucht, die bisher in einem gemeinnüt-
zigen Sinne nicht nur geehrt – unter anderen Namen, wie
billig, als den eben gewählten –, sondern gross-gezogen und
-gezüchtet werden mussten (weil man ihrer in der Gefahr des
Ganzen gegen die Feinde des Ganzen beständig bedurfte),
werden nunmehr in ihrer Gefährlichkeit doppelt stark empfunden – jetzt, wo die Abzugskanäle für sie fehlen – und
schrittweise, als unmoralisch, gebrandmarkt und der Ver-
leumdung preisgegeben. Jetzt kommen die gegensätzlichen

Triebe und Neigungen zu moralischen Ehren; der Heerden-
Instinkt zieht, Schritt für Schritt, seine Folgerung. Wie
viel oder wie wenig Gemein-Gefährliches, der Gleichheit
Gefährliches in einer Meinung, in einem Zustand und
Affekte, in einem Willen, in einer Begabung liegt, das ist jetzt
die moralische Perspektive: die Furcht ist auch hier wieder die
Mutter der Moral. An den höchsten und stärksten Trieben,
wenn sie, leidenschaftlich ausbrechend, den Einzelnen weit
über den Durchschnitt und die Niederung des Heerdenge-
wissens hinaus und hinauf treiben, geht das Selbstgefühl der
Gemeinde zu Grunde, ihr Glaube an [123] sich, ihr Rückgrat
gleichsam, zerbricht: folglich wird man gerade diese Triebe
am besten brandmarken und verleumden. Die hohe unabhängige Geistigkeit, der Wille zum Alleinstehn, die grosse Vernunft schon werden als Gefahr empfunden; Alles, was den
Einzelnen über die Heerde hinaushebt und dem Nächsten
Furcht macht, heisst von nun an b ö s e ; die billige, bescheidene, sich einordnende, gleichsetzende Gesinnung, das
M i t t e l m a a s s der Begierden kommt zu moralischen
Namen und Ehren. Endlich, unter sehr friedfertigen Zuständen, fehlt die Gelegenheit und Nöthigung immer mehr, sein
Gefühl zur Strenge und Härte zu erziehn; und jetzt beginnt
jede Strenge, selbst in der Gerechtigkeit, die Gewissen zu
stören; eine hohe und harte Vornehmheit und Selbst-Verant-
wortlichkeit beleidigt beinahe und erweckt Misstrauen, »das
Lamm«, noch mehr »das Schaf« gewinnt an Achtung. Es
giebt einen Punkt von krankhafter Vermürbung und Verzärtlichung in der Geschichte der Gesellschaft, wo sie selbst für
ihren Schädiger, den V e r b r e c h e r Partei nimmt, und zwar
ernsthaft und ehrlich. Strafen: das scheint ihr irgendworin
unbillig, – gewiss ist, dass die Vorstellung »Strafe« und »Stra-
fen-Sollen« ihr wehe thut, ihr Furcht macht. »Genügt es
nicht, ihn u n g e f ä h r l i c h machen? Wozu noch strafen?
Strafen selbst ist fürchterlich!« – mit dieser Frage zieht die
Heerden-Moral, die Moral der Furchtsamkeit ihre letzte
Consequenz. Gesetzt, man könnte überhaupt die Gefahr,

den Grund zum Fürchten abschaffen, so hätte man diese Moral mit abgeschafft: sie wäre nicht mehr nöthig, sie hielte sich selbst nicht mehr für nöthig! – Wer das Gewissen des heutigen Europäers prüft, wird aus tausend moralischen Falten und Verstecken immer den gleichen Imperativ herauszuziehen haben, den Imperativ der Heerden-Furchtsamkeit: »wir wollen, dass es irgendwann einmal Nichts mehr zu fürchten giebt!« Irgendwann einmal – der Wille und Weg dorthin heisst heute in Europa überall der »Fortschritt«.

[124]   202.

Sagen wir es sofort noch einmal, was wir schon hundert Mal gesagt haben: denn die Ohren sind für solche Wahrheiten – für unsere Wahrheiten – heute nicht gutwillig. Wir wissen es schon genug, wie beleidigend es klingt, wenn Einer überhaupt den Menschen ungeschminkt und ohne Gleichniss zu den Thieren rechnet; aber es wird beinahe als Schuld uns angerechnet werden, dass wir gerade in Bezug auf die Menschen der »modernen Ideen« beständig die Ausdrücke »Heerde«, »Heerden-Instinkte« und dergleichen gebrauchen. Was hilft es! Wir können nicht anders: denn gerade hier liegt unsre neue Einsicht. Wir fanden, dass in allen moralischen Haupturtheilen Europa einmüthig geworden ist, die Länder noch hinzugerechnet, wo Europa's Einfluss herrscht: man weiss ersichtlich in Europa, was Sokrates nicht zu wissen meinte, und was jene alte berühmte Schlange einst zu lehren verhiess, – man »weiss« heute, was Gut und Böse ist. Nun muss es hart klingen und schlecht zu Ohren gehn, wenn wir immer von Neuem darauf bestehn: was hier zu wissen glaubt, was hier mit seinem Loben und Tadeln sich selbst verherrlicht, sich selbst gut heisst, ist der Instinkt des Heerdenthiers Mensch: als welcher zum Durchbruch, zum Übergewicht, zur Vorherrschaft über andere Instinkte gekommen ist und immer mehr kommt, gemäss der wachsenden physiologischen Annäherung und Anähnlichung, deren Symptom er ist. Moral ist heute in Europa Heerdenthier-Moral: – also nur, wie wir die Dinge verstehn, Eine Art von menschlicher Moral, neben der, vor der, nach der viele andere, vor Allem höhere Moralen möglich sind oder sein sollten. Gegen eine solche »Möglichkeit«, gegen ein solches »Sollte« wehrt sich aber diese Moral mit allen Kräften: sie sagt hartnäckig und unerbittlich »ich bin die Moral selbst, und Nichts ausserdem ist Moral!« – ja mit Hülfe einer Religion, welche den sublimsten Heerdenthier-Begierden zu Willen war und schmeichelte, ist es dahin gekommen, dass wir selbst in den politischen und gesellschaftlichen Einrichtungen einen [125] immer sichtbareren Ausdruck dieser Moral finden: die demokratische Bewegung macht die Erbschaft der christlichen. Dass aber deren Tempo für die Ungeduldigeren, für die Kranken und Süchtigen des genannten Instinktes noch viel zu langsam und schläfrig ist, dafür spricht das immer rasender werdende Geheul, das immer unverhülltere Zähne-fletschen der Anarchisten-Hunde, welche jetzt durch die Gassen der europäischen Cultur schweifen: anscheinend im Gegensatz zu den friedlich-arbeitsamen Demokraten und Revolutions-Ideologen, noch mehr zu den tölpelhaften Philosophastern und Bruderschafts-Schwärmern, welche sich Socialisten nennen und die »freie Gesellschaft« wollen, in Wahrheit aber Eins mit ihnen Allen in der gründlichen und instinktiven Feindseligkeit gegen jede andre Gesellschafts-Form als die der autonomen Heerde (bis hinaus zur Ablehnung selbst der Begriffe »Herr« und »Knecht« – ni dieu ni maître heisst eine socialistische Formel –); Eins im zähen Widerstande gegen jeden Sonder-Anspruch, jedes Sonder-Recht und Vorrecht (das heisst im letzten Grunde gegen jedes Recht: denn dann, wenn Alle gleich sind, braucht Niemand mehr »Rechte« –); Eins im Misstrauen gegen die strafende Gerechtigkeit (wie als ob sie eine Vergewaltigung am Schwächeren, ein Unrecht an der nothwendigen Folge aller früheren Gesellschaft wäre –); aber ebenso Eins in der Religion des Mitleidens, im Mitgefühl, soweit nur

gefühlt, gelebt, gelitten wird (bis hinab zum Thier, bis hinauf
zu »Gott«: – die Ausschweifung eines »Mitleidens mit Gott«
gehört in ein demokratisches Zeitalter –); Eins allesammt im
Schrei und der Ungeduld des Mitleidens, im Todhass gegen
das Leiden überhaupt, in der fast weiblichen Unfähigkeit,
Zuschauer dabei bleiben zu können, leiden l a s s e n zu können; Eins in der unfreiwilligen Verdüsterung und Verzärtlichung, unter deren Bann Europa von einem neuen Buddhismus bedroht scheint; Eins im Glauben an die Moral des
g e m e i n s a m e n Mitleidens, wie als ob sie die Moral an sich
sei, als die Höhe, die e r r e i c h t e Höhe des Menschen, die
alleinige Hoffnung der Zukunft, das [126] Trostmittel der
Gegenwärtigen, die grosse Ablösung aller Schuld von Ehedem: – Eins allesammt im Glauben an die Gemeinschaft als
die E r l ö s e r i n , an die Heerde also, an »sich«. . . . .

203.

Wir, die wir eines andren Glaubens sind –, wir, denen die
demokratische Bewegung nicht bloss als eine Verfalls-Form
der politischen Organisation, sondern als Verfalls-, nämlich
Verkleinerungs-Form des Menschen gilt, als seine Vermittelmässigung und Werth-Erniedrigung: wohin müssen w i r mit
unsren Hoffnungen greifen? – Nach n e u e n P h i l o s o -
p h e n , es bleibt keine Wahl; nach Geistern, stark und
ursprünglich genug, um die Anstösse zu entgegengesetzten
Werthschätzungen zu geben und »ewige Werthe« umzuwer-
then, umzukehren; nach Vorausgesandten, nach Menschen
der Zukunft, welche in der Gegenwart den Zwang und Kno-
ten anknüpfen, der den Willen von Jahrtausenden auf n e u e
Bahnen zwingt. Dem Menschen die Zukunft des Menschen
als seinen W i l l e n , als abhängig von einem Menschen-Wil-
len zu lehren und grosse Wagnisse und Gesammt-Versuche
von Zucht und Züchtung vorzubereiten, um damit jener
schauerlichen Herrschaft des Unsinns und Zufalls, die bisher
»Geschichte« hiess, ein Ende zu machen – der Unsinn der
»grössten Zahl« ist nur seine letzte Form –: dazu wird irgend-

wann einmal eine neue Art von Philosophen und Befehls-
habern nöthig sein, an deren Bilde sich Alles, was auf Erden
an verborgenen, furchtbaren und wohlwollenden Geistern
dagewesen ist, blass und verzwergt ausnehmen möchte. Das
Bild solcher Führer ist es, das vor u n s e r n Augen schwebt:-
darf ich es laut sagen, ihr freien Geister? Die Umstände,
welche man zu ihrer Entstehung theils schaffen, theils ausnützen müsste; die muthmaasslichen Wege und Proben, vermöge deren eine Seele zu einer solchen Höhe und Gewalt
aufwüchse, um den Z w a n g zu diesen Aufgaben zu empfinden; eine Umwerthung der Werthe, unter deren neuem
Druck [127] und Hammer ein Gewissen gestählt, ein Herz in
Erz verwandelt würde, dass es das Gewicht einer solchen
Verantwortlichkeit ertrüge; andererseits die Nothwendigkeit
solcher Führer, die erschreckliche Gefahr, dass sie ausbleiben
oder missrathen und entarten könnten – das sind u n s r e
eigentlichen Sorgen und Verdüsterungen, ihr wisst es, ihr
freien Geister? das sind die schweren fernen Gedanken und
Gewitter, welche über den Himmel u n s e r e s Lebens hin-
gehn. Es giebt wenig so empfindliche Schmerzen, als einmal
gesehn, errathen, mitgefühlt zu haben, wie ein ausserordent-
licher Mensch aus seiner Bahn gerieth und entartete: wer aber
das seltene Auge für die Gesammt-Gefahr hat, dass »der
Mensch« selbst e n t a r t e t, wer, gleich uns, die ungeheuerli-
che Zufälligkeit erkannt hat, welche bisher in Hinsicht auf die
Zukunft des Menschen ihr Spiel spielte – ein Spiel, an dem
keine Hand und nicht einmal ein »Finger Gottes« mitspielte!
– wer das Verhängniss erräth, das in der blödsinnigen Arglo-
sigkeit und Vertrauensseligkeit der »modernen Ideen«, noch
mehr in der ganzen christlich-europäischen Moral verborgen
liegt: der leidet an einer Beängstigung, mit der sich keine
andere vergleichen lässt, – er fasst es ja mit Einem Blicke, was
Alles noch, bei einer günstigen Ansammlung und Steigerung
von Kräften und Aufgaben, a u s d e m M e n s c h e n z u
z ü c h t e n wäre, er weiss es mit allem Wissen seines Gewissens, wie der Mensch noch unausgeschöpft für die grössten

Möglichkeiten ist, und wie oft schon der Typus Mensch an geheimnissvollen Entscheidungen und neuen Wegen gestanden hat: – er weiss es noch besser, aus seiner schmerzlichsten Erinnerung, an was für erbärmlichen Dingen ein Werdendes höchsten Ranges bisher gewöhnlich zerbrach, abbrach, absank, erbärmlich ward. Die Gesammt-Entartung des Menschen, hinab bis zu dem, was heute den socialistischen Tölpeln und Flachköpfen als ihr »Mensch der Zukunft« erscheint, – als ihr Ideal! – diese Entartung und Verkleinerung des Menschen zum vollkommenen Heerdenthiere (oder, wie sie sagen, zum Menschen der »freien Gesellschaft«), diese Verthierung des [128] Menschen zum Zwergthiere der gleichen Rechte und Ansprüche ist möglich, es ist kein Zweifel! Wer diese Möglichkeit einmal bis zu Ende gedacht hat, kennt einen Ekel mehr, als die übrigen Menschen, – und vielleicht auch eine neue Aufgabe!....

Sechstes Hauptstück:
wir Gelehrten.

204.

Auf die Gefahr hin, dass Moralisiren sich auch hier als Das herausstellt, was es immer war – nämlich als ein unverzagtes montrer ses plaies, nach Balzac –, möchte ich wagen, einer ungebührlichen und schädlichen Rangverschiebung entgegenzutreten, welche sich heute, ganz unvermerkt und wie mit dem besten Gewissen, zwischen Wissenschaft und Philosophie herzustellen droht. Ich meine, man muss von seiner Erfahrung aus – Erfahrung bedeutet, wie mich dünkt, immer schlimme Erfahrung? – ein Recht haben, über eine solche höhere Frage des Rangs mitzureden: um nicht wie die Blinden von der Farbe oder wie Frauen und Künstler gegen die Wissenschaft zu reden (»ach, diese schlimme Wissenschaft! seufzt deren Instinkt und Scham, sie kommt immer dahinter!« –). Die Unabhängigkeits-Erklärung des wissenschaftlichen Menschen, seine Emancipation von der Philosophie, ist eine der feineren Nachwirkungen des demokratischen Wesens und Unwesens: die Selbstverherrlichung und Selbstüberhebung des Gelehrten steht heute überall in voller Blüthe und in ihrem besten Frühlinge, – womit noch nicht gesagt sein soll, dass in diesem Falle Eigenlob lieblich röche. »Los von allen Herren!« – so will es auch hier der pöbelmännische Instinkt; und nachdem sich die Wissenschaft mit glücklichstem Erfolge der Theologie erwehrt hat, deren »Magd« sie zu lange war, ist sie nun in vollem Übermuthe und Unverstande darauf [130] hin aus, der Philosophie Gesetze zu machen und ihrerseits einmal den »Herrn« – was sage ich! den Philosophen zu spielen. Mein Gedächtniss – das Gedächtniss eines wissenschaftlichen Menschen, mit Verlaub! – strotzt von Naivetäten des Hochmuths, die ich seitens junger Naturforscher und alter Ärzte über Philosophie und Philosophen gehört habe (nicht zu reden von den

gebildetsten und eingebildetsten aller Gelehrten, den Philologen und Schulmännern, welche Beides von Berufs wegen
sind –). Bald war es der Spezialist und Eckensteher, der sich
instinktiv überhaupt gegen alle synthetischen Aufgaben und
Fähigkeiten zur Wehre setzte; bald der fleissige Arbeiter, der
einen Geruch von otium und der vornehmen Üppigkeit
im Seelen-Haushalte des Philosophen bekommen hatte und
sich dabei beeinträchtigt und verkleinert fühlte. Bald war es
jene Farben-Blindheit des Nützlichkeits-Menschen, der in
der Philosophie Nichts sieht, als eine Reihe w i d e r l e g t e r
Systeme und einen verschwenderischen Aufwand, der Niemandem »zu Gute kommt«. Bald sprang die Furcht vor ver-
kappter Mystik und Grenzberichtigung des Erkennens hervor; bald die Missachtung einzelner Philosophen, welche sich
unwillkürlich zur Missachtung der Philosophie verallgemei-
nert hatte. Am häufigsten endlich fand ich bei jungen Gelehrten hinter der hochmüthigen Geringschätzung der Philosophie die schlimme Nachwirkung eines Philosophen selbst,
dem man zwar im Ganzen den Gehorsam gekündigt hatte,
ohne doch aus dem Banne seiner wegwerfenden Werthschätzungen anderer Philosophen herausgetreten zu sein: – mit
dem Ergebniss einer Gesammt-Verstimmung gegen alle Philosophie. (Dergestalt scheint mir zum Beispiel die Nachwirkung Schopenhauer's auf das neueste Deutschland zu sein: –
er hat es mit seiner unintelligenten Wuth auf Hegel dahin
gebracht, die ganze letzte Generation von Deutschen aus dem
Zusammenhang mit der deutschen Cultur herauszubrechen,
welche Cultur, Alles wohl erwogen, eine Höhe und divinatorische Feinheit des h i s t o r i s c h e n S i n n s gewesen ist: aber
Schopenhauer selbst [131] war gerade an dieser Stelle bis zur
Genialität arm, unempfänglich, undeutsch.) Überhaupt in's
Grosse gerechnet, mag es vor Allem das Menschliche, All-
zumenschliche, kurz die Armseligkeit der neueren Philosophen selbst gewesen sein, was am gründlichsten der Ehrfurcht vor der Philosophie Abbruch gethan und dem pöbel-
männischen Instinkte die Thore aufgemacht hat. Man gestehe

es sich doch ein, bis zu welchem Grade unsrer modernen Welt die ganze Art der Heraklite, Plato's, Empedokles', und wie alle diese königlichen und prachtvollen Einsiedler des Geistes geheissen haben, abgeht; und mit wie gutem Rechte Angesichts solcher Vertreter der Philosophie, die heute Dank der Mode ebenso oben-auf als unten-durch sind – in Deutschland zum Beispiel die beiden Löwen von Berlin, der Anarchist Eugen Dühring und der Amalgamist Eduard von Hartmann – ein braver Mensch der Wissenschaft sich besserer Art und Abkunft fühlen d a r f. Es ist in Sonderheit der Anblick jener Mischmasch-Philosophen, die sich »Wirklichkeits-Philosophen« oder »Positivisten« nennen, welcher ein gefährliches Misstrauen in die Seele eines jungen, ehrgeizigen Gelehrten zu werfen im Stande ist: das sind ja besten Falls selbst Gelehrte und Spezialisten, man greift es mit Händen! – das sind ja allesammt Überwundene und unter die Botmässigkeit der Wissenschaft Z u r ü c k g e b r a c h t e, welche irgendwann einmal m e h r von sich gewollt haben, ohne ein Recht zu diesem »mehr« und seiner Verantwortlichkeit zu haben – und die jetzt, ehrsam, ingrimmig, rachsüchtig, den U n g l a u b e n an die Herren-Aufgabe und Herrschaftlichkeit der Philosophie mit Wort und That repräsentiren. Zuletzt: wie könnte es auch anders sein! Die Wissenschaft blüht heute und hat das gute Gewissen reichlich im Gesichte, während Das, wozu die ganze neuere Philosophie allmählich gesunken ist, dieser Rest Philosophie von heute, Misstrauen und Missmuth, wenn nicht Spott und Mitleiden gegen sich rege macht. Philosophie auf »Erkenntnisstheorie« reduzirt, thatsächlich nicht mehr als eine schüchterne Epochistik und Enthaltsamkeitslehre: eine Philosophie, die gar [132] nicht über die Schwelle hinweg kommt und sich peinlich das Recht zum Eintritt v e r w e i g e r t – das ist Philosophie in den letzten Zügen, ein Ende, eine Agonie, Etwas das Mitleiden macht. Wie könnte eine solche Philosophie – h e r r s c h e n !

205.

Die Gefahren für die Entwicklung des Philosophen sind heute in Wahrheit so vielfach, dass man zweifeln möchte, ob diese Frucht überhaupt noch reif werden kann. Der Umfang und der Thurmbau der Wissenschaften ist in's Ungeheure gewachsen, und damit auch die Wahrscheinlichkeit, dass der Philosoph schon als Lernender müde wird oder sich irgendwo festhalten und »spezialisiren« lässt: so dass er gar nicht mehr auf seine Höhe, nämlich zum Überblick, Umblick, N i e d e r b l i c k kommt. Oder er gelangt zu spät hinauf, dann, wenn seine beste Zeit und Kraft schon vorüber ist; oder beschädigt, vergröbert, entartet, so dass sein Blick, sein Gesammt-Werthurtheil wenig mehr bedeutet. Gerade die Feinheit seines intellektuellen Gewissens lässt ihn vielleicht unterwegs zögern und sich verzögern; er fürchtet die Verführung zum Dilettanten, zum Tausendfuss und Tausend-Fühlhorn, er weiss es zu gut, dass Einer, der vor sich selbst die Ehrfurcht verloren hat, auch als Erkennender nicht mehr befiehlt, nicht mehr f ü h r t : er müsste denn schon zum grossen Schauspieler werden wollen, zum philosophischen Cagliostro und Rattenfänger der Geister, kurz zum Verführer. Dies ist zuletzt eine Frage des Geschmacks: wenn es selbst nicht eine Frage des Gewissens wäre. Es kommt hinzu, um die Schwierigkeit des Philosophen noch einmal zu verdoppeln, dass er von sich ein Urtheil, ein Ja oder Nein, nicht über die Wissenschaften, sondern über das Leben und den Werth des Lebens verlangt, – dass er ungern daran glauben lernt, ein Recht oder gar eine Pflicht zu diesem Urtheile zu haben, und sich nur aus den umfänglichsten – vielleicht störendsten, zerstörendsten – Erlebnissen heraus und oft zögernd, zwei[133]felnd, verstummend seinen Weg zu jenem Rechte und jenem Glauben suchen muss. In der That, die Menge hat den Philosophen lange Zeit verwechselt und verkannt, sei es mit dem wissenschaftlichen Menschen und idealen Gelehrten, sei es mit dem religiös-gehobenen entsinnlichten »entweltlichten« Schwärmer und Trunkenbold Gottes;

wir Gelehrten   115

und hört man gar heute Jemanden loben, dafür, dass er
»weise« lebe oder »als ein Philosoph«, so bedeutet es beinahe
nicht mehr, als »klug und abseits«. Weisheit: das scheint dem
Pöbel eine Art Flucht zu sein, ein Mittel und Kunststück, sich
gut aus einem schlimmen Spiele herauszuziehn; aber der
rechte Philosoph – so scheint es uns, meine Freunde? – lebt
»unphilosophisch« und »unweise«, vor Allem unklug,
und fühlt die Last und Pflicht zu hundert Versuchen und
Versuchungen des Lebens: – er risquirt sich beständig, er
spielt das schlimme Spiel. . . . .

                          206.
Im Verhältnisse zu einem Genie, das heisst zu einem Wesen,
welches entweder zeugt oder gebiert, beide Worte in
ihrem höchsten Umfange genommen –, hat der Gelehrte, der
wissenschaftliche Durchschnittsmensch immer etwas von der
alten Jungfer: denn er versteht sich gleich dieser nicht auf die
zwei werthvollsten Verrichtungen des Menschen. In der
That, man gesteht ihnen Beiden, den Gelehrten und den alten
Jungfern, gleichsam zur Entschädigung die Achtbarkeit zu –
man unterstreicht in diesen Fällen die Achtbarkeit – und hat
noch an dem Zwange dieses Zugeständnisses den gleichen
Beisatz von Verdruss. Sehen wir genauer zu: was ist der
wissenschaftliche Mensch? Zunächst eine unvornehme Art
Mensch, mit den Tugenden einer unvornehmen, das heisst
nicht herrschenden, nicht autoritativen und auch nicht selbst-
genugsamen Art Mensch: er hat Arbeitsamkeit, geduldige
Einordnung in Reih und Glied, Gleichmässigkeit und Maass
im Können und Bedürfen, er hat den Instinkt für Seines-
[134]gleichen und für Das, was Seinesgleichen nöthig hat, zum
Beispiel jenes Stück Unabhängigkeit und grüner Weide, ohne
welches es keine Ruhe der Arbeit giebt, jenen Anspruch auf
Ehre und Anerkennung (die zuerst und zuoberst Erkennung,
Erkennbarkeit voraussetzt –), jenen Sonnenschein des guten
Namens, jene beständige Besiegelung seines Werthes und sei-
ner Nützlichkeit, mit der das innerliche Misstrauen, der

Grund im Herzen aller abhängigen Menschen und Heerdenthiere, immer wieder überwunden werden muss. Der Gelehrte hat, wie billig, auch die Krankheiten und Unarten einer
unvornehmen Art: er ist reich am kleinen Neide und hat ein
Luchsauge für das Niedrige solcher Naturen, zu deren
Höhen er nicht hinauf kann. Er ist zutraulich, doch nur wie
Einer, der sich gehen, aber nicht s t r ö m e n lässt; und gerade
vor dem Menschen des grossen Stroms steht er um so kälter
und verschlossener da, – sein Auge ist dann wie ein glatter
widerwilliger See, in dem sich kein Entzücken, kein Mitgefühl mehr kräuselt. Das Schlimmste und Gefährlichste, dessen ein Gelehrter fähig ist, kommt ihm vom Instinkte der
Mittelmässigkeit seiner Art: von jenem Jesuitismus der Mittelmässigkeit, welcher an der Vernichtung des ungewöhn-
lichen Menschen instinktiv arbeitet und jeden gespannten
Bogen zu brechen oder – noch lieber! – abzuspannen sucht.
Abspannen nämlich, mit Rücksicht, mit schonender Hand
natürlich –, mit zutraulichem Mitleiden a b s p a n n e n : das
ist die eigentliche Kunst des Jesuitismus, der es immer verstanden hat, sich als Religion des Mitleidens einzuführen. –

207.

Wie dankbar man auch immer dem o b j e k t i v e n Geiste
entgegenkommen mag – und wer wäre nicht schon einmal
alles Subjektiven und seiner verfluchten Ipsissimosität bis
zum Sterben satt gewesen! – zuletzt muss man aber auch
gegen seine Dankbarkeit Vorsicht lernen und der Übertreibung Einhalt thun, mit [135] der die Entselbstung und Entper-
sönlichung des Geistes gleichsam als Ziel an sich, als Erlösung
und Verklärung neuerdings gefeiert wird: wie es namentlich
innerhalb der Pessimisten-Schule zu geschehn pflegt, die
auch gute Gründe hat, dem »interesselosen Erkennen« ihrerseits die höchsten Ehren zu geben. Der objektive Mensch, der
nicht mehr flucht und schimpft, gleich dem Pessimisten, der
i d e a l e Gelehrte, in dem der wissenschaftliche Instinkt nach
tausendfachem Ganz- und Halb-Missrathen einmal zum

Auf- und Ausblühen kommt, ist sicherlich eins der kostbarsten Werkzeuge, die es giebt: aber er gehört in die Hand eines
Mächtigeren. Er ist nur ein Werkzeug, sagen wir: er ist ein
S p i e g e l , – er ist kein »Selbstzweck«. Der objektive Mensch
ist in der That ein Spiegel: vor Allem, was erkannt werden
will, zur Unterwerfung gewohnt, ohne eine andre Lust, als
wie sie das Erkennen, das »Abspiegeln« giebt, – er wartet, bis
Etwas kommt, und breitet sich dann zart hin, dass auch
leichte Fusstapfen und das Vorüberschlüpfen geisterhafter
Wesen nicht auf seiner Fläche und Haut verloren gehen. Was
von »Person« an ihm noch übrig ist, dünkt ihm zufällig, oft
willkürlich, noch öfter störend: so sehr ist er sich selbst zum
Durchgang und Wiederschein fremder Gestalten und Ereignisse geworden. Er besinnt sich auf »sich« zurück, mit
Anstrengung, nicht selten falsch; er verwechselt sich leicht, er
vergreift sich in Bezug auf die eignen Nothdürfte und ist hier
allein unfein und nachlässig. Vielleicht quält ihn die Gesundheit oder die Kleinlichkeit und Stubenluft von Weib und
Freund, oder der Mangel an Gesellen und Gesellschaft, – ja,
er zwingt sich, über seine Qual nachzudenken: umsonst!
Schon schweift sein Gedanke weg, zum a l l g e m e i n e r e n
Falle, und morgen weiss er so wenig als er es gestern wusste,
wie ihm zu helfen ist. Er hat den Ernst für sich verloren, auch
die Zeit: er ist heiter, n i c h t aus Mangel an Noth, sondern
aus Mangel an Fingern und Handhaben für s e i n e Noth.
Das gewohnte Entgegenkommen gegen jedes Ding und
Erlebniss, die sonnige und unbefangene Gastfreundschaft,
mit der er Alles annimmt, was auf ihn [136] stösst, seine Art
von rücksichtslosem Wohlwollen, von gefährlicher Unbekümmertheit um Ja und Nein: ach, es giebt genug Fälle, wo er
diese seine Tugenden büssen muss! – und als Mensch überhaupt wird er gar zu leicht das caput mortuum dieser Tugenden. Will man Liebe und Hass von ihm, ich meine Liebe und
Hass, wie Gott, Weib und Thier sie verstehn –: er wird thun,
was er kann, und geben, was er kann. Aber man soll sich nicht
wundern, wenn es nicht viel ist, – wenn er da gerade sich

unächt, zerbrechlich, fragwürdig und morsch zeigt. Seine
Liebe ist gewollt, sein Hass künstlich und mehr un tour de
force, eine kleine Eitelkeit und Übertreibung. Er ist eben nur
ächt, so weit er objektiv sein darf: allein in seinem heitern
Totalismus ist er noch »Natur« und »natürlich«. Seine spie-
gelnde und ewig sich glättende Seele weiss nicht mehr zu
bejahen, nicht mehr zu verneinen; er befiehlt nicht; er zer-
stört auch nicht. »Je ne méprise presque rien« – sagt er mit
Leibnitz: man überhöre und unterschätze das presque nicht!
Er ist auch kein Mustermensch; er geht Niemandem voran,
noch nach; er stellt sich überhaupt zu ferne, als dass er Grund
hätte, zwischen Gut und Böse Partei zu ergreifen. Wenn man
ihn so lange mit dem P h i l o s o p h e n verwechselt hat, mit
dem cäsarischen Züchter und Gewaltmenschen der Cultur:
so hat man ihm viel zu hohe Ehren gegeben und das Wesent-
lichste an ihm übersehen, – er ist ein Werkzeug, ein Stück
Sklave, wenn gewiss auch die sublimste Art des Sklaven, an
sich aber Nichts, – presque rien! Der objektive Mensch ist ein
Werkzeug, ein kostbares, leicht verletzliches und getrübtes
Mess-Werkzeug und Spiegel-Kunstwerk, das man schonen
und ehren soll; aber er ist kein Ziel, kein Ausgang und Auf-
gang, kein complementärer Mensch, in dem das ü b r i g e
Dasein sich rechtfertigt, kein Schluss – und noch weniger ein
Anfang, eine Zeugung und erste Ursache, nichts Derbes,
Mächtiges, Auf-sich-Gestelltes, das Herr sein will: vielmehr
nur ein zarter ausgeblasener feiner beweglicher Formen-
Topf, der auf irgend einen Inhalt und Gehalt erst warten
muss, um sich nach ihm »zu gestalten«, – für gewöhnlich ein
Mensch [137] ohne Gehalt und Inhalt, ein »selbstloser«
Mensch. Folglich auch Nichts für Weiber, in parenthesi. –

208.

Wenn heute ein Philosoph zu verstehen giebt, er sei kein
Skeptiker, – ich hoffe, man hat Das aus der eben gegebenen
Abschilderung des objektiven Geistes herausgehört? – so
hört alle Welt das ungern; man sieht ihn darauf an, mit einiger

Scheu, man möchte so Vieles fragen, fragen . . . ja, unter
furchtsamen Horchern, wie es deren jetzt in Menge giebt,
heisst er von da an gefährlich. Es ist ihnen, als ob sie, bei
seiner Ablehnung der Skepsis, von Ferne her irgend ein böses
bedrohliches Geräusch hörten, als ob irgendwo ein neuer
Sprengstoff versucht werde, ein Dynamit des Geistes, vielleicht ein neuentdecktes Russisches Nihilin, ein Pessimismus
bonae voluntatis, der nicht bloss Nein sagt, Nein will, sondern – schrecklich zu denken! Nein t h u t. Gegen diese Art
von »gutem Willen« – einem Willen zur wirklichen thätlichen
Verneinung des Lebens – giebt es anerkanntermaassen heute
kein besseres Schlaf- und Beruhigungsmittel, als Skepsis, den
sanften holden einlullenden Mohn Skepsis; und Hamlet
selbst wird heute von den Ärzten der Zeit gegen den »Geist«
und sein Rumoren unter dem Boden verordnet. »Hat man
denn nicht alle Ohren schon voll von schlimmen Geräu-
schen? sagt der Skeptiker, als ein Freund der Ruhe und beinahe als eine Art von Sicherheits-Polizei: dies unterirdische
Nein ist fürchterlich! Stille endlich, ihr pessimistischen Maul-
würfe!« Der Skeptiker nämlich, dieses zärtliche Geschöpf,
erschrickt allzuleicht; sein Gewissen ist darauf eingeschult,
bei jedem Nein, ja schon bei einem entschlossenen harten Ja
zu zucken und etwas wie einen Biss zu spüren. Ja! und Nein!
– das geht ihm wider die Moral; umgekehrt liebt er es, seiner
Tugend mit der edlen Enthaltung ein Fest zu machen, etwa
indem er mit Montaigne spricht: »was weiss ich?« Oder mit
Sokrates: »ich weiss, dass ich Nichts weiss«. Oder: [138] »hier
traue ich mir nicht, hier steht mir keine Thür offen.« Oder:
»gesetzt, sie stünde offen, wozu gleich eintreten!« Oder:
»wozu nützen alle vorschnellen Hypothesen? Gar keine
Hypothesen machen könnte leicht zum guten Geschmack
gehören. Müsst ihr denn durchaus etwas Krummes gleich
gerade biegen? Durchaus jedes Loch mit irgend welchem
Werge ausstopfen? Hat das nicht Zeit? Hat die Zeit nicht
Zeit? Oh ihr Teufelskerle, könnt ihr denn gar nicht w a r -
t e n ? Auch das Ungewisse hat seine Reize, auch die Sphinx

ist eine Circe, auch die Circe war eine Philosophin.« – Also tröstet sich ein Skeptiker; und es ist wahr, dass er einigen Trost nöthig hat. Skepsis nämlich ist der geistigste Ausdruck einer gewissen vielfachen physiologischen Beschaffenheit, welche man in gemeiner Sprache Nervenschwäche und Kränklichkeit nennt; sie entsteht jedes Mal, wenn sich in entscheidender und plötzlicher Weise lang von einander abgetrennte Rassen oder Stände kreuzen. In dem neuen Geschlechte, das gleichsam verschiedene Maasse und Werthe in's Blut vererbt bekommt, ist Alles Unruhe, Störung, Zweifel, Versuch; die besten Kräfte wirken hemmend, die Tugenden selbst lassen einander nicht wachsen und stark werden, in Leib und Seele fehlt Gleichgewicht, Schwergewicht, perpendikuläre Sicherheit. Was aber in solchen Mischlingen am tiefsten krank wird und entartet, das ist der Wille: sie kennen das Unabhängige im Entschlusse, das tapfere Lustgefühl im Wollen gar nicht mehr, – sie zweifeln an der »Freiheit des Willens« auch noch in ihren Träumen. Unser Europa von heute, der Schauplatz eines unsinnig plötzlichen Versuchs von radikaler Stände- und folglich Rassenmischung, ist deshalb skeptisch in allen Höhen und Tiefen, bald mit jener beweglichen Skepsis, welche ungeduldig und lüstern von einem Ast zum andern springt, bald trübe wie eine mit Fragezeichen überladene Wolke, – und seines Willens oft bis zum Sterben satt! Willenslähmung: wo findet man nicht heute diesen Krüppel sitzen! Und oft noch wie geputzt! Wie verführerisch herausgeputzt! Es giebt die schönsten Prunk- und Lügenkleider für diese Krankheit; und dass zum Beispiel das Meiste [139] von dem, was sich heute als »Objektivität«, »Wissenschaftlichkeit«, »l'art pour l'art«, »reines willensfreies Erkennen« in die Schauläden stellt, nur aufgeputzte Skepsis und Willenslähmung ist, – für diese Diagnose der europäischen Krankheit will ich einstehn. – Die Krankheit des Willens ist ungleichmässig über Europa verbreitet: sie zeigt sich dort am grössten und vielfältigsten, wo die Cultur schon am längsten heimisch ist, sie verschwindet in dem

Maasse, als »der Barbar« noch – oder wieder – unter dem
schlotterichten Gewande von westländischer Bildung sein
Recht geltend macht. Im jetzigen Frankreich ist demnach,
wie man es ebenso leicht erschliessen als mit Händen greifen
kann, der Wille am schlimmsten erkrankt; und Frankreich,
welches immer eine meisterhafte Geschicklichkeit gehabt hat,
auch die verhängnisvollen Wendungen seines Geistes in's
Reizende und Verführerische umzukehren, zeigt heute recht
eigentlich als Schule und Schaustellung aller Zauber der Skepsis sein Cultur-Übergewicht über Europa. Die Kraft zu wollen, und zwar einen Willen lang zu wollen, ist etwas stärker
schon in Deutschland, und im deutschen Norden wiederum
stärker als in der deutschen Mitte; erheblich stärker in England, Spanien und Corsika, dort an das Phlegma, hier an harte
Schädel gebunden, – um nicht von Italien zu reden, welches
zu jung ist, als dass es schon wüsste, was es wollte, und das
erst beweisen muss, ob es wollen kann –, aber am allerstärk-
sten und erstaunlichsten in jenem ungeheuren Zwischenrei-
che, wo Europa gleichsam nach Asien zurückfliesst, in Russland. Da ist die Kraft zu wollen seit langem zurückgelegt und
aufgespeichert, da wartet der Wille – ungewiss, ob als Wille
der Verneinung oder der Bejahung – in bedrohlicher Weise
darauf, ausgelöst zu werden, um den Physikern von heute ihr
Leibwort abzuborgen. Es dürften nicht nur indische Kriege
und Verwicklungen in Asien dazu nöthig sein, damit Europa
von seiner grössten Gefahr entlastet werde, sondern innere
Umstürze, die Zersprengung des Reichs in kleine Körper und
vor Allem die Einführung des parlamentarischen Blödsinns,
hinzugerechnet [140] die Verpflichtung für Jedermann, zum
Frühstück seine Zeitung zu lesen. Ich sage dies nicht als Wün-
schender: mir würde das Entgegengesetzte eher nach dem
Herzen sein, – ich meine eine solche Zunahme der Bedroh-
lichkeit Russlands, dass Europa sich entschliessen müsste,
gleichermaassen bedrohlich zu werden, nämlich E i n e n
W i l l e n   z u   b e k o m m e n, durch das Mittel einer neuen
über Europa herrschenden Kaste, einen langen furchtbaren

eigenen Willen, der sich über Jahrtausende hin Ziele setzen
könnte: – damit endlich die langgesponnene Komödie seiner
Kleinstaaterei und ebenso seine dynastische wie demokratische Vielwollerei zu einem Abschluss käme. Die Zeit für
kleine Politik ist vorbei: schon das nächste Jahrhundert bringt
den Kampf um die Erd-Herrschaft, – den Z w a n g zur grossen Politik.

209.

Inwiefern das neue kriegerische Zeitalter, in welches wir
Europäer ersichtlich eingetreten sind, vielleicht auch der Entwicklung einer anderen und stärkeren Art von Skepsis günstig sein mag, darüber möchte ich mich vorläufig nur durch
ein Gleichniss ausdrücken, welches die Freunde der deutschen Geschichte schon verstehen werden. Jener unbedenkliche Enthusiast für schöne grossgewachsene Grenadiere, welcher, als König von Preussen, einem militärischen und skeptischen Genie – und damit im Grunde jenem neuen, jetzt eben
siegreich heraufgekommenen Typus des Deutschen – das
Dasein gab, der fragwürdige tolle Vater Friedrichs des Grossen, hatte in Einem Punkte selbst den Griff und die Glücks-
Kralle des Genies: er wusste, woran es damals in Deutschland
fehlte, und welcher Mangel hundert Mal ängstlicher und
dringender war, als etwa der Mangel an Bildung und gesell-
schaftlicher Form, – sein Widerwille gegen den jungen Friedrich kam aus der Angst eines tiefen Instinktes. M ä n n e r
f e h l t e n ; und er argwöhnte zu seinem bittersten Verdrusse,
dass sein eigner Sohn nicht Manns genug sei. Darin [141] betrog er sich: aber wer hätte an seiner Stelle sich nicht betrogen? Er sah seinen Sohn dem Atheismus, dem esprit, der
genüsslichen Leichtlebigkeit geistreicher Franzosen verfal-
len: – er sah im Hintergrunde die grosse Blutaussaugerin, die
Spinne Skepsis, er argwöhnte das unheilbare Elend eines Herzens, das zum Bösen wie zum Guten nicht mehr hart genug
ist, eines zerbrochnen Willens, der nicht mehr befiehlt, nicht
mehr befehlen k a n n. Aber inzwischen wuchs in seinem

Sohne jene gefährlichere und härtere neue Art der Skepsis empor – wer weiss, w i e s e h r gerade durch den Hass des Vaters und durch die eisige Melancholie eines einsam gemachten Willens begünstigt? – die Skepsis der verwegenen Männlichkeit, welche dem Genie zum Kriege und zur Eroberung nächst verwandt ist und in der Gestalt des grossen Friedrich ihren ersten Einzug in Deutschland hielt. Diese Skepsis verachtet und reisst trotzdem an sich; sie untergräbt und nimmt in Besitz; sie glaubt nicht, aber sie verliert sich nicht dabei; sie giebt dem Geiste gefährliche Freiheit, aber sie hält das Herz streng; es ist die d e u t s c h e Form der Skepsis, welche, als ein fortgesetzter und in's Geistigste gesteigerter Fridericianismus, Europa eine gute Zeit unter die Botmässigkeit des deutschen Geistes und seines kritischen und historischen Misstrauens gebracht hat. Dank dem unbezwinglich starken und zähen Manns-Charakter der grossen deutschen Philologen und Geschichts-Kritiker (welche, richtig angesehn, allesammt auch Artisten der Zerstörung und Zersetzung waren) stellte sich allmählich und trotz aller Romantik in Musik und Philosophie ein n e u e r Begriff vom deutschen Geiste fest, in dem der Zug zur männlichen Skepsis entscheidend hervortrat: sei es zum Beispiel als Unerschrockenheit des Blicks, als Tapferkeit und Härte der zerlegenden Hand, als zäher Wille zu gefährlichen Entdeckungsreisen, zu vergeistigten Nordpol-Expeditionen unter öden und gefährlichen Himmeln. Es mag seine guten Gründe haben, wenn sich warmblütige und oberflächliche Menschlichkeits-Menschen gerade vor diesem Geiste bekreuzigen: cet esprit fataliste, ironique, [142] méphistophélique nennt ihn, nicht ohne Schauder, Michelet. Aber will man nachfühlen, wie auszeichnend diese Furcht vor dem »Mann« im deutschen Geiste ist, durch den Europa aus seinem »dogmatischen Schlummer« geweckt wurde, so möge man sich des ehemaligen Begriffs erinnern, der mit ihm überwunden werden musste, – und wie es noch nicht zu lange her ist, dass ein vermännlichtes Weib es in zügelloser Anmaassung wagen durfte, die Deutschen als

sanfte herzensgute willensschwache und dichterische Tölpel
der Theilnahme Europa's zu empfehlen. Man verstehe doch
endlich das Erstaunen Napoleon's tief genug, als er Goethen
zu sehen bekam: es verräth, was man sich Jahrhunderte lang
unter dem »deutschen Geiste« gedacht hatte. »Voilà un
homme!« – das wollte sagen: »Das ist ja ein M a n n ! Und ich
hatte nur einen Deutschen erwartet!« –

210.

Gesetzt also, dass im Bilde der Philosophen der Zukunft
irgend ein Zug zu rathen giebt, ob sie nicht vielleicht, in dem
zuletzt angedeuteten Sinne, Skeptiker sein müssen, so wäre
damit doch nur ein Etwas an ihnen bezeichnet – und n i c h t
sie selbst. Mit dem gleichen Rechte dürften sie sich Kritiker
nennen lassen; und sicherlich werden es Menschen der Experimente sein. Durch den Namen, auf welchen ich sie zu taufen wagte, habe ich das Versuchen und die Lust am Versuchen
schon ausdrücklich unterstrichen: geschah dies deshalb, weil
sie, als Kritiker an Leib und Seele, sich des Experiments in
einem neuen, vielleicht weiteren, vielleicht gefährlicheren
Sinne zu bedienen lieben? Müssen sie, in ihrer Leidenschaft
der Erkenntniss, mit verwegenen und schmerzhaften Versuchen weiter gehn, als es der weichmüthige und verzärtelte
Geschmack eines demokratischen Jahrhunderts gut heissen
kann? – Es ist kein Zweifel: diese Kommenden werden am
wenigsten jener ernsten und nicht unbedenklichen Eigenschaften entrathen dürfen, welche den Kri[143]tiker vom
Skeptiker abheben, ich meine die Sicherheit der Werthmaasse, die bewusste Handhabung einer Einheit von
Methode, den gewitzten Muth, das Alleinstehn und Sich-
verantworten-können; ja, sie gestehen bei sich eine L u s t am
Neinsagen und Zergliedern und eine gewisse besonnene
Grausamkeit zu, welche das Messer sicher und fein zu führen
weiss, auch noch, wenn das Herz blutet. Sie werden h ä r t e r
sein (und vielleicht nicht immer nur gegen sich), als humane
Menschen wünschen mögen, sie werden sich nicht mit der

»Wahrheit« einlassen, damit sie ihnen »gefalle« oder sie »er-
hebe« und »begeistere«: – ihr Glaube wird vielmehr gering
sein, dass gerade die W a h r h e i t solche Lustbarkeiten für
das Gefühl mit sich bringe. Sie werden lächeln, diese strengen
Geister, wenn Einer vor ihnen sagte »jener Gedanke erhebt
mich: wie sollte er nicht wahr sein?« Oder: »jenes Werk entzückt mich: wie sollte es nicht schön sein?« Oder: »jener
Künstler vergrössert mich: wie sollte er nicht gross sein?« –
sie haben vielleicht nicht nur ein Lächeln, sondern einen ächten Ekel vor allem derartig Schwärmerischen, Idealistischen,
Femininischen, Hermaphroditischen bereit, und wer ihnen
bis in ihre geheimen Herzenskammern zu folgen wüsste,
würde schwerlich dort die Absicht vorfinden, »christliche
Gefühle« mit dem »antiken Geschmacke« oder etwa gar noch
mit dem »modernen Parlamentarismus« zu versöhnen (wie
dergleichen Versöhnlichkeit in unserm sehr unsicheren, folglich sehr versöhnlichen Jahrhundert sogar bei Philosophen
vorkommen soll). Kritische Zucht und jede Gewöhnung,
welche zur Reinlichkeit und Strenge in Dingen des Geistes
führt, werden diese Philosophen der Zukunft nicht nur von
sich verlangen: sie dürften sie wie ihre Art Schmuck selbst zur
Schau tragen, – trotzdem wollen sie deshalb noch nicht Kritiker heissen. Es scheint ihnen keine kleine Schmach, die der
Philosophie angethan wird, wenn man dekretirt, wie es heute
so gern geschieht: »Philosophie selbst ist Kritik und kritische
Wissenschaft – und gar nichts ausserdem!« Mag diese Werthschätzung der Philosophie sich des Beifalls aller Positi-
[144]visten Frankreichs und Deutschlands erfreuen (– und es
wäre möglich, dass sie sogar dem Herzen und Geschmacke
K a n t ' s geschmeichelt hätte: man erinnere sich der Titel seiner Hauptwerke –): unsre neuen Philosophen werden trotzdem sagen: Kritiker sind Werkzeuge des Philosophen und
eben darum, als Werkzeuge, noch lange nicht selbst Philosophen! Auch der grosse Chinese von Königsberg war nur ein
grosser Kritiker. –

211.

Ich bestehe darauf, dass man endlich aufhöre, die philosophischen Arbeiter und überhaupt die wissenschaftlichen Menschen mit den Philosophen zu verwechseln, – dass man
gerade hier mit Strenge »Jedem das Seine« und Jenen nicht zu
Viel, Diesen nicht viel zu Wenig gebe. Es mag zur Erziehung
des wirklichen Philosophen nöthig sein, dass er selbst auch
auf allen diesen Stufen einmal gestanden hat, auf welchen
seine Diener, die wissenschaftlichen Arbeiter der Philosophie, stehen bleiben, – stehen bleiben müssen; er muss
selbst vielleicht Kritiker und Skeptiker und Dogmatiker und
Historiker und überdies Dichter und Sammler und Reisender
und Räthselrather und Moralist und Seher und »freier Geist«
und beinahe Alles gewesen sein, um den Umkreis menschlicher Werthe und Werth-Gefühle zu durchlaufen und mit
vielerlei Augen und Gewissen, von der Höhe in jede Ferne,
von der Tiefe in jede Höhe, von der Ecke in jede Weite,
blicken zu k ö n n e n . Aber dies Alles sind nur Vorbedingun-
gen seiner Aufgabe: diese Aufgabe selbst will etwas Anderes,
– sie verlangt, dass er W e r t h e s c h a f f e . Jene philosophischen Arbeiter nach dem edlen Muster Kant's und Hegel's
haben irgend einen grossen Thatbestand von Werthschätzungen – das heisst ehemaliger Werth s e t z u n g e n , Werth-
schöpfungen, welche herrschend geworden sind und eine
Zeit lang »Wahrheiten« genannt werden – festzustellen und in
Formeln zu drängen, sei es im Reiche des L o g i s c h e n oder
des P o l i t i s c h e n (Moralischen) [145] oder des K ü n s t l e -
r i s c h e n . Diesen Forschern liegt es ob, alles bisher Gesche-
hene und Geschätzte übersichtlich, überdenkbar, fasslich,
handlich zu machen, alles Lange, ja »die Zeit« selbst, abzu-
kürzen und die ganze Vergangenheit zu ü b e r w ä l t i g e n :
eine ungeheure und wundervolle Aufgabe, in deren Dienst
sich sicherlich jeder feine Stolz, jeder zähe Wille befriedigen
kann. D i e e i g e n t l i c h e n P h i l o s o p h e n a b e r s i n d
B e f e h l e n d e u n d G e s e t z g e b e r : sie sagen »so soll es
sein!«, sie bestimmen erst das Wohin? und Wozu? des Men-

schen und verfügen dabei über die Vorarbeit aller philosophischen Arbeiter, aller Überwältiger der Vergangenheit, – sie greifen mit schöpferischer Hand nach der Zukunft, und Alles, was ist und war, wird ihnen dabei zum Mittel, zum Werkzeug, zum Hammer. Ihr »Erkennen« ist S c h a f f e n , ihr Schaffen ist eine Gesetzgebung, ihr Wille zur Wahrheit ist – W i l l e z u r M a c h t . – Giebt es heute solche Philosophen? Gab es schon solche Philosophen? M u s s es nicht solche Philosophen geben? . . . .

212.

Es will mir immer mehr so scheinen, dass der Philosoph als ein n o t h w e n d i g e r Mensch des Morgens und Übermorgens sich jederzeit mit seinem Heute in Widerspruch befunden hat und befinden m u s s t e : sein Feind war jedes Mal das Ideal von Heute. Bisher haben alle diese ausserordentlichen Förderer des Menschen, welche man Philosophen nennt, und die sich selbst selten als Freunde der Weisheit, sondern eher als unangenehme Narren und gefährliche Fragezeichen fühlten –, ihre Aufgabe, ihre harte, ungewollte, unabweisliche Aufgabe, endlich aber die Grösse ihrer Aufgabe darin gefunden, das böse Gewissen ihrer Zeit zu sein. Indem sie gerade den Tugenden d e r Z e i t das Messer vivisektorisch auf die Brust setzten, verriethen sie, was ihr eignes Geheimniss war: um eine n e u e Grösse des [146] Menschen zu wissen, um einen neuen ungegangenen Weg zu seiner Vergrösserung. Jedes Mal deckten sie auf, wie viel Heuchelei, Bequemlichkeit, Sich-gehen-lassen und Sich-fallen-lassen, wie viel Lüge unter dem bestgeehrten Typus ihrer zeitgenössischen Moralität versteckt, wie viel Tugend ü b e r l e b t sei; jedes Mal sagten sie: »wir müssen dorthin, dorthinaus, wo i h r heute am wenigsten zu Hause seid.« Angesichts einer Welt der »modernen Ideen«, welche Jedermann in eine Ecke und »Spezialität« bannen möchte, würde ein Philosoph, falls es heute Philosophen geben könnte, gezwungen sein, die Grösse des Menschen, den Begriff »Grösse« gerade in seine Umfänglich-

keit und Vielfältigkeit, in seine Ganzheit im Vielen zu setzen:
er würde sogar den Werth und Rang darnach bestimmen, wie
viel und vielerlei Einer tragen und auf sich nehmen, wie w e i t
Einer seine Verantwortlichkeit spannen könnte. Heute
schwächt und verdünnt der Zeitgeschmack und die Zeit-
tugend den Willen, Nichts ist so sehr zeitgemäss als Willens-
schwäche: also muss, im Ideale des Philosophen, gerade
Stärke des Willens, Härte und Fähigkeit zu langen Entschlies-
sungen in den Begriff »Grösse« hineingehören; mit so gutem
Rechte als die umgekehrte Lehre und das Ideal einer blöden
entsagenden demüthigen selbstlosen Menschlichkeit einem
umgekehrten Zeitalter angemessen war, einem solchen, das
gleich dem sechzehnten Jahrhundert an seiner aufgestauten
Energie des Willens und den wildesten Wässern und Sturm-
fluthen der Selbstsucht litt. Zur Zeit des Sokrates, unter lauter
Menschen des ermüdeten Instinktes, unter conservativen
Altathenern, welche sich gehen liessen – »zum Glück«, wie
sie sagten, zum Vergnügen, wie sie thaten – und die dabei
immer noch die alten prunkvollen Worte in den Mund nah-
men, auf die ihnen ihr Leben längst kein Recht mehr gab, war
vielleicht I r o n i e zur Grösse der Seele nöthig, jene sokrati-
sche boshafte Sicherheit des alten Arztes und Pöbelmanns,
welcher schonungslos in's eigne Fleisch schnitt, wie in's
Fleisch und Herz des »Vornehmen«, mit einem Blick, welcher verständlich genug [147] sprach: »verstellt euch vor mir
nicht! Hier – sind wir gleich!« Heute umgekehrt, wo in
Europa das Heerdenthier allein zu Ehren kommt und Ehren
vertheilt, wo die »Gleichheit der Rechte« allzuleicht sich in
die Gleichheit im Unrechte umwandeln könnte: ich will
sagen in gemeinsame Bekriegung alles Seltenen, Fremden,
Bevorrechtigten, des höheren Menschen, der höheren Seele,
der höheren Pflicht, der höheren Verantwortlichkeit, der
schöpferischen Machtfülle und Herrschaftlichkeit – heute
gehört das Vornehm-sein, das Für-sich-sein-wollen, das
Anders-sein-können, das Allein-stehn und auf-eigne-Faust-
leben-müssen zum Begriff »Grösse«; und der Philosoph wird

Etwas von seinem eignen Ideal verrathen, wenn er aufstellt: »der soll der Grösste sein, der der Einsamste sein kann, der Verborgenste, der Abweichendste, der Mensch jenseits von Gut und Böse, der Herr seiner Tugenden, der Überreiche des Willens; dies eben soll G r ö s s e heissen: ebenso vielfach als ganz, ebenso weit als voll sein können.« Und nochmals gefragt: ist heute – Grösse m ö g l i c h ?

213.

Was ein Philosoph ist, das ist deshalb schlecht zu lernen, weil es nicht zu lehren ist: man muss es »wissen«, aus Erfahrung, – oder man soll den Stolz haben, es n i c h t zu wissen. Dass aber heutzutage alle Welt von Dingen redet, in Bezug auf welche sie keine Erfahrung haben k a n n, gilt am meisten und schlimmsten vom Philosophen und den philosophischen Zuständen: – die Wenigsten kennen sie, dürfen sie kennen, und alle populären Meinungen über sie sind falsch. So ist zum Beispiel jenes ächt philosophische Beieinander einer kühnen ausgelassenen Geistigkeit, welche presto läuft, und einer dialektischen Strenge und Nothwendigkeit, die keinen Fehltritt thut, den meisten Denkern und Gelehrten von ihrer Erfahrung her unbekannt und darum, falls Jemand davon vor ihnen reden wollte, un[148]glaubwürdig. Sie stellen sich jede Nothwendigkeit als Noth, als peinliches Folgen-müssen und Gezwungen-werden vor; und das Denken selbst gilt ihnen als etwas Langsames, Zögerndes, beinahe als eine Mühsal und oft genug als »des S c h w e i s s e s der Edlen werth« – aber ganz und gar nicht als etwas Leichtes, Göttliches und dem Tanze, dem Übermuthe, Nächst-Verwandtes! »Denken« und eine Sache »ernst nehmen«, »schwer nehmen« – das gehört bei ihnen zu einander: so allein haben sie es »erlebt« –. Die Künstler mögen hier schon eine feinere Witterung haben: sie, die nur zu gut wissen, dass gerade dann, wo sie Nichts mehr »willkürlich« und Alles nothwendig machen, ihr Gefühl von Freiheit, Feinheit, Vollmacht, von schöpferischem Setzen, Verfügen, Gestalten auf seine Höhe kommt, –

kurz, dass Nothwendigkeit und »Freiheit des Willens« dann
bei ihnen Eins sind. Es giebt zuletzt eine Rangordnung seeli-
scher Zustände, welcher die Rangordnung der Probleme
gemäss ist; und die höchsten Probleme stossen ohne Gnade
Jeden zurück, der ihnen zu nahen wagt, ohne durch Höhe
und Macht seiner Geistigkeit zu ihrer Lösung vorherbestimmt zu sein. Was hilft es, wenn gelenkige Allerwelts-
Köpfe oder ungelenke brave Mechaniker und Empiriker sich,
wie es heute so vielfach geschieht, mit ihrem Plebejer-Ehr-
geize in ihre Nähe und gleichsam an diesen »Hof der Höfe«
drängen! Aber auf solche Teppiche dürfen grobe Füsse nim-
mermehr treten: dafür ist im Urgesetz der Dinge schon
gesorgt; die Thüren bleiben diesen Zudringlichen geschlos-
sen, mögen sie sich auch die Köpfe daran stossen und zerstos-
sen! Für jede hohe Welt muss man geboren sein; deutlicher
gesagt, man muss für sie g e z ü c h t e t sein: ein Recht auf
Philosophie – das Wort im grossen Sinne genommen – hat
man nur Dank seiner Abkunft, die Vorfahren, das »Geblüt«
entscheidet auch hier. Viele Geschlechter müssen der Entstehung des Philosophen vorgearbeitet haben; jede seiner
Tugenden muss einzeln erworben, gepflegt, fortgeerbt, ein-
verleibt worden sein, und nicht nur der kühne leichte zarte
Gang und Lauf seiner [149] Gedanken, sondern vor Allem die
Bereitwilligkeit zu grossen Verantwortungen, die Hoheit
herrschender Blicke und Niederblicke, das Sich-Abgetrennt-
Fühlen von der Menge und ihren Pflichten und Tugenden,
das leutselige Beschützen und Vertheidigen dessen, was missverstanden und verleumdet wird, sei es Gott, sei es Teufel, die
Lust und Übung in der grossen Gerechtigkeit, die Kunst des
Befehlens, die Weite des Willens, das langsame Auge, wel-
ches selten bewundert, selten hinauf blickt, selten liebt . . . .

Siebentes Hauptstück:
unsere Tugenden.

214.

Unsere Tugenden? – Es ist wahrscheinlich, dass auch wir
noch unsere Tugenden haben, ob es schon billigerweise nicht
jene treuherzigen und vierschrötigen Tugenden sein werden,
um derentwillen wir unsere Grossväter in Ehren, aber auch
ein wenig uns vom Leibe halten. Wir Europäer von Übermorgen, wir Erstlinge des zwanzigsten Jahrhunderts, – mit
aller unsrer gefährlichen Neugierde, unsrer Vielfältigkeit und
Kunst der Verkleidung, unsrer mürben und gleichsam ver-
süssten Grausamkeit in Geist und Sinnen, – wir werden ver-
muthlich, w e n n wir Tugenden haben sollten, nur solche
haben, die sich mit unsren heimlichsten und herzlichsten
Hängen, mit unsern heissesten Bedürfnissen am besten vertragen lernten: wohlan, suchen wir einmal nach ihnen in unsren Labyrinthen! – woselbst sich, wie man weiss, so mancherlei verliert, so mancherlei ganz verloren geht. Und giebt
es etwas Schöneres, als nach seinen eigenen Tugenden
s u c h e n? Heisst dies nicht beinahe schon: an seine eigne
Tugend g l a u b e n? Dies aber »an seine Tugend glauben« –
ist dies nicht im Grunde dasselbe, was man ehedem sein
»gutes Gewissen« nannte, jener ehrwürdige langschwänzige
Begriffs-Zopf, den sich unsre Grossväter hinter ihren Kopf,
oft genug auch hinter ihren Verstand hängten? Es scheint
demnach, wie wenig wir uns auch sonst altmodisch und
grossväterhaft-ehrbar dünken mögen, in Einem sind wir dennoch die würdigen [152] Enkel dieser Grossväter, wir letzten
Europäer mit gutem Gewissen: auch wir noch tragen ihren
Zopf. – Ach! Wenn ihr wüsstet, wie es bald, so bald schon –
anders kommt! . . . . .

215.

Wie es im Reich der Sterne mitunter zwei Sonnen sind, welche die Bahn Eines Planeten bestimmen, wie in gewissen Fällen Sonnen verschiedener Farbe um einen einzigen Planeten leuchten, bald mit rothem Lichte, bald mit grünem Lichte, und dann wieder gleichzeitig ihn treffend und bunt überfluthend: so sind wir modernen Menschen, Dank der complicirten Mechanik unsres »Sternenhimmels« – durch v e r s c h i e - d e n e Moralen bestimmt; unsre Handlungen leuchten abwechselnd in verschiedenen Farben, sie sind selten eindeutig, – und es giebt genug Fälle, wo wir b u n t e Handlungen thun.

216.

Seine Feinde lieben? Ich glaube, das ist gut gelernt worden: es geschieht heute tausendfältig, im Kleinen und im Grossen; ja es geschieht bisweilen schon das Höhere und Sublimere – wir lernen v e r a c h t e n, wenn wir lieben, und gerade wenn wir am besten lieben: – aber alles dies unbewusst, ohne Lärm, ohne Prunk, mit jener Scham und Verborgenheit der Güte, welche dem Munde das feierliche Wort und die Tugend-Formel verbietet. Moral als Attitüde – geht uns heute wider den Geschmack. Dies ist auch ein Fortschritt: wie es der Fortschritt unsrer Väter war, dass ihnen endlich Religion als Attitüde wider den Geschmack gieng, eingerechnet die Feindschaft und Voltairische Bitterkeit gegen die Religion (und was Alles ehemals zur Freigeist-Gebärdensprache gehörte). Es ist die Musik in unserm Gewissen, der Tanz in unserm Geiste, zu dem alle Puritaner-Litanei, alle Moral-Predigt und Biedermännerei nicht klingen will.

[153]   ### 217.

Sich vor Denen in Acht nehmen, welche einen hohen Werth darauf legen, dass man ihnen moralischen Takt und Feinheit in der moralischen Unterscheidung zutraue! Sie vergeben es uns nie, wenn sie sich einmal vor uns (oder gar a n uns)

vergriffen haben, – sie werden unvermeidlich zu unsern instinktiven Verleumdern und Beeinträchtigern, selbst wenn
sie noch unsre »Freunde« bleiben. – Selig sind die Vergessli-
chen: denn sie werden auch mit ihren Dummheiten »fertig«.

218.

Die Psychologen Frankreichs – und wo giebt es heute sonst
noch Psychologen? – haben immer noch ihr bitteres und viel-
fältiges Vergnügen an der bêtise bourgeoise nicht ausgeko-
stet, gleichsam als wenn . . . . . genug, sie verrathen etwas
damit. Flaubert zum Beispiel, der brave Bürger von Rouen,
sah, hörte und schmeckte zuletzt nichts Anderes mehr: es war
seine Art von Selbstquälerei und feinerer Grausamkeit. Nun
empfehle ich, zur Abwechslung – denn es wird langweilig –,
ein anderes Ding zum Entzücken: das ist die unbewusste
Verschlagenheit, mit der sich alle guten dicken braven Geister
des Mittelmaasses zu höheren Geistern und deren Aufgaben
verhalten, jene feine verhäkelte jesuitische Verschlagenheit,
welche tausend Mal feiner ist, als der Verstand und Geschmack dieses Mittelstandes in seinen besten Augenblicken
– sogar auch als der Verstand seiner Opfer –: zum abermali-
gen Beweise dafür, dass der »Instinkt« unter allen Arten von
Intelligenz, welche bisher entdeckt wurden, die intelligente-
ste ist. Kurz, studirt, ihr Psychologen, die Philosophie der
»Regel« im Kampfe mit der »Ausnahme«: da habt ihr ein
Schauspiel, gut genug für Götter und göttliche Boshaftigkeit!
Oder, noch deutlicher: treibt Vivisektion am »guten Menschen«, am »homo bonae voluntatis« . . . . . an e u c h !

219.

Das moralische Urtheilen und Verurtheilen ist die Lieblings-
Rache der Geistig-Beschränkten an Denen, die es weniger
sind, auch eine Art Schadenersatz dafür, dass sie von der
Natur schlecht bedacht wurden, endlich eine Gelegenheit,
Geist zu bekommen und fein zu w e r d e n : – Bosheit vergei-
stigt. Es thut ihnen im Grunde ihres Herzens wohl, dass es

einen Maassstab giebt, vor dem auch die mit Gütern und
Vorrechten des Geistes Überhäuften ihnen gleich stehn: – sie
kämpfen für die »Gleichheit Aller vor Gott« und b r a u c h e n
beinahe dazu schon den Glauben an Gott. Unter ihnen sind
die kräftigsten Gegner des Atheismus. Wer ihnen sagte »eine
hohe Geistigkeit ist ausser Vergleich mit irgend welcher Bravheit und Achtbarkeit eines eben nur moralischen Menschen«,
würde sie rasend machen: – ich werde mich hüten, es zu thun.
Vielmehr möchte ich ihnen mit meinem Satze schmeicheln,
dass eine hohe Geistigkeit selber nur als letzte Ausgeburt
moralischer Qualitäten besteht; dass sie eine Synthesis aller
jener Zustände ist, welche den »nur moralischen« Menschen
nachgesagt werden, nachdem sie, einzeln, durch lange Zucht
und Übung, vielleicht in ganzen Ketten von Geschlechtern
erworben sind; dass die hohe Geistigkeit eben die Vergeistigung der Gerechtigkeit und jener gütigen Strenge ist, welche
sich beauftragt weiss, die O r d n u n g d e s R a n g e s in der
Welt aufrecht zu erhalten, unter den Dingen selbst – und
nicht nur unter Menschen.

220.

Bei dem jetzt so volksthümlichen Lobe des »Uninteressirten«
muss man sich, vielleicht nicht ohne einige Gefahr, zum
Bewusstsein bringen, w o r a n eigentlich das Volk Interesse
nimmt, und was überhaupt die Dinge sind, um die sich der
gemeine Mann gründlich und tief kümmert: die Gebildeten
eingerechnet, sogar die Gelehrten, und wenn nicht Alles
trügt, beinahe [155] auch die Philosophen. Die Thatsache
kommt dabei heraus, dass das Allermeiste von dem, was feinere und verwöhntere Geschmäcker, was jede höhere Natur
interessirt und reizt, dem durchschnittlichen Menschen gänzlich »uninteressant« scheint: – bemerkt er trotzdem eine Hingebung daran, so nennt er sie »désintéressé« und wundert
sich, wie es möglich ist, »uninteressirt« zu handeln. Es hat
Philosophen gegeben, welche dieser Volks-Verwunderung
noch einen verführerischen und mystisch-jenseitigen Aus-

druck zu verleihen wussten (– vielleicht weil sie die höhere
Natur nicht aus Erfahrung kannten?) – statt die nackte und
herzlich billige Wahrheit hinzustellen, dass die »uninteres-
sirte« Handlung eine s e h r interessante und interessirte
Handlung ist, vorausgesetzt . . . . . »Und die Liebe?« – Wie!
Sogar eine Handlung aus Liebe soll »unegoistisch« sein? Aber
ihr Tölpel –! »Und das Lob des Aufopfernden?« – Aber wer
wirklich Opfer gebracht hat, weiss, dass er etwas dafür wollte
und bekam, – vielleicht etwas von sich für etwas von sich –
dass er hier hingab, um dort mehr zu haben, vielleicht um
überhaupt mehr zu sein oder sich doch als »mehr« zu fühlen.
Aber dies ist ein Reich von Fragen und Antworten, in dem ein
verwöhnterer Geist sich ungern aufhält: so sehr hat hier
bereits die Wahrheit nöthig, das Gähnen zu unterdrücken,
wenn sie antworten muss. Zuletzt ist sie ein Weib: man soll
ihr nicht Gewalt anthun.

221.

Es kommt vor, sagte ein moralistischer Pedant und Kleinig-
keitskrämer, dass ich einen uneigennützigen Menschen ehre
und auszeichne: nicht aber, weil er uneigennützig ist, sondern weil er mir ein Recht darauf zu haben scheint, einem
anderen Menschen auf seine eignen Unkosten zu nützen.
Genug, es fragt sich immer, wer e r ist und wer J e n e r ist.
An Einem zum Beispiele, der zum Befehlen bestimmt und
gemacht wäre, würde [156] Selbst-Verleugnung und beschei-
denes Zurücktreten nicht eine Tugend, sondern die Vergeu-
dung einer Tugend sein: so scheint es mir. Jede unegoistische
Moral, welche sich unbedingt nimmt und an Jedermann wendet, sündigt nicht nur gegen den Geschmack: sie ist eine Auf-
reizung zu Unterlassungs-Sünden, eine Verführung m e h r
unter der Maske der Menschenfreundlichkeit – und gerade
eine Verführung und Schädigung der Höheren, Seltneren,
Bevorrechteten. Man muss die Moralen zwingen, sich zu
allererst vor der R a n g o r d n u n g zu beugen, man muss
ihnen ihre Anmaassung in's Gewissen schieben, – bis sie end-

lich mit einander darüber in's Klare kommen, dass es u n -
m o r a l i s c h ist zu sagen: »was dem Einen recht ist, ist
dem Andern billig«. – Also mein moralistischer Pedant und
bonhomme: verdiente er es wohl, dass man ihn auslachte, als
er die Moralen dergestalt zur Moralität ermahnte? Aber man
soll nicht zu viel Recht haben, wenn man die Lacher auf
s e i n e r Seite haben will; ein Körnchen Unrecht gehört sogar
zum guten Geschmack.

222.

Wo heute Mitleiden gepredigt wird – und, recht gehört, wird
jetzt keine andre Religion mehr gepredigt – möge der Psycholog seine Ohren aufmachen: durch alle Eitelkeit, durch allen
Lärm hindurch, der diesen Predigern (wie allen Predigern) zu
eigen ist, wird er einen heiseren, stöhnenden, ächten Laut von
S e l b s t - V e r a c h t u n g hören. Sie gehört zu jener Verdüsterung und Verhässlichung Europa's, welche jetzt ein Jahrhundert lang im Wachsen ist (und deren erste Symptome
schon in einem nachdenklichen Briefe Galiani's an Madame
d'Epinay urkundlich verzeichnet sind): w e n n s i e n i c h t
d e r e n U r s a c h e i s t! Der Mensch der »modernen Ideen«,
dieser stolze Affe, ist unbändig mit sich selbst unzufrieden:
dies steht fest. Er leidet: und seine Eitelkeit will, dass er nur
»mit leidet« . . . . .

[157]   ### 223.

Der europäische Mischmensch – ein leidlich hässlicher Pleb-
er, Alles in Allem – braucht schlechterdings ein Kostüm: er
hat die Historie nöthig als die Vorrathskammer der Kostüme.
Freilich bemerkt er dabei, dass ihm keines recht auf den Leib
passt, – er wechselt und wechselt. Man sehe sich das neunzehnte Jahrhundert auf diese schnellen Vorlieben und Wechsel der Stil-Maskeraden an; auch auf die Augenblicke der
Verzweiflung darüber, dass uns »nichts steht« –. Unnütz,
sich romantisch oder klassisch oder christlich oder florenti-
nisch oder barokko oder »national« vorzuführen, in moribus

et artibus: es »kleidet nicht«! Aber der »Geist«, insbesondere
der »historische Geist«, ersieht sich auch noch an dieser Verzweiflung seinen Vortheil: immer wieder wird ein neues
Stück Vorzeit und Ausland versucht, umgelegt, abgelegt, ein-
gepackt, vor allem s t u d i r t : – wir sind das erste studirte
Zeitalter in puncto der »Kostüme«, ich meine der Moralen,
Glaubensartikel, Kunstgeschmäcker und Religionen, vorbereitet wie noch keine Zeit es war, zum Karneval grossen Stils,
zum geistigsten Fasching-Gelächter und Übermuth, zur
transscendentalen Höhe des höchsten Blödsinns und der ari-
stophanischen Welt-Verspottung. Vielleicht, dass wir hier
gerade das Reich unsrer E r f i n d u n g noch entdecken, jenes
Reich, wo auch wir noch original sein können, etwa als Paro-
disten der Weltgeschichte und Hanswürste Gottes, – vielleicht dass, wenn auch Nichts von heute sonst Zukunft hat,
doch gerade unser L a c h e n noch Zukunft hat!

224.

Der h i s t o r i s c h e S i n n (oder die Fähigkeit, die Rangordnung von Werthschätzungen schnell zu errathen, nach welchen ein Volk, eine Gesellschaft, ein Mensch gelebt hat, der
»divinatorische Instinkt« für die Beziehungen dieser Werthschätzungen, für das Verhältnis der Autorität der Werthe zur
Auto[158]rität der wirkenden Kräfte): dieser historische Sinn,
auf welchen wir Europäer als auf unsre Besonderheit Anspruch machen, ist uns im Gefolge der bezaubernden und
tollen H a l b b a r b a r e i gekommen, in welche Europa
durch die demokratische Vermengung der Stände und Rassen
gestürzt worden ist, – erst das neunzehnte Jahrhundert kennt
diesen Sinn, als seinen sechsten Sinn. Die Vergangenheit von
jeder Form und Lebensweise, von Culturen, die früher hart
neben einander, über einander lagen, strömt Dank jener
Mischung in uns »moderne Seelen« aus, unsre Instinkte laufen nunmehr überallhin zurück, wir selbst sind eine Art
Chaos –: schliesslich ersieht sich »der Geist«, wie gesagt,
seinen Vortheil dabei. Durch unsre Halbbarbarei in Leib und

Begierde haben wir geheime Zugänge überallhin, wie sie ein vornehmes Zeitalter nie besessen hat, vor Allem die Zugänge zum Labyrinthe der unvollendeten Culturen und zu jeder Halbbarbarei, die nur jemals auf Erden dagewesen ist; und insofern der beträchtlichste Theil der menschlichen Cultur bisher eben Halbbarbarei war, bedeutet »historischer Sinn« beinahe den Sinn und Instinkt für Alles, den Geschmack und die Zunge für Alles: womit er sich sofort als ein u n v o r n e h - m e r Sinn ausweist. Wir geniessen zum Beispiel Homer wieder: vielleicht ist es unser glücklichster Vorsprung, dass wir Homer zu schmecken verstehen, welchen die Menschen einer vornehmen Cultur (etwa die Franzosen des siebzehnten Jahrhunderts, wie Saint-Evremond, der ihm den esprit vaste vorwirft, selbst noch ihr Ausklang Voltaire) nicht so leicht sich anzueignen wissen und wussten, – welchen zu geniessen sie sich kaum erlaubten. Das sehr bestimmte Ja und Nein ihres Gaumens, ihr leicht bereiter Ekel, ihre zögernde Zurückhaltung in Bezug auf alles Fremdartige, ihre Scheu vor dem Ungeschmack selbst der lebhaften Neugierde, und überhaupt jener schlechte Wille jeder vornehmen und selbstgenügsamen Cultur, sich eine neue Begehrlichkeit, eine Unbefriedigung am Eignen, eine Bewunderung des Fremden einzugestehen: alles dies stellt und stimmt sie ungünstig [159] selbst gegen die besten Dinge der Welt, welche nicht ihr Eigenthum sind oder ihre Beute werden k ö n n t e n, – und kein Sinn ist solchen Menschen unverständlicher, als gerade der historische Sinn und seine unterwürfige Plebejer-Neugierde. Nicht anders steht es mit Shakespeare, dieser erstaunlichen spanisch-maurisch-sächsischen Geschmacks-Synthesis, über welchen sich ein Altathener aus der Freundschaft des Aeschylus halbtodt gelacht oder geärgert haben würde: aber wir – nehmen gerade diese wilde Buntheit, dies Durcheinander des Zartesten, Gröbsten und Künstlichsten, mit einer geheimen Vertraulichkeit und Herzlichkeit an, wir geniessen ihn als das gerade uns aufgesparte Raffinement der Kunst und lassen uns dabei von den widrigen Dämpfen und der Nähe des englischen

Pöbels, in welcher Shakespeare's Kunst und Geschmack lebt, so wenig stören, als etwa auf der Chiaja Neapels: wo wir mit allen unsren Sinnen, bezaubert und willig, unsres Wegs gehn, wie sehr auch die Cloaken der Pöbel-Quartiere in der Luft sind. Wir Menschen des »historischen Sinns«: wir haben als solche unsre Tugenden, es ist nicht zu bestreiten, – wir sind anspruchslos, selbstlos, bescheiden, tapfer, voller Selbst-überwindung, voller Hingebung, sehr dankbar, sehr gedul-dig, sehr entgegenkommend: – wir sind mit Alledem viel-leicht nicht sehr »geschmackvoll«. Gestehen wir es uns schliesslich zu: was uns Menschen des »historischen Sinns« am schwersten zu fassen, zu fühlen, nachzuschmecken, nach-zulieben ist, was uns im Grunde voreingenommen und fast feindlich findet, das ist gerade das Vollkommene und Letzt-hin-Reife in jeder Cultur und Kunst, das eigentlich Vor-nehme an Werken und Menschen, ihr Augenblick glatten Meers und halkyonischer Selbstgenugsamkeit, das Goldene und Kalte, welches alle Dinge zeigen, die sich vollendet haben. Vielleicht steht unsre grosse Tugend des historischen Sinns in einem nothwendigen Gegensatz zum g u t e n Ge-schmacke, mindestens zum allerbesten Geschmacke, und wir vermögen gerade die kleinen kurzen und höchsten Glücksfälle und Verklärungen des mensch[160]lichen Lebens, wie sie hier und da einmal aufglänzen, nur schlecht, nur zögernd, nur mit Zwang in uns nachzubilden: jene Augen-blicke und Wunder, wo eine grosse Kraft freiwillig vor dem Maasslosen und Unbegrenzten stehen blieb –, wo ein Über-fluss von feiner Lust in der plötzlichen Bändigung und Ver-steinerung, im Feststehen und Sich-Fest-Stellen auf einem noch zitternden Boden genossen wurde. Das M a a s s ist uns fremd, gestehen wir es uns; unser Kitzel ist gerade der Kitzel des Unendlichen, Ungemessenen. Gleich dem Reiter auf vor-wärts schnaubendem Rosse lassen wir vor dem Unendlichen die Zügel fallen, wir modernen Menschen, wir Halbbarbaren – und sind erst dort in u n s r e r Seligkeit, wo wir auch am meisten – i n G e f a h r s i n d.

225.

Ob Hedonismus, ob Pessimismus, ob Utilitarismus, ob
Eudämonismus: alle diese Denkweisen, welche nach L u s t
und L e i d , das heisst nach Begleitzuständen und Nebensa-
chen den Werth der Dinge messen, sind Vordergrunds-
Denkweisen und Naivetäten, auf welche ein Jeder, der sich
g e s t a l t e n d e r Kräfte und eines Künstler-Gewissens bewusst ist, nicht ohne Spott, auch nicht ohne Mitleid herab-
blicken wird. Mitleiden mit e u c h ! das ist freilich nicht das
Mitleiden, wie ihr es meint: das ist nicht Mitleiden mit der
socialen »Noth«, mit der »Gesellschaft« und ihren Kranken
und Verunglückten, mit Lasterhaften und Zerbrochnen von
Anbeginn, wie sie rings um uns zu Boden liegen; das ist noch
weniger Mitleiden mit murrenden gedrückten aufrühreri-
schen Sklaven-Schichten, welche nach Herrschaft – sie nennen's »Freiheit« – trachten. U n s e r Mitleiden ist ein höheres
fernsichtigeres Mitleiden: – wir sehen, wie d e r M e n s c h
sich verkleinert, wie i h r ihn verkleinert! – und es giebt
Augenblicke, wo wir gerade e u r e m Mitleiden mit einer
unbeschreiblichen Beängstigung zusehn, wo wir uns [161] gegen dies Mitleiden wehren –, wo wir euren Ernst gefährlicher als irgend welche Leichtfertigkeit finden. Ihr wollt
womöglich – und es giebt kein tolleres »womöglich« – d a s
L e i d e n a b s c h a f f e n ; und wir? – es scheint gerade, w i r
wollen es lieber noch höher und schlimmer haben, als je es
war! Wohlbefinden, wie ihr es versteht – das ist ja kein Ziel,
das scheint uns ein E n d e ! Ein Zustand, welcher den Menschen alsbald lächerlich und verächtlich macht, – der seinen
Untergang w ü n s c h e n macht! Die Zucht des Leidens, des
g r o s s e n Leidens – wisst ihr nicht, dass nur d i e s e Zucht
alle Erhöhungen des Menschen bisher geschaffen hat? Jene
Spannung der Seele im Unglück, welche ihr die Stärke
anzüchtet, ihre Schauer im Anblick des grossen Zugrundege-
hens, ihre Erfindsamkeit und Tapferkeit im Tragen, Aushar-
ren, Ausdeuten, Ausnützen des Unglücks, und was ihr nur je
von Tiefe, Geheimniss, Maske, Geist, List, Grösse geschenkt

worden ist: – ist es nicht ihr unter Leiden, unter der Zucht des grossen Leidens geschenkt worden? Im Menchen ist G e - s c h ö p f und S c h ö p f e r vereint: im Menschen ist Stoff, Bruchstück, Überfluss, Lehm, Koth, Unsinn, Chaos; aber im Menschen ist auch Schöpfer, Bildner, Hammer-Härte, Zuschauer-Göttlichkeit und siebenter Tag: – versteht ihr diesen Gegensatz? Und dass e u e r Mitleid dem »Geschöpf im Menschen« gilt, dem, was geformt, gebrochen, geschmiedet, gerissen, gebrannt, geglüht, geläutert werden muss, – dem, was nothwendig l e i d e n muss und leiden s o l l? Und u n s e r Mitleid – begreift ihr's nicht, wem unser u m g e - k e h r t e s Mitleid gilt, wenn es sich gegen euer Mitleid wehrt, als gegen die schlimmste aller Verzärtelungen und Schwächen? – Mitleid also g e g e n Mitleid! – Aber, nochmals gesagt, es giebt höhere Probleme als alle Lust- und Leid- und Mitleid-Probleme; und jede Philosophie, die nur auf diese hinausläuft, ist eine Naivetät. –

[162]   226.

W i r I m m o r a l i s t e n! – Diese Welt, die u n s angeht, in der wir zu fürchten und zu lieben haben, diese beinahe unsichtbare unhörbare Welt feinen Befehlens, feinen Gehorchens, eine Welt des »Beinahe« in jedem Betrachte, häklich, verfänglich, spitzig, zärtlich: ja, sie ist gut vertheidigt gegen plumpe Zuschauer und vertrauliche Neugierde! Wir sind in ein strenges Garn und Hemd von Pflichten eingesponnen und k ö n n e n da nicht heraus –, darin eben sind wir »Menschen der Pflicht«, auch wir! Bisweilen, es ist wahr, tanzen wir wohl in unsern »Ketten« und zwischen unsern »Schwertern«; öfter, es ist nicht minder wahr, knirschen wir darunter und sind ungeduldig über all die heimliche Härte unsres Geschicks. Aber wir mögen thun, was wir wollen: die Tölpel und der Augenschein sagen gegen uns »das sind Menschen o h n e Pflicht« – wir haben immer die Tölpel und den Augenschein gegen uns!

227.

Redlichkeit, gesetzt, dass dies unsre Tugend ist, von der wir
nicht loskönnen, wir freien Geister – nun, wir wollen mit
aller Bosheit und Liebe an ihr arbeiten und nicht müde werden, uns in u n s r e r Tugend, die allein uns übrig blieb, zu
»vervollkommnen«: mag ihr Glanz einmal wie ein vergolde-
tes blaues spöttisches Abendlicht über dieser alternden Cultur und ihrem dumpfen düsteren Ernste liegen bleiben! Und
wenn dennoch unsre Redlichkeit eines Tages müde wird und
seufzt und die Glieder streckt und uns zu hart findet und es
besser, leichter, zärtlicher haben möchte, gleich einem angenehmen Laster: bleiben wir h a r t, wir letzten Stoiker! und
schicken wir ihr zu Hülfe, was wir nur an Teufelei in uns
haben – unsern Ekel am Plumpen und Ungefähren, unser
»nitimur in vetitum«, unsern Abenteuerer-Muth, unsre
gewitzte und verwöhnte Neugierde, unsern feinsten ver-
kapptesten geistigsten Willen zur [163] Macht und Welt-
Überwindung, der begehrlich um alle Reiche der Zukunft
schweift und schwärmt, – kommen wir unserm »Gotte« mit
allen unsern »Teufeln« zu Hülfe! Es ist wahrscheinlich, dass
man uns darob verkennt und verwechselt: was liegt daran!
Man wird sagen: »ihre ›Redlichkeit‹ – das ist ihre Teufelei,
und gar nichts mehr!« was liegt daran! Und selbst wenn man
Recht hätte! Waren nicht alle Götter bisher dergleichen heilig
gewordne umgetaufte Teufel? Und was wissen wir zuletzt
von uns? Und wie der Geist h e i s s e n will, der uns führt? (es
ist eine Sache der Namen.) Und wie viele Geister wir bergen?
Unsre Redlichkeit, wir freien Geister, – sorgen wir dafür,
dass sie nicht unsre Eitelkeit, unser Putz und Prunk, unsre
Grenze, unsre Dummheit werde! Jede Tugend neigt zur
Dummheit, jede Dummheit zur Tugend; »dumm bis zur
Heiligkeit« sagt man in Russland, – sorgen wir dafür, dass wir
nicht aus Redlichkeit zuletzt noch zu Heiligen und Langweiligen werden! Ist das Leben nicht hundert Mal zu kurz, sich in
ihm – zu langweilen? Man müsste schon an's ewige Leben
glauben, um . . . .

228.

Man vergebe mir die Entdeckung, dass alle Moral-Philosophie bisher langweilig war und zu den Schlafmitteln gehörte – und dass »die Tugend« durch nichts mehr in meinen Augen beeinträchtigt worden ist, als durch diese L a n g w e i l i g k e i t ihrer Fürsprecher; womit ich noch nicht deren allgemeine Nützlichkeit verkannt haben möchte. Es liegt viel daran, dass so wenig Menschen als möglich über Moral nachdenken, – es liegt folglich s e h r viel daran, dass die Moral nicht etwa eines Tages interessant werde! Aber man sei unbesorgt! Es steht auch heute noch so, wie es immer stand: ich sehe Niemanden in Europa, der einen Begriff davon hätte (oder g ä b e), dass das Nachdenken über Moral gefährlich, verfänglich, verführerisch getrieben werden könnte, – dass V e r h ä n g n i s s darin lie[164]gen könnte! Man sehe sich zum Beispiel die unermüdlichen unvermeidlichen englischen Utilitarier an, wie sie plump und ehrenwerth in den Fussstapfen Bentham's, daher wandeln, dahin wandeln (ein homerisches Gleichniss sagt es deutlicher), so wie er selbst schon in den Fussstapfen des ehrenwerthen Helvétius wandelte (nein, das war kein gefährlicher Mensch, dieser Helvétius!). Kein neuer Gedanke, Nichts von feinerer Wendung und Faltung eines alten Gedankens, nicht einmal eine wirkliche Historie des früher Gedachten: eine u n m ö g l i c h e Litteratur im Ganzen, gesetzt, dass man sie nicht mit einiger Bosheit sich einzusäuern versteht. Es hat sich nämlich auch in diese Moralisten (welche man durchaus mit Nebengedanken lesen muss, falls man sie lesen m u s s –), jenes alte englische Laster eingeschlichen, das c a n t heisst und m o r a l i s c h e Tartüfferie ist, dies Mal unter die neue Form der Wissenschaftlichkeit versteckt; es fehlt auch nicht an geheimer Abwehr von Gewissensbissen, an denen billigerweise eine Rasse von ehemaligen Puritanern bei aller wissenschaftlichen Befassung mit Moral leiden wird. (Ist ein Moralist nicht das Gegenstück eines Puritaners? Nämlich als ein Denker, der die Moral als fragwürdig, fragezeichenwürdig, kurz als Problem nimmt?

Sollte Moralisiren nicht – unmoralisch sein?) Zuletzt wollen
sie Alle, dass die e n g l i s c h e Moralität Recht bekomme:
insofern gerade damit der Menschheit, oder dem »allgemeinen Nutzen« oder »dem Glück der Meisten«, nein! dem
Glücke E n g l a n d s am besten gedient wird; sie möchten mit
allen Kräften sich beweisen, dass das Streben nach e n g -
l i s c h e m Glück, ich meine nach comfort und fashion (und,
an höchster Stelle, einem Sitz im Parlament) zugleich auch
der rechte Pfad der Tugend sei, ja dass, so viel Tugend es bisher in der Welt gegeben hat, es eben in einem solchen Streben bestanden habe. Keins von allen diesen schwerfälligen,
im Gewissen beunruhigten Heerdenthieren (die die Sache
des Egoismus als Sache der allgemeinen Wohlfahrt zu führen unternehmen –) will etwas davon wissen und riechen,
[165] dass die »allgemeine Wohlfahrt« kein Ideal, kein Ziel,
kein irgendwie fassbarer Begriff, sondern nur ein Brechmittel
ist, – dass, was dem Einen billig ist, durchaus noch nicht dem
Andern billig sein k a n n , dass die Forderung Einer Moral
für Alle die Beeinträchtigung gerade der höheren Menschen
ist, kurz, dass es eine R a n g o r d n u n g zwischen Mensch
und Mensch, folglich auch zwischen Moral und Moral giebt.
Es ist eine bescheidene und gründlich mittelmässige Art
Mensch, diese utilitarischen Engländer, und, wie gesagt:
insofern sie langweilig sind, kann man nicht hoch genug von
ihrer Utilität denken. Man sollte sie noch e r m u t h i g e n :
wie es, zum Theil, mit nachfolgenden Reimen versucht worden ist.

> Heil euch, brave Karrenschieber,
> Stets »je länger, desto lieber«,
> Steifer stets an Kopf und Knie,
> Unbegeistert, ungespässig,
> Unverwüstlich-mittelmässig,
> Sans genie et sans esprit!

229.

Es bleibt in jenen späten Zeitaltern, die auf Menschlichkeit
stolz sein dürfen, so viel Furcht, so viel A b e r g l a u b e der
Furcht vor dem »wilden grausamen Thiere« zurück, über
welches Herr geworden zu sein eben den Stolz jener mensch-
licheren Zeitalter ausmacht, dass selbst handgreifliche Wahrheiten wie auf Verabredung Jahrhunderte lang unausgespro-
chen bleiben, weil sie den Anschein haben, jenem wilden,
endlich abgetödteten Thiere wieder zum Leben zu verhelfen.
Ich wage vielleicht etwas, wenn ich eine solche Wahrheit mir
entschlüpfen lasse: mögen Andre sie wieder einfangen und ihr
so viel »Milch der frommen Denkungsart« zu trinken geben,
bis sie still und vergessen in ihrer alten Ecke liegt. – Man soll
über die Grausamkeit umlernen und die Augen aufmachen;
man soll endlich Ungeduld [166] lernen, damit nicht länger
solche unbescheidne dicke Irrthümer tugendhaft und dreist
herumwandeln, wie sie zum Beispiel in Betreff der Tragödie
von alten und neuen Philosophen aufgefüttert worden sind.
Fast Alles, was wir »höhere Cultur« nennen, beruht auf der
Vergeistigung und Vertiefung der G r a u s a m k e i t – dies ist
mein Satz; jenes »wilde Thier« ist gar nicht abgetödtet worden, es lebt, es blüht, es hat sich nur – vergöttlicht. Was die
schmerzliche Wollust der Tragödie ausmacht, ist Grausamkeit; was im sogenannten tragischen Mitleiden, im Grunde
sogar in allem Erhabenen bis hinauf zu den höchsten und
zartesten Schaudern der Metaphysik, angenehm wirkt, bekommt seine Süssigkeit allein von der eingemischten Ingredienz der Grausamkeit. Was der Römer in der Arena, der
Christ in den Entzückungen des Kreuzes, der Spanier Angesichts von Scheiterhaufen oder Stierkämpfen, der Japanese
von heute, der sich zur Tragödie drängt, der Pariser Vorstadt-
Arbeiter, der ein Heimweh nach blutigen Revolutionen hat,
die Wagnerianerin, welche mit ausgehängtem Willen Tristan
und Isolde über sich »ergehen lässt«, – was diese Alle geniessen und mit geheimnissvoller Brunst in sich hineinzutrinken
trachten, das sind die Würztränke der grossen Circe »Grau-

samkeit«. Dabei muss man freilich die tölpelhafte Psychologie von Ehedem davon jagen, welche von der Grausamkeit nur zu lehren wusste, dass sie beim Anblicke f r e m d e n Leides entstünde: es giebt einen reichlichen, überreichlichen Genuss auch am eignen Leiden, am eignen Sich-leiden-machen, – und wo nur der Mensch zur Selbst-Verleugnung im r e l i g i ö s e n Sinne oder zur Selbstverstümmelung, wie bei Phöniziern und Asketen, oder überhaupt zur Entsinnlichung, Entfleischung, Zerknirschung, zum puritanischen Busskrampfe, zur Gewissens-Vivisektion und zum Pascali-schen sacrifizio dell'intelletto sich überreden lässt, da wird er heimlich durch seine Grausamkeit gelockt und vorwärts gedrängt, durch jene gefährlichen Schauder der g e g e n s i c h s e l b s t gewendeten Grausamkeit. Zuletzt erwäge man, dass [167] selbst der Erkennende, indem er seinen Geist zwingt, w i d e r den Hang des Geistes und oft genug auch wider die Wünsche seines Herzens zu erkennen – nämlich Nein zu sagen, wo er bejahen, lieben, anbeten möchte –, als Künstler und Verklärer der Grausamkeit waltet; schon jedes Tief- und Gründlich-Nehmen ist eine Vergewaltigung, ein Wehe-thun-wollen am Grundwillen des Geistes, welcher unablässig zum Scheine und zu den Oberflächen hin will, – schon in jedem Erkennen-Wollen ist ein Tropfen Grausamkeit.

230.

Vielleicht versteht man nicht ohne Weiteres, was ich hier von einem »Grundwillen des Geistes« gesagt habe: man gestatte mir eine Erläuterung. – Das befehlerische Etwas, das vom Volke »der Geist« genannt wird, will in sich und um sich herum Herr sein und sich als Herrn fühlen: es hat den Willen aus der Vielheit zur Einfachheit, einen zusammenschnüren-den, bändigenden, herrschsüchtigen und wirklich herrschaftlichen Willen. Seine Bedürfnisse und Vermögen sind hierin die selben, wie sie die Physiologen für Alles, was lebt, wächst und sich vermehrt, aufstellen. Die Kraft des Geistes, Fremdes sich anzueignen, offenbart sich in einem starken Hange, das

Neue dem Alten anzuähnlichen, das Mannichfaltige zu vereinfachen, das gänzlich Widersprechende zu übersehen oder wegzustossen: ebenso wie er bestimmte Züge und Linien am Fremden, an jedem Stück »Aussenwelt« willkürlich stärker unterstreicht, heraushebt, sich zurecht fälscht. Seine Absicht geht dabei auf Einverleibung neuer »Erfahrungen«, auf Einreihung neuer Dinge unter alte Reihen, – auf Wachsthum also; bestimmter noch, auf das G e f ü h l des Wachsthums, auf das Gefühl der vermehrten Kraft. Diesem selben Willen dient ein scheinbar entgegengesetzter Trieb des Geistes, ein plötzlich herausbrechender Entschluss zur Unwissenheit, zur willkürlichen Abschliessung, ein Zumachen sei[168]ner Fenster, ein inneres Neinsagen zu diesem oder jenem Dinge, ein Nicht-heran-kommen-lassen, eine Art Vertheidigungs-Zustand gegen vieles Wissbare, eine Zufriedenheit mit dem Dunkel, mit dem abschliessenden Horizonte, ein Ja-sagen und Gutheissen der Unwissenheit: wie dies Alles nöthig ist je nach dem Grade seiner aneignenden Kraft, seiner »Verdauungskraft«, im Bilde geredet – und wirklich gleicht »der Geist« am meisten noch einem Magen. Insgleichen gehört hierher der gelegentliche Wille des Geistes, sich täuschen zu lassen, vielleicht mit einer muthwilligen Ahnung davon, dass es so und so n i c h t steht, dass man es so und so eben nur gelten lässt, eine Lust an aller Unsicherheit und Mehrdeutigkeit, ein frohlockender Selbstgenuss an der willkürlichen Enge und Heimlichkeit eines Winkels, am Allzunahen, am Vordergrunde, am Vergrösserten, Verkleinerten, Verschobenen, Verschönerten, ein Selbstgenuss an der Willkürlichkeit aller dieser Machtäusserungen. Endlich gehört hierher jene nicht unbedenkliche Bereitwilligkeit des Geistes, andere Geister zu täuschen und sich vor ihnen zu verstellen, jener beständige Druck und Drang einer schaffenden, bildenden, wandelfähigen Kraft: der Geist geniesst darin seine Masken-Vielfältigkeit und Verschlagenheit, er geniesst auch das Gefühl seiner Sicherheit darin, – gerade durch seine Proteus-künste ist er ja am besten vertheidigt und versteckt! – D i e -

s e m Willen zum Schein, zur Vereinfachung, zur Maske,
zum Mantel, kurz zur Oberfläche – denn jede Oberfläche ist
ein Mantel – wirkt jener sublime Hang des Erkennenden
e n t g e g e n, der die Dinge tief, vielfach, gründlich nimmt
und nehmen w i l l : als eine Art Grausamkeit des intellektuellen Gewissens und Geschmacks, welche jeder tapfere Denker bei sich anerkennen wird, gesetzt dass er, wie sich
gebührt, sein Auge für sich selbst lange genug gehärtet und
gespitzt hat und an strenge Zucht, auch an strenge Worte
gewöhnt ist. Er wird sagen »es ist etwas Grausames im Hange
meines Geistes«: – mögen die Tugendhaften und Liebens-
würdigen es ihm auszureden suchen! In der [169] That, es
klänge artiger, wenn man uns, statt der Grausamkeit, etwa
eine »ausschweifende Redlichkeit« nachsagte, nachraunte,
nachrühmte, – uns freien, s e h r freien Geistern: – und s o
klingt vielleicht wirklich einmal unser – Nachruhm? Einstweilen – denn es hat Zeit bis dahin – möchten wir selbst wohl
am wenigsten geneigt sein, uns mit dergleichen moralischen
Wort-Flittern und -Franzen aufzuputzen: unsre ganze bisherige Arbeit verleidet uns gerade diesen Geschmack und seine
muntere Üppigkeit. Es sind schöne glitzernde klirrende fest-
liche Worte: Redlichkeit, Liebe zur Wahrheit, Liebe zur
Weisheit, Aufopferung für die Erkenntnis, Heroismus des
Wahrhaftigen, – es ist Etwas daran, das Einem den Stolz
schwellen macht. Aber wir Einsiedler und Murmelthiere,
wir haben uns längst in aller Heimlichkeit eines Einsiedler-
Gewissens überredet, dass auch dieser würdige Wort-Prunk
zu dem alten Lügen-Putz, -Plunder und -Goldstaub der
unbewussten menschlichen Eitelkeit gehört, und dass auch
unter solcher schmeichlerischen Farbe und Übermalung der
schreckliche Grundtext homo natura wieder heraus erkannt
werden muss. Den Menschen nämlich zurückübersetzen in
die Natur; über die vielen eitlen und schwärmerischen Deutungen und Nebensinne Herr werden, welche bisher über
jenen ewigen Grundtext homo natura gekritzelt und gemalt
wurden; machen, dass der Mensch fürderhin vor dem Men-

schen steht, wie er heute schon, hart geworden in der Zucht
der Wissenschaft, vor der a n d e r e n Natur steht, mit un-
erschrocknen Oedipus-Augen und verklebten Odysseus-
Ohren, taub gegen die Lockweisen alter metaphysischer
Vogelfänger, welche ihm allzulange zugeflötet haben: »du
bist mehr! du bist höher! du bist anderer Herkunft!« – das
mag eine seltsame und tolle Aufgabe sein, aber es ist eine
A u f g a b e – wer wollte das leugnen! Warum wir sie wähl-
ten, diese tolle Aufgabe? Oder anders gefragt: »warum überhaupt Erkenntniss?« – Jedermann wird uns darnach fragen.
Und wir, solchermaassen gedrängt, wir, die wir uns hunderte
Male selbst schon eben[170]so gefragt haben, wir fanden und
finden keine bessere Antwort . . . .

231.

Das Lernen verwandelt uns, es thut Das, was alle Ernährung
thut, die auch nicht bloss »erhält« –: wie der Physiologe
weiss. Aber im Grunde von uns, ganz »da unten«, giebt es
freilich etwas Unbelehrbares, einen Granit von geistigem
Fatum, von vorherbestimmter Entscheidung und Antwort
auf vorherbestimmt ausgelesene Fragen. Bei jedem kardinalen Probleme redet ein unwandelbares »das bin ich«; über
Mann und Weib zum Beispiel kann ein Denker nicht umlernen, sondern nur auslernen, – nur zu Ende entdecken, was
darüber bei ihm »feststeht«. Man findet bei Zeiten gewisse
Lösungen von Problemen, die gerade u n s starken Glauben
machen; vielleicht nennt man sie fürderhin seine »Überzeugungen«. Später – sieht man in ihnen nur Fussstapfen zur
Selbsterkenntniss, Wegweiser zum Probleme, das wir s i n d,
– richtiger, zur grossen Dummheit, die wir sind, zu unserem
geistigen Fatum, zum U n b e l e h r b a r e n ganz »da unten«.
– Auf diese reichliche Artigkeit hin, wie ich sie eben gegen
mich selbst begangen habe, wird es mir vielleicht eher ge-
stattet sein, über das »Weib an sich« einige Wahrheiten
herauszusagen: gesetzt, dass man es von vornherein nunmehr
weiss, wie sehr es eben nur – m e i n e Wahrheiten sind. –

232.

Das Weib will selbständig werden: und dazu fängt es an, die
Männer über das »Weib an sich« aufzuklären – d a s gehört
zu den schlimmsten Fortschritten der allgemeinen V e r -
h ä s s l i c h u n g Europa's. Denn was müssen diese plumpen
Versuche der weiblichen Wissenschaftlichkeit und Selbst-
Ent[171]blössung Alles an's Licht bringen! Das Weib hat so
viel Grund zur Scham; im Weibe ist so viel Pedantisches,
Oberflächliches, Schulmeisterliches, Kleinlich-Anmaassli-
ches, Kleinlich-Zügelloses und -Unbescheidenes versteckt –
man studire nur seinen Verkehr mit Kindern! –, das im
Grunde bisher durch die F u r c h t vor dem Manne am besten
zurückgedrängt und gebändigt wurde. Wehe, wenn erst das
»Ewig-Langweilige am Weibe« – es ist reich daran! – sich
hervorwagen darf! wenn es seine Klugheit und Kunst, die der
Anmuth, des Spielens, Sorgen-Wegscheuchens, Erleichterns
und Leicht-Nehmens, wenn es seine feine Anstelligkeit zu
angenehmen Begierden gründlich und grundsätzlich zu ver-
lernen beginnt! Es werden schon jetzt weibliche Stimmen
laut, welche, beim heiligen Aristophanes! Schrecken machen,
es wird mit medizinischer Deutlichkeit gedroht, was zuerst
und zuletzt das Weib vom Manne w i l l. Ist es nicht vom
schlechtesten Geschmacke, wenn das Weib sich dergestalt
anschickt, wissenschaftlich zu werden? Bisher war es glückli-
cher Weise das Aufklären Männer-Sache, Männer-Gabe –
man blieb damit »unter sich«; und man darf sich zuletzt, bei
Allem, was Weiber über »das Weib« schreiben, ein gutes
Misstrauen vorbehalten, ob das Weib über sich selbst eigentlich Aufklärung w i l l – und wollen k a n n . . . . . Wenn ein
Weib damit nicht einen neuen P u t z für sich sucht – ich
denke doch, das Sich-Putzen gehört zum Ewig-Weiblichen?
– nun, so will es vor sich Furcht erregen: – es will damit
vielleicht Herrschaft. Aber es w i l l nicht Wahrheit: was liegt
dem Weibe an Wahrheit! Nichts ist von Anbeginn an dem
Weibe fremder, widriger, feindlicher als Wahrheit, – seine
grosse Kunst ist die Lüge, seine höchste Angelegenheit ist der

Schein und die Schönheit. Gestehen wir es, wir Männer: wir
ehren und lieben gerade d i e s e Kunst und d i e s e n Instinkt
am Weibe: wir, die wir es schwer haben und uns gerne
zu unsrer Erleichterung zu Wesen gesellen, unter deren
Händen, Blicken und zarten Thorheiten uns unser Ernst,
unsre Schwere und Tiefe beinahe wie eine Thorheit erscheint.
[172] Zuletzt stelle ich die Frage: hat jemals ein Weib selber
schon einem Weibskopfe Tiefe, einem Weibsherzen Gerechtigkeit zugestanden? Und ist es nicht wahr, dass, im Grossen
gerechnet, »das Weib« bisher vom Weibe selbst am meisten
missachtet wurde – und ganz und gar nicht von uns? – Wir
Männer wünschen, dass das Weib nicht fortfahre, sich durch
Aufklärung zu compromittiren: wie es Manns-Fürsorge und
Schonung des Weibes war, als die Kirche dekretirte: mulier
taceat in ecclesia! Es geschah zum Nutzen des Weibes, als
Napoleon der allzuberedten Madame de Staël zu verstehen
gab: mulier taceat in politicis! – und ich denke, dass es ein
rechter Weiberfreund ist, der den Frauen heute zuruft: mulier
taceat de muliere!

233.

Es verräth Corruption der Instinkte – noch abgesehn davon,
dass es schlechten Geschmack verräth –, wenn ein Weib sich
gerade auf Madame Roland oder Madame de Staël oder Mon-
sieur George Sand beruft, wie als ob damit etwas zu G u n -
s t e n des »Weibes an sich« bewiesen wäre. Unter Männern
sind die Genannten die drei k o m i s c h e n Weiber an sich –
nichts mehr! – und gerade die besten unfreiwilligen G e g e n -
A r g u m e n t e gegen Emancipation und weibliche Selbstherrlichkeit.

234.

Die Dummheit in der Küche; das Weib als Köchin; die schauerliche Gedankenlosigkeit, mit der die Ernährung der Familie
und des Hausherrn besorgt wird! Das Weib versteht nicht,
was die Speise b e d e u t e t : und will Köchin sein! Wenn das

Weib ein denkendes Geschöpf wäre, so hätte es ja, als Köchin seit Jahrtausenden, die grössten physiologischen Thatsachen fin[173]den, insgleichen die Heilkunst in seinen Besitz bringen müssen! Durch schlechte Köchinnen – durch den vollkommenen Mangel an Vernunft in der Küche ist die Entwicklung des Menschen am längsten aufgehalten, am schlimmsten beeinträchtigt worden: es steht heute selbst noch wenig besser. Eine Rede an höhere Töchter.

235.

Es giebt Wendungen und Würfe des Geistes, es giebt Sentenzen, eine kleine Handvoll Worte, in denen eine ganze Cultur, eine ganze Gesellschaft sich plötzlich krystallisirt. Dahin gehört jenes gelegentliche Wort der Madame de Lambert an ihren Sohn: »mon ami, ne vous permettez jamais que de folies, qui vous feront grand plaisir«: – beiläufig das mütterlichste und klügste Wort, das je an einen Sohn gerichtet worden ist.

236.

Das, was Dante und Goethe vom Weibe geglaubt haben – jener, indem er sang »ella guardava suso, ed io in lei«, dieser, indem er es übersetzte »das Ewig-Weibliche zieht uns hin an« –: ich zweifle nicht, dass jedes edlere Weib sich gegen diesen Glauben wehren wird, denn es glaubt eben d a s vom Ewig-Männlichen ...

237.
Sieben Weibs-Sprüchlein.

Wie die längste Weile fleucht, kommt ein Mann zu uns gekreucht!

*   *

[174] Alter, ach! und Wissenschaft giebt auch schwacher Tugend Kraft.

*   *

Schwarz Gewand und Schweigsamkeit kleidet jeglich Weib –
   gescheidt.

* *

Wem im Glück ich dankbar bin? Gott! – und meiner Schnei-
derin.

* *

Jung: beblümtes Höhlenhaus. Alt: ein Drache fährt heraus.

* *

Edler Name, hübsches Bein, Mann dazu: oh wär' e r mein!

* *

Kurze Rede, langer Sinn – Glatteis für die Eselin!

237.

Die Frauen sind von den Männern bisher wie Vögel behandelt
worden, die von irgend welcher Höhe sich hinab zu ihnen
verirrt haben: als etwas Feineres, Verletzlicheres, Wilderes,
Wunderlicheres, Süsseres, Seelenvolleres, – aber als Etwas,
das man einsperren muss, damit es nicht davonfliegt.

[175]
238.

Sich im Grundprobleme »Mann und Weib« zu vergreifen,
hier den abgründlichsten Antagonismus und die Nothwendigkeit einer ewig-feindseligen Spannung zu leugnen, hier
vielleicht von gleichen Rechten, gleicher Erziehung, gleichen
Ansprüchen und Verpflichtungen zu träumen: das ist ein
t y p i s c h e s Zeichen von Flachköpfigkeit, und ein Denker,
der an dieser gefährlichen Stelle sich flach erwiesen hat – flach
im Instinkte! –, darf überhaupt als verdächtig, mehr noch, als
verrathen, als aufgedeckt gelten: wahrscheinlich wird er für
alle Grundfragen des Lebens, auch des zukünftigen Lebens,
zu »kurz« sein und in k e i n e Tiefe hinunter können. Ein
Mann hingegen, der Tiefe hat, in seinem Geiste, wie in seinen
Begierden, auch jene Tiefe des Wohlwollens, welche der
Strenge und Härte fähig ist, und leicht mit ihnen verwechselt

wird, kann über das Weib immer nur o r i e n t a l i s c h denken: er muss das Weib als Besitz, als verschliessbares Eigenthum, als etwas zur Dienstbarkeit Vorbestimmtes und in ihr sich Vollendendes fassen, – er muss sich hierin auf die ungeheure Vernunft Asiens, auf Asiens Instinkt-Überlegenheit stellen: wie dies ehemals die Griechen gethan haben, diese besten Erben und Schüler Asiens, welche, wie bekannt, von Homer bis zu den Zeiten des Perikles, mit z u n e h m e n d e r Cultur und Umfänglichkeit an Kraft, Schritt für Schritt auch s t r e n g e r gegen das Weib, kurz orientalischer geworden sind. W i e nothwendig, w i e logisch, w i e selbst menschlich-wünschbar dies war: möge man darüber bei sich nachdenken!

239.

Das schwache Geschlecht ist in keinem Zeitalter mit solcher Achtung von Seiten der Männer behandelt worden als in unserm Zeitalter – das gehört zum demokratischen Hang und Grundgeschmack, ebenso wie die Unehrerbietigkeit vor dem Alter –: [176] was Wunder, dass sofort wieder mit dieser Achtung Missbrauch getrieben wird? Man will mehr, man lernt fordern, man findet zuletzt jenen Achtungszoll beinahe schon kränkend, man würde den Wettbewerb um Rechte, ja ganz eigentlich den Kampf vorziehn: genug, das Weib verliert an Scham. Setzen wir sofort hinzu, dass es auch an Geschmack verliert. Es verlernt den Mann zu f ü r c h t e n : aber das Weib, das »das Fürchten verlernt«, giebt seine weiblichsten Instinkte preis. Dass das Weib sich hervor wagt, wenn das Furcht-Einflössende am Manne, sagen wir bestimmter, wenn der M a n n im Manne nicht mehr gewollt und grossgezüchtet wird, ist billig genug, auch begreiflich genug; was sich schwerer begreift, ist, dass ebendamit – das Weib entartet. Dies geschieht heute: täuschen wir uns nicht darüber! Wo nur der industrielle Geist über den militärischen und aristokratischen Geist gesiegt hat, strebt jetzt das Weib nach der wirthschaftlichen und rechtlichen Selbständigkeit

eines Commis: »das Weib als Commis« steht an der Pforte
der sich bildenden modernen Gesellschaft. Indem es sich dergestalt neuer Rechte bemächtigt, »Herr« zu werden trachtet
und den »Fortschritt« des Weibes auf seine Fahnen und Fähn-
chen schreibt, vollzieht sich mit schrecklicher Deutlichkeit
das Umgekehrte: d a s W e i b g e h t z u r ü c k. Seit der französischen Revolution ist in Europa der Einfluss des Weibes in
dem Maasse g e r i n g e r geworden, als es an Rechten und
Ansprüchen zugenommen hat; und die »Emancipation des
Weibes«, insofern sie von den Frauen selbst (und nicht nur
von männlichen Flachköpfen) verlangt und gefördert wird,
ergiebt sich dergestalt als ein merkwürdiges Symptom von
der zunehmenden Schwächung und Abstumpfung der aller-
weiblichsten Instinkte. Es ist D u m m h e i t in dieser Bewegung, eine beinahe maskulinische Dummheit, deren sich ein
wohlgerathenes Weib – das immer ein kluges Weib ist – von
Grund aus zu schämen hätte. Die Witterung dafür verlieren,
auf welchem Boden man am sichersten zum Siege kommt; die
Übung in seiner eigentlichen Waffenkunst vernachlässigen;
sich [177] vor dem Manne gehen lassen, vielleicht sogar »bis
zum Buche«, wo man sich früher in Zucht und feine listige
Demuth nahm; dem Glauben des Mannes an ein im Weibe
v e r h ü l l t e s grundverschiedenes Ideal, an irgend ein Ewig-
und Nothwendig-Weibliches mit tugendhafter Dreistigkeit
entgegenarbeiten; dem Manne es nachdrücklich und ge-
schwätzig ausreden, dass das Weib gleich einem zarteren,
wunderlich wilden und oft angenehmen Hausthiere erhalten,
versorgt, geschützt, geschont werden müsse; das täppische
und entrüstete Zusammensuchen all des Sklavenhaften und
Leibeigenen, das die Stellung des Weibes in der bisherigen
Ordnung der Gesellschaft an sich gehabt hat und noch hat (als
ob Sklaverei ein Gegenargument und nicht vielmehr eine
Bedingung jeder höheren Cultur, jeder Erhöhung der Cultur
sei): – was bedeutet dies Alles, wenn nicht eine Anbröckelung
der weiblichen Instinkte, eine Entweiblichung? Freilich, es
giebt genug blödsinnige Frauen-Freunde und Weibs-Verder-

ber unter den gelehrten Eseln männlichen Geschlechts, die
dem Weibe anrathen, sich dergestalt zu entweiblichen und
alle die Dummheiten nachzumachen, an denen der »Mann« in
Europa, die europäische »Mannhaftigkeit« krankt, – welche
das Weib bis zur »allgemeinen Bildung«, wohl gar zum Zei-
tungslesen und Politisiren herunterbringen möchten. Man
will hier und da selbst Freigeister und Litteraten aus den
Frauen machen: als ob ein Weib ohne Frömmigkeit für einen
tiefen und gottlosen Mann nicht etwas vollkommen Widriges
oder Lächerliches wäre –; man verdirbt fast überall ihre Nerven mit der krankhaftesten und gefährlichsten aller Arten
Musik (unsrer deutschen neuesten Musik) und macht sie täglich hysterischer und zu ihrem ersten und letzten Berufe,
kräftige Kinder zu gebären, unbefähigter. Man will sie überhaupt noch mehr »cultiviren« und, wie man sagt, das »schwache Geschlecht« durch Cultur s t a r k machen: als ob nicht
die Geschichte so eindringlich wie möglich lehrte, dass »Cul-
tivirung« des Menschen und Schwächung – nämlich Schwächung, Zersplitterung, [178] Ankränkelung der W i l l e n s -
k r a f t, immer mit einander Schritt gegangen sind, und dass
die mächtigsten und einflussreichsten Frauen der Welt
(zuletzt noch die Mutter Napoleon's) gerade ihrer Willenskraft – und nicht den Schulmeistern! – ihre Macht und ihr
Übergewicht über die Männer verdankten. Das, was am
Weibe Respekt und oft genug Furcht einflösst, ist seine
N a t u r, die »natürlicher« ist als die des Mannes, seine ächte
raubthierhafte listige Geschmeidigkeit, seine Tigerkralle
unter dem Handschuh, seine Naivetät im Egoismus, seine
Unerziehbarkeit und innerliche Wildheit, das Unfassliche,
Weite, Schweifende seiner Begierden und Tugenden . . . . . .
Was, bei aller Furcht, für diese gefährliche und schöne Katze
»Weib« Mitleiden macht, ist, dass es leidender, verletz-
barer, liebebedürftiger und zur Enttäuschung verurtheilter
erscheint als irgend ein Thier. Furcht und Mitleiden: mit diesen Gefühlen stand bisher der Mann vor dem Weibe, immer
mit einem Fusse schon in der Tragödie, welche zerreisst,

indem sie entzückt –. Wie? Und damit soll es nun zu Ende sein? Und die E n t z a u b e r u n g des Weibes ist im Werke? Die Verlangweiligung des Weibes kommt langsam herauf? Oh Europa! Europa! Man kennt das Thier mit Hörnern, welches für dich immer am anziehendsten war, von dem dir immer wieder Gefahr droht! Deine alte Fabel könnte noch einmal zur »Geschichte« werden, – noch einmal könnte eine ungeheure Dummheit über dich Herr werden und dich davon tragen! Und unter ihr kein Gott versteckt, nein! nur eine »Idee«, eine »moderne Idee«! . . . . .

Achtes Hauptstück:
     Völker und Vaterländer.

240.

Ich hörte, wieder einmal zum ersten Male – Richard Wagner's Ouverture zu den M e i s t e r s i n g e r n : das ist eine prachtvolle, überladene, schwere und späte Kunst, welche den Stolz hat, zu ihrem Verständniss zwei Jahrhunderte Musik als noch lebendig vorauszusetzen: – es ehrt die Deutschen, dass sich ein solcher Stolz nicht verrechnete! Was für Säfte und Kräfte, was für Jahreszeiten und Himmelsstriche sind hier nicht gemischt! Das muthet uns bald alterthümlich, bald fremd, herb und überjung an, das ist ebenso willkürlich als pomphaft-herkömmlich, das ist nicht selten schelmisch, noch öfter derb und grob, – das hat Feuer und Muth und zugleich die schlaffe falbe Haut von Früchten, welche zu spät reif werden. Das strömt breit und voll: und plötzlich ein Augenblick unerklärlichen Zögerns, gleichsam eine Lücke, die zwischen Ursache und Wirkung aufspringt, ein Druck, der uns träumen macht, beinahe ein Alpdruck –, aber schon breitet und weitet sich wieder der alte Strom von Behagen aus, von vielfältigstem Behagen, von altem und neuem Glück, s e h r eingerechnet das Glück des Künstlers an sich selber, dessen er nicht Hehl haben will, sein erstauntes glückliches Mitwissen um die Meisterschaft seiner hier verwendeten Mittel, neuer neuerworbener unausgeprobter Kunstmittel, wie er uns zu verrathen scheint. Alles in Allem keine Schönheit, kein Süden, Nichts von südlicher feiner Helligkeit des Himmels, [180] Nichts von Grazie, kein Tanz, kaum ein Wille zur Logik; eine gewisse Plumpheit sogar, die noch unterstrichen wird, wie als ob der Künstler uns sagen wollte: »sie gehört zu meiner Absicht«; eine schwerfällige Gewandung, etwas Willkürlich-Barbarisches und Feierliches, ein Geflirr von gelehrten und ehrwürdigen Kostbarkeiten und Spitzen; etwas Deutsches, im besten und schlimmsten Sinn des Wortes,

etwas auf deutsche Art Vielfaches, Unförmliches und Unaus-
schöpfliches; eine gewisse deutsche Mächtigkeit und Überfülle der Seele, welche keine Furcht hat, sich unter die Raffi-
nements des Verfalls zu verstecken, – die sich dort vielleicht
erst am wohlsten fühlt; ein rechtes ächtes Wahrzeichen der
deutschen Seele, die zugleich jung und veraltet, übermürbe
und überreich noch an Zukunft ist. Diese Art Musik drückt
am besten aus, was ich von den Deutschen halte: sie sind von
Vorgestern und von Übermorgen, – sie haben noch
kein Heute.

241.

Wir »guten Europäer«: auch wir haben Stunden, wo wir uns
eine herzhafte Vaterländerei, einen Plumps und Rückfall in
alte Lieben und Engen gestatten – ich gab eben eine Probe
davon –, Stunden nationaler Wallungen, patriotischer
Beklemmungen und allerhand anderer alterthümlicher
Gefühls-Überschwemmungen. Schwerfälligere Geister, als
wir sind, mögen mit dem, was sich bei uns auf Stunden
beschränkt und in Stunden zu Ende spielt, erst in längeren
Zeiträumen fertig werden, in halben Jahren die Einen, in halben Menschenleben die Anderen, je nach der Schnelligkeit
und Kraft, mit der sie verdauen und ihre »Stoffe wechseln«.
Ja, ich könnte mir dumpfe zögernde Rassen denken, welche
auch in unserm geschwinden Europa halbe Jahrhunderte
nöthig hätten, um solche atavistische Anfälle von Vaterländerei und Schollenkleberei zu überwinden und wieder zur Vernunft, will sagen zum »guten Europäerthum« zurück[181]zu-
kehren. Und indem ich über diese Möglichkeit ausschweife,
begegnet mir's, dass ich Ohrenzeuge eines Gesprächs von
zwei alten »Patrioten« werde, – sie hörten beide offenbar
schlecht und sprachen darum um so lauter. »D e r hält und
weiss von Philosophie so viel als ein Bauer oder Corpsstudent
– sagte der Eine –: der ist noch unschuldig. Aber was liegt
heute daran! Es ist das Zeitalter der Massen: die liegen vor
allem Massenhaften auf dem Bauche. Und so auch in politicis.

Ein Staatsmann, der ihnen einen neuen Thurm von Babel, irgend ein Ungeheuer von Reich und Macht aufthürmt, heisst ihnen »gross«: – was liegt daran, dass wir Vorsichtigeren und Zurückhaltenderen einstweilen noch nicht vom alten Glauben lassen, es sei allein der grosse Gedanke, der einer That und Sache Grösse giebt. Gesetzt, ein Staatsmann brächte sein Volk in die Lage, fürderhin »grosse Politik« treiben zu müssen, für welche es von Natur schlecht angelegt und vorbereitet ist: so dass es nöthig hätte, einer neuen zweifelhaften Mittelmässigkeit zu Liebe seine alten und sicheren Tugenden zu opfern, – gesetzt, ein Staatsmann verurtheilte sein Volk zum »Politisiren« überhaupt, während dasselbe bisher Besseres zu thun und zu denken hatte und im Grunde seiner Seele einen vorsichtigen Ekel vor der Unruhe, Leere und lärmenden Zankteufelei der eigentlich politisirenden Völker nicht los wurde: – gesetzt, ein solcher Staatsmann stachle die eingeschlafnen Leidenschaften und Begehrlichkeiten seines Volkes auf, mache ihm aus seiner bisherigen Schüchternheit und Lust am Danebenstehn einen Flecken, aus seiner Ausländerei und heimlichen Unendlichkeit eine Verschuldung, entwerthe ihm seine herzlichsten Hänge, drehe sein Gewissen um, mache seinen Geist eng, seinen Geschmack »national«, – wie! ein Staatsmann, der dies Alles thäte, den sein Volk in alle Zukunft hinein, falls es Zukunft hat, abbüssen müsste, ein solcher Staatsmann wäre g r o s s ? « » Unzweifelhaft! antwortete ihm der andere alte Patriot heftig: sonst hätte er es nicht g e - k o n n t! Es war toll vielleicht, so etwas [182] zu wollen? Aber vielleicht war alles Grosse im Anfang nur toll!« – »Missbrauch der Worte! schrie sein Unterredner dagegen: – stark! stark! stark und toll! N i c h t gross!« – Die alten Männer hatten sich ersichtlich erhitzt, als sie sich dergestalt ihre »Wahrheiten« in's Gesicht schrieen; ich aber, in meinem Glück und Jenseits, erwog, wie bald über den Starken ein Stärkerer Herr werden wird; auch dass es für die geistige Verflachung eines Volkes eine Ausgleichung giebt, nämlich durch die Vertiefung eines anderen. –

242.

Nenne man es nun »Civilisation« oder »Vermenschlichung«
oder »Fortschritt«, worin jetzt die Auszeichnung der Europäer gesucht wird; nenne man es einfach, ohne zu loben und
zu tadeln, mit einer politischen Formel die demokratische Bewegung Europa's: hinter all den moralischen und
politischen Vordergründen, auf welche mit solchen Formeln
hingewiesen wird, vollzieht sich ein ungeheurer physiologischer Prozess, der immer mehr in Fluss geräth, – der
Prozess einer Anähnlichung der Europäer, ihre wachsende
Loslösung von den Bedingungen, unter denen klimatisch und
ständisch gebundene Rassen entstehen, ihre zunehmende
Unabhängigkeit von jedem bestimmten milieu, das Jahrhunderte lang sich mit gleichen Forderungen in Seele und
Leib einschreiben möchte, – also die langsame Heraufkunft
einer wesentlich übernationalen und nomadischen Art
Mensch, welche, physiologisch geredet, ein Maximum von
Anpassungskunst und -kraft als ihre typische Auszeichnung
besitzt. Dieser Prozess des werdenden Europäers,
welcher durch grosse Rückfälle im Tempo verzögert werden
kann, aber vielleicht gerade damit an Vehemenz und Tiefe
gewinnt und wächst – der jetzt noch wüthende Sturm und
Drang des »National-Gefühls« gehört hierher, insgleichen
der eben heraufkommende Anarchismus –: dieser Pro-
[183]zess läuft wahrscheinlich auf Resultate hinaus, auf welche seine naiven Beförderer und Lobredner, die Apostel der
»modernen Ideen«, am wenigsten rechnen möchten. Die selben neuen Bedingungen, unter denen im Durchschnitt eine
Ausgleichung und Vermittelmässigung des Menschen sich
herausbilden wird – ein nützliches arbeitsames, vielfach
brauchbares und anstelliges Heerdenthier Mensch –, sind im
höchsten Grade dazu angethan, Ausnahme-Menschen der
gefährlichsten und anziehendsten Qualität den Ursprung zu
geben. Während nämlich jene Anpassungskraft, welche
immer wechselnde Bedingungen durchprobirt und mit jedem
Geschlecht, fast mit jedem Jahrzehend, eine neue Arbeit

beginnt, die Mächtigkeit des Typus gar nicht möglich
macht; während der Gesammt-Eindruck solcher zukünftiger
Europäer wahrscheinlich der von vielfachen geschwätzigen
willensarmen und äusserst anstellbaren Arbeitern sein wird,
die des Herrn, des Befehlenden bedürfen wie des tägli-
chen Brodes; während also die Demokratisirung Europa's auf
die Erzeugung eines zur Sklaverei im feinsten Sinne vorbereiteten Typus hinausläuft: wird, im Einzel- und Ausnah-
mefall, der starke Mensch stärker und reicher gerathen
müssen, als er vielleicht jemals bisher gerathen ist, – Dank der
Vorurtheilslosigkeit seiner Schulung, Dank der ungeheuren
Vielfältigkeit von Übung, Kunst und Maske. Ich wollte
sagen: die Demokratisirung Europa's ist zugleich eine unfreiwillige Veranstaltung zur Züchtung von Tyrannen, – das
Wort in jedem Sinne verstanden, auch im geistigsten.

243.

Ich höre mit Vergnügen, dass unsre Sonne in rascher Bewegung gegen das Sternbild des Herkules hin begriffen ist:
und ich hoffe, dass der Mensch auf dieser Erde es darin der
Sonne gleich thut. Und wir voran, wir guten Europäer! –

[184]   244.

Es gab eine Zeit, wo man gewohnt war, die Deutschen mit
Auszeichnung »tief« zu nennen: jetzt, wo der erfolgreichste
Typus des neuen Deutschthums nach ganz andern Ehren
geizt und an Allem, was Tiefe hat, vielleicht die »Schneidigkeit« vermisst, ist der Zweifel beinahe zeitgemäss und patrio-
tisch, ob man sich ehemals mit jenem Lobe nicht betrogen
hat: genug, ob die deutsche Tiefe nicht im Grunde etwas
Anderes und Schlimmeres ist – und Etwas, das man, Gott sei
Dank, mit Erfolg loszuwerden im Begriff steht. Machen wir
also den Versuch, über die deutsche Tiefe umzulernen: man
hat Nichts dazu nöthig, als ein wenig Vivisektion der deutschen Seele. – Die deutsche Seele ist vor Allem vielfach, verschiedenen Ursprungs, mehr zusammen- und übereinander-

gesetzt, als wirklich gebaut: das liegt an ihrer Herkunft. Ein Deutscher, der sich erdreisten wollte, zu behaupten »zwei Seelen wohnen, ach! in meiner Brust« würde sich an der Wahrheit arg vergreifen, richtiger, hinter der Wahrheit um viele Seelen zurückbleiben. Als ein Volk der ungeheuerlichsten Mischung und Zusammenrührung von Rassen, vielleicht sogar mit einem Übergewicht des vor-arischen Elementes, als »Volk der Mitte« in jedem Verstande, sind die Deutschen unfassbarer, umfänglicher, widerspruchsvoller, unbekannter, unberechenbarer, überraschender, selbst erschrecklicher, als es andere Völker sich selber sind: – sie entschlüpfen der D e f i n i t i o n und sind damit schon die Verzweiflung der Franzosen. Es kennzeichnet die Deutschen, dass bei ihnen die Frage »was ist deutsch?« niemals ausstirbt. Kotzebue kannte seine Deutschen gewiss gut genug: »wir sind erkannt« jubelten sie ihm zu, – aber auch S a n d glaubte sie zu kennen. Jean Paul wusste, was er that, als er sich ergrimmt gegen Fichte's verlogne, aber patriotische Schmeicheleien und Übertreibungen erklärte, – aber es ist wahrscheinlich, dass Goethe anders über die Deutschen dachte, als Jean Paul, wenn er ihm auch in Betreff Fichtens Recht gab. Was Goethe eigentlich über die Deutschen gedacht hat? – Aber [185] er hat über viele Dinge um sich herum nie deutlich geredet und verstand sich zeitlebens auf das feine Schweigen: – wahrscheinlich hatte er gute Gründe dazu. Gewiss ist, dass es nicht »die Freiheitskriege« waren, die ihn freudiger aufblicken liessen, so wenig als die französische Revolution, – das Ereigniss, um dessentwillen er seinen Faust, ja das ganze Problem »Mensch« u m g e d a c h t hat, war das Erscheinen Napoleon's. Es giebt Worte Goethe's, in denen er, wie vom Auslande her, mit einer ungeduldigen Härte über Das abspricht, was die Deutschen sich zu ihrem Stolze rechnen: das berühmte deutsche Gemüth definirt er einmal als »Nachsicht mit fremden und eignen Schwächen«. Hat er damit Unrecht? – es kennzeichnet die Deutschen, dass man über sie selten völlig Unrecht hat. Die deutsche Seele hat Gänge und Zwi-

schengänge in sich, es giebt in ihr Höhlen, Verstecke, Burg-
verliesse; ihre Unordnung hat viel vom Reize des Geheimnissvollen; der Deutsche versteht sich auf die Schleichwege
zum Chaos. Und wie jeglich Ding sein Gleichniss liebt, so
liebt der Deutsche die Wolken und Alles, was unklar, wer-
dend, dämmernd, feucht und verhängt ist: das Ungewisse,
Unausgestaltete, Sich-Verschiebende, Wachsende jeder Art
fühlt er als »tief«. Der Deutsche selbst i s t nicht, er w i r d ,
er »entwickelt sich«. »Entwicklung« ist deshalb der eigentlich
deutsche Fund und Wurf im grossen Reich philosophischer
Formeln: – ein regierender Begriff, der, im Bunde mit deutschem Bier und deutscher Musik, daran arbeitet, ganz
Europa zu verdeutschen. Die Ausländer stehen erstaunt und
angezogen vor den Räthseln, die ihnen die Widerspruchs-
Natur im Grunde der deutschen Seele aufgiebt (welche Hegel
in System gebracht, Richard Wagner zuletzt noch in Musik
gesetzt hat). »Gutmüthig und tückisch« – ein solches Nebeneinander, widersinnig in Bezug auf jedes andre Volk, rechtfertigt sich leider zu oft in Deutschland: man lebe nur eine
Zeit lang unter Schwaben! Die Schwerfälligkeit des deutschen
Gelehrten, seine gesellschaftliche Abgeschmacktheit verträgt
sich zum Erschrecken gut mit einer [186] innewendigen Seil-
tänzerei und leichten Kühnheit, vor der bereits alle Götter
das Fürchten gelernt haben. Will man die »deutsche Seele«
ad oculos demonstrirt, so sehe man nur in den deutschen Geschmack, in deutsche Künste und Sitten hinein: welche bäurische Gleichgültigkeit gegen »Geschmack«! Wie steht da das
Edelste und Gemeinste neben einander! Wie unordentlich
und reich ist dieser ganze Seelen-Haushalt! Der Deutsche
s c h l e p p t an seiner Seele; er schleppt an Allem, was er
erlebt. Er verdaut seine Ereignisse schlecht, er wird nie damit
»fertig«; die deutsche Tiefe ist oft nur eine schwere zögernde
»Verdauung«. Und wie alle Gewohnheits-Kranken, alle
Dyspeptiker den Hang zum Bequemen haben, so liebt der
Deutsche die »Offenheit« und »Biederkeit«: wie b e q u e m
ist es, offen und bieder zu sein! – Es ist heute vielleicht die

gefährlichste und glücklichste Verkleidung, auf die sich der Deutsche versteht, dies Zutrauliche, Entgegenkommende, die-Karten-Aufdeckende der deutschen R e d l i c h k e i t : sie ist seine eigentliche Mephistopheles-Kunst, mit ihr kann er es »noch weit bringen«! Der Deutsche lässt sich gehen, blickt dazu mit treuen blauen leeren deutschen Augen – und sofort verwechselt das Ausland ihn mit seinem Schlafrocke! – Ich wollte sagen: mag die »deutsche Tiefe« sein, was sie will, – ganz unter uns erlauben wir uns vielleicht über sie zu lachen? – wir thun gut, ihren Anschein und guten Namen auch fürderhin in Ehren zu halten und unsern alten Ruf, als Volk der Tiefe, nicht zu billig gegen preussische »Schneidigkeit« und Berliner Witz und Sand zu veräussern. Es ist für ein Volk klug, sich für tief, für ungeschickt, für gutmüthig, für redlich, für unklug gelten zu machen, gelten zu l a s s e n : es könnte sogar – tief sein! Zuletzt: man soll seinem Namen Ehre machen, – man heisst nicht umsonst das »tiusche« Volk, das Täusche-Volk . . .

[187]   245.
Die »gute alte« Zeit ist dahin, in Mozart hat sie sich ausgesungen: – wie glücklich w i r , dass zu uns sein Rokoko noch redet, dass seine »gute Gesellschaft«, sein zärtliches Schwärmen, seine Kinderlust am Chinesischen und Geschnörkelten, seine Höflichkeit des Herzens, sein Verlangen nach Zierlichem, Verliebtem, Tanzendem, Thränenseligem, sein Glaube an den Süden noch an irgend einen R e s t in uns appelliren darf! Ach, irgend wann wird es einmal damit vorbei sein! – aber wer darf zweifeln, dass es noch früher mit dem Verstehen und Schmecken Beethoven's vorbei sein wird! – der ja nur der Ausklang eines Stil-Übergangs und Stil-Bruchs war und n i c h t , wie Mozart, der Ausklang eines grossen Jahrhunderte langen europäischen Geschmacks. Beethoven ist das Zwischen-Begebniss einer alten mürben Seele, die beständig zerbricht, und einer zukünftigen überjungen Seele, welche beständig k o m m t ; auf seiner Musik liegt jenes

Zwielicht von ewigem Verlieren und ewigem ausschweifen-
dem Hoffen, – das selbe Licht, in welchem Europa gebadet
lag, als es mit Rousseau geträumt, als es um den Freiheits-
baum der Revolution getanzt und endlich vor Napoleon beinahe angebetet hatte. Aber wie schnell verbleicht jetzt gerade
d i e s Gefühl, wie schwer ist heute schon das W i s s e n um
dies Gefühl, – wie fremd klingt die Sprache jener Rousseau,
Schiller, Shelley, Byron an unser Ohr, in denen z u s a m m -
m e n das selbe Schicksal Europa's den Weg zum Wort gefunden hat, das in Beethoven zu singen wusste! – Was von deutscher Musik nachher gekommen ist, gehört in die Romantik,
das heisst in eine, historisch gerechnet, noch kürzere, noch
flüchtigere, noch oberflächlichere Bewegung, als es jener
grosse Zwischenakt, jener Übergang Europa's von Rousseau
zu Napoleon und zur Heraufkunft der Demokratie war.
Weber: aber was ist u n s heute Freischütz und Oberon!
Oder Marschner's Hans Heiling und Vampyr! Oder selbst
noch Wagner's Tannhäuser! Das ist verklungene, wenn auch
noch nicht vergessene Musik. Diese [188] ganze Musik der
Romantik war überdies nicht vornehm genug, nicht Musik
genug, um auch anderswo Recht zu behalten, als im Theater
und vor der Menge; sie war von vornherein Musik zweiten
Ranges, die unter wirklichen Musikern wenig in Betracht
kam. Anders stand es mit Felix Mendelssohn, jenem halkyonischen Meister, der um seiner leichteren reineren beglückte-
ren Seele willen schnell verehrt und ebenso schnell vergessen
wurde: als der schöne Z w i s c h e n f a l l der deutschen
Musik. Was aber Robert Schumann angeht, der es schwer
nahm und von Anfang an auch schwer genommen worden ist
– es ist der Letzte, der eine Schule gegründet hat –: gilt es
heute unter uns nicht als ein Glück, als ein Aufathmen, als
eine Befreiung, dass gerade diese Schumann'sche Romantik
überwunden ist? Schumann, in die »sächsische Schweiz« seiner Seele flüchtend, halb Wertherisch, halb Jean-Paulisch
geartet, gewiss nicht Beethovenisch! gewiss nicht Byronisch!
– seine Manfred-Musik ist ein Missgriff und Missverständniss

bis zum Unrechte –, Schumann mit seinem Geschmack, der
im Grunde ein k l e i n e r Geschmack war, (nämlich ein gefährlicher, unter Deutschen doppelt gefährlicher Hang zur
stillen Lyrik und Trunkenboldigkeit des Gefühls), beständig
bei Seite gehend, sich scheu verziehend und zurückziehend,
ein edler Zärtling, der in lauter anonymem Glück und Weh
schwelgte, eine Art Mädchen und noli me tangere von Anbeginn: dieser Schumann war bereits nur noch ein d e u t s c h e s
Ereigniss in der Musik, kein europäisches mehr, wie Beethoven es war, wie, in noch umfänglicherem Maasse, Mozart es
gewesen ist, – mit ihm drohte der deutschen Musik ihre grösste Gefahr, d i e S t i m m e f ü r d i e S e e l e E u r o p a's zu
verlieren und zu einer blossen Vaterländerei herabzusinken. –

[189]   246.
– Welche Marter sind deutsch geschriebene Bücher für Den,
der das d r i t t e Ohr hat! Wie unwillig steht er neben dem
langsam sich drehenden Sumpfe von Klängen ohne Klang,
von Rhythmen ohne Tanz, welcher bei Deutschen ein
»Buch« genannt wird! Und gar der Deutsche, der Bücher
l i e s t! Wie faul, wie widerwillig, wie schlecht liest er! Wie
viele Deutsche wissen es und fordern es von sich zu wissen,
dass K u n s t in jedem guten Satze steckt, – Kunst, die errathen sein will, sofern der Satz verstanden sein will! Ein Missverständniss über sein Tempo zum Beispiel: und der Satz
selbst ist missverstanden! Dass man über die rhythmisch entscheidenden Silben nicht im Zweifel sein darf, dass man die
Brechung der allzustrengen Symmetrie als gewollt und als
Reiz fühlt, dass man jedem staccato, jedem rubato ein feines
geduldiges Ohr hinhält, dass man den Sinn in der Folge der
Vocale und Diphthongen räth, und wie zart und reich sie in
ihrem Hintereinander sich färben und umfärben können: wer
unter bücherlesenden Deutschen ist gutwillig genug, solcher-
gestalt Pflichten und Forderungen anzuerkennen und auf so
viel Kunst und Absicht in der Sprache hinzuhorchen? Man
hat zuletzt eben »das Ohr nicht dafür«: und so werden die

stärksten Gegensätze des Stils nicht gehört, und die feinste
Künstlerschaft ist wie vor Tauben v e r s c h w e n d e t. – Dies
waren meine Gedanken, als ich merkte, wie man plump und
ahnungslos zwei Meister in der Kunst der Prosa mit einander
verwechselte, Einen, dem die Worte zögernd und kalt herab-
tropfen, wie von der Decke einer feuchten Höhle – er rechnet
auf ihren dumpfen Klang und Wiederklang – und einen
Anderen, der seine Sprache wie einen biegsamen Degen
handhabt und vom Arme bis zur Zehe hinab das gefährliche
Glück der zitternden überscharfen Klinge fühlt, welche beissen, zischen, schneiden will. –

[190]   247.

Wie wenig der deutsche Stil mit dem Klange und mit den
Ohren zu thun hat, zeigt die Thatsache, dass gerade unsre
guten Musiker schlecht schreiben. Der Deutsche liest nicht
laut, nicht für's Ohr, sondern bloss mit den Augen: er hat
seine Ohren dabei in's Schubfach gelegt. Der antike Mensch
las, wenn er las – es geschah selten genug – sich selbst etwas
vor, und zwar mit lauter Stimme; man wunderte sich, wenn
Jemand leise las und fragte sich insgeheim nach Gründen. Mit
lauter Stimme: das will sagen, mit all den Schwellungen, Bie-
gungen, Umschlägen des Tons und Wechseln des Tempo's,
an denen die antike ö f f e n t l i c h e Welt ihre Freude hatte.
Damals waren die Gesetze des Schrift-Stils die selben, wie die
des Rede-Stils; und dessen Gesetze hiengen zum Theil von
der erstaunlichen Ausbildung, den raffinirten Bedürfnissen
des Ohrs und Kehlkopfs ab, zum andern Theil von der
Stärke, Dauer und Macht der antiken Lunge. Eine Periode
ist, im Sinne der Alten, vor Allem ein physiologisches Ganzes, insofern sie von Einem Athem zusammengefasst wird.
Solche Perioden, wie sie bei Demosthenes, bei Cicero vorkommen, zwei Mal schwellend und zwei Mal absinkend und
Alles innerhalb Eines Athemzugs: das sind Genüsse für
a n t i k e Menschen, welche die Tugend daran, das Seltene
und Schwierige im Vortrag einer solchen Periode, aus ihrer

eignen Schulung zu schätzen wussten: – w i r haben eigentlich kein Recht auf die g r o s s e Periode, wir Modernen, wir Kurzathmigen in jedem Sinne! Diese Alten waren ja insgesammt in der Rede selbst Dilettanten, folglich Kenner, folglich Kritiker, – damit trieben sie ihre Redner zum Äussersten; in gleicher Weise, wie im vorigen Jahrhundert, als alle Italiäner und Italiänerinnen zu singen verstanden, bei ihnen das Gesangs-Virtuosenthum (und damit auch die Kunst der Melodik –) auf die Höhe kam. In Deutschland aber gab es (bis auf die jüngste Zeit, wo eine Art Tribünen-Beredtsamkeit schüchtern und plump genug ihre jungen Schwingen regt) eigentlich nur Eine Gattung [191] öffentlicher und u n g e - f ä h r kunstmässiger Rede: das ist die von der Kanzel herab. Der Prediger allein wusste in Deutschland, was eine Silbe, was ein Wort wiegt, inwiefern ein Satz schlägt, springt, stürzt, läuft, ausläuft, er allein hatte Gewissen in seinen Ohren, oft genug ein böses Gewissen: denn es fehlt nicht an Gründen dafür, dass gerade von einem Deutschen Tüchtigkeit in der Rede selten, fast immer zu spät erreicht wird. Das Meisterstück der deutschen Prosa ist deshalb billigerweise das Meisterstück ihres grössten Predigers: die B i b e l war bisher das beste deutsche Buch. Gegen Luther's Bibel gehalten ist fast alles Übrige nur »Litteratur« – ein Ding, das nicht in Deutschland gewachsen ist und darum auch nicht in deutsche Herzen hinein wuchs und wächst: wie es die Bibel gethan hat.

248.

Es giebt zwei Arten des Genie's: eins, welches vor allem zeugt und zeugen will, und ein andres, welches sich gern befruchten lässt und gebiert. Und ebenso giebt es unter den genialen Völkern solche, denen das Weibsproblem der Schwangerschaft und die geheime Aufgabe des Gestaltens, Ausreifens, Vollendens zugefallen ist – die Griechen zum Beispiel waren ein Volk dieser Art, insgleichen die Franzosen –; und andre, welche befruchten müssen und die Ursache neuer Ordnungen des Lebens werden, – gleich den Juden, den Römern und,

in aller Bescheidenheit gefragt, den Deutschen? – Völker
gequält und entzückt von unbekannten Fiebern und unwi-
derstehlich aus sich herausgedrängt, verliebt und lüstern nach
fremden Rassen (nach solchen, welche sich »befruchten lassen« –) und dabei herrschsüchtig wie Alles, was sich voller
Zeugekräfte und folglich »von Gottes Gnaden« weiss. Diese
zwei Arten des Genie's suchen sich, wie Mann und Weib;
aber sie missverstehen auch einander, – wie Mann und Weib.

[192]   249.

Jedes Volk hat seine eigne Tartüfferie, und heisst sie seine
Tugenden. – Das Beste, was man ist, kennt man nicht, – kann
man nicht kennen.

250.

Was Europa den Juden verdankt? – Vielerlei, Gutes und
Schlimmes, und vor allem Eins, das vom Besten und
Schlimmsten zugleich ist: den grossen Stil in der Moral, die
Furchtbarkeit und Majestät unendlicher Forderungen, un-
endlicher Bedeutungen, die ganze Romantik und Erhaben-
heit der moralischen Fragwürdigkeiten – und folglich gerade
den anziehendsten, verfänglichsten und ausgesuchtesten
Theil jener Farbenspiele und Verführungen zum Leben, in
deren Nachschimmer heute der Himmel unsrer europäischen
Cultur, ihr Abend-Himmel, glüht, – vielleicht verglüht. Wir
Artisten unter den Zuschauern und Philosophen sind dafür
den Juden – dankbar.

251.

Man muss es in den Kauf nehmen, wenn einem Volke, das am
nationalen Nervenfieber und politischen Ehrgeize leidet, leiden w i l l –, mancherlei Wolken und Störungen über den
Geist ziehn, kurz, kleine Anfälle von Verdummung: zum
Beispiel bei den Deutschen von Heute bald die antifranzösi-
sche Dummheit, bald die antijüdische, bald die antipolnische,
bald die christlich-romantische, bald die Wagnerianische,

bald die teutonische, bald die preussische (man sehe sich doch diese armen Historiker, diese Sybel und Treitzschke und ihre dick verbundenen Köpfe an –), und wie sie Alle heissen mögen, diese kleinen Benebelungen des deutschen Geistes und Gewissens. Möge man mir verzeihn, dass auch ich, bei einem kurzen gewagten Aufenthalt auf sehr inficirtem Gebiete, nicht völlig von der [193] Krankheit verschont blieb und mir, wie alle Welt, bereits Gedanken über Dinge zu machen anfieng, die mich nichts angehn: erstes Zeichen der politischen Infektion. Zum Beispiel über die Juden: man höre. – Ich bin noch keinem Deutschen begegnet, der den Juden gewogen gewesen wäre; und so unbedingt auch die Ablehnung der eigentlichen Antisemiterei von Seiten aller Vorsichtigen und Politischen sein mag, so richtet sich doch auch diese Vorsicht und Politik nicht etwa gegen die Gattung des Gefühls selber, sondern nur gegen seine gefährliche Unmässigkeit, insbesondere gegen den abgeschmackten und schandbaren Ausdruck dieses unmässigen Gefühls, – darüber darf man sich nicht täuschen. Dass Deutschland reichlich g e n u g Juden hat, dass der deutsche Magen, das deutsche Blut Noth hat (und noch auf lange Noth haben wird), um auch nur mit diesem Quantum »Jude« fertig zu werden – so wie der Italiäner, der Franzose, der Engländer fertig geworden sind, in Folge einer kräftigeren Verdauung –: das ist die deutliche Aussage und Sprache eines allgemeinen Instinktes, auf welchen man hören, nach welchem man handeln muss. »Keine neuen Juden mehr hinein lassen! Und namentlich nach dem Osten (auch nach Östreich) zu die Thore zusperren!« also gebietet der Instinkt eines Volkes, dessen Art noch schwach und unbestimmt ist, so dass sie leicht verwischt, leicht durch eine stärkere Rasse ausgelöscht werden könnte. Die Juden sind aber ohne allen Zweifel die stärkste, zäheste und reinste Rasse, die jetzt in Europa lebt; sie verstehen es, selbst noch unter den schlimmsten Bedingungen sich durchzusetzen (besser sogar, als unter günstigen), vermöge irgend welcher Tugenden, die man heute gern zu Lastern stempeln

möchte, – Dank, vor Allem, einem resoluten Glauben, der
sich vor den »modernen Ideen« nicht zu schämen braucht; sie
verändern sich, w e n n sie sich verändern, immer nur so, wie
das russische Reich seine Eroberungen macht, – als ein Reich,
das Zeit hat und nicht von Gestern ist –: nämlich nach dem
Grundsatze »so langsam als möglich!« Ein Denker, der die
Zukunft Europa's [194] auf seinem Gewissen hat, wird, bei
allen Entwürfen, welche er bei sich über diese Zukunft
macht, mit den Juden rechnen wie mit den Russen, als den
zunächst sichersten und wahrscheinlichsten Faktoren im
grossen Spiel und Kampf der Kräfte. Das, was heute in
Europa »Nation« genannt wird und eigentlich mehr eine res
facta als nata ist (ja mitunter einer res ficta et picta zum Verwechseln ähnlich sieht –), ist in jedem Falle etwas Werdendes, Junges, Leicht-Verschiebbares, noch keine Rasse, geschweige denn ein solches aere perennius, wie es die Juden-
Art ist: diese »Nationen« sollten sich doch vor jeder hitzköpfi-
gen Concurrenz und Feindseligkeit sorgfältig in Acht nehmen! Dass die Juden, wenn sie wollten – oder, wenn man sie
dazu zwänge, wie es die Antisemiten zu wollen scheinen –,
jetzt schon das Übergewicht, ja ganz wörtlich die Herrschaft
über Europa haben k ö n n t e n, steht fest; dass sie n i c h t
darauf hin arbeiten und Pläne machen, ebenfalls. Einstweilen
wollen und wünschen sie vielmehr, sogar mit einiger Zudringlichkeit, in Europa, von Europa ein- und aufgesaugt zu
werden, sie dürsten darnach, endlich irgendwo fest, erlaubt,
geachtet zu sein und dem Nomadenleben, dem »ewigen
Juden« ein Ziel zu setzen –; und man sollte diesen Zug und
Drang (der vielleicht selbst schon eine Milderung der jüdischen Instinkte ausdrückt) wohl beachten und ihm entgegenkommen: wozu es vielleicht nützlich und billig wäre, die
antisemitischen Schreihälse des Landes zu verweisen. Mit
aller Vorsicht entgegenkommen, mit Auswahl; ungefähr so
wie der englische Adel es thut. Es liegt auf der Hand, dass am
unbedenklichsten noch sich die stärkeren und bereits fester
geprägten Typen des neuen Deutschthums mit ihnen einlas-

sen könnten, zum Beispiel der adelige Offizier aus der Mark:
es wäre von vielfachem Interesse, zu sehen, ob sich nicht
zu der erblichen Kunst des Befehlens und Gehorchens – in
Beidem ist das bezeichnete Land heute klassisch – das Genie
des Geldes und der Geduld (und vor allem etwas Geist und
Geistigkeit, woran es reichlich an der bezeichneten Stelle
[195] fehlt –) hinzuthun, hinzuzüchten liesse. Doch hier ziemt
es sich, meine heitere Deutschthümelei und Festrede abzu-
brechen: denn ich rühre bereits an meinen E r n s t, an das
»europäische Problem«, wie ich es verstehe, an die Züchtung
einer neuen über Europa regierenden Kaste. –

252.

Das ist keine philosophische Rasse – diese Engländer: Bacon
bedeutet einen A n g r i f f auf den philosophischen Geist
überhaupt, Hobbes, Hume und Locke eine Erniedrigung
und Werth-Minderung des Begriffs »Philosoph« für mehr als
ein Jahrhundert. G e g e n Hume erhob und hob sich Kant;
Locke war es, von dem Schelling sagen d u r f t e : »je méprise
Locke«; im Kampfe mit der englisch-mechanistischen Welt-
Vertölpelung waren Hegel und Schopenhauer (mit Goethe)
einmüthig, jene beiden feindlichen Brüder-Genies in der Philosophie, welche nach den entgegengesetzten Polen des deutschen Geistes auseinander strebten und sich dabei Unrecht
thaten, wie sich eben nur Brüder Unrecht thun. – Woran es in
England fehlt und immer gefehlt hat, das wusste jener Halb-
Schauspieler und Rhetor gut genug, der abgeschmackte Wirr-
kopf Carlyle, welcher es unter leidenschaftlichen Fratzen zu
verbergen suchte, was er von sich selbst wusste: nämlich
woran es in Carlyle f e h l t e – an eigentlicher M a c h t der
Geistigkeit, an eigentlicher T i e f e des geistigen Blicks, kurz,
an Philosophie. – Es kennzeichnet eine solche unphiloso-
phische Rasse, dass sie streng zum Christenthume hält:
sie b r a u c h t seine Zucht zur »Moralisirung« und Veran-
menschlichung. Der Engländer, düsterer, sinnlicher, willens-
stärker und brutaler als der Deutsche – ist eben deshalb, als

der Gemeinere von Beiden, auch frömmer als der Deutsche: er hat das Christenthum eben noch n ö t h i g e r. Für feinere Nüstern hat selbst dieses englische Christenthum noch einen ächt englischen Nebengeruch von Spleen und [196] alkoholischer Ausschweifung, gegen welche es aus guten Gründen als Heilmittel gebraucht wird, – das feinere Gift nämlich gegen das gröbere: eine feinere Vergiftung ist in der That bei plumpen Völkern schon ein Fortschritt, eine Stufe zur Vergeistigung. Die englische Plumpheit und Bauern-Ernsthaftigkeit wird durch die christliche Gebärdensprache und durch Beten und Psalmensingen noch am erträglichsten verkleidet, richtiger: ausgelegt und umgedeutet; und für jenes Vieh von Trunkenbolden und Ausschweifenden, welches ehemals unter der Gewalt des Methodismus und neuerdings wieder als »Heilsarmee« moralisch grunzen lernt, mag wirklich ein Busskrampf die verhältnissmässig höchste Leistung von »Humanität« sein, zu der es gesteigert werden kann: so viel darf man billig zugestehn. Was aber auch noch am humansten Engländer beleidigt, das ist sein Mangel an Musik, im Gleichniss (und ohne Gleichniss –) zu reden: er hat in den Bewegungen seiner Seele und seines Leibes keinen Takt und Tanz, ja noch nicht einmal die Begierde nach Takt und Tanz, nach »Musik«. Man höre ihn sprechen; man sehe die schönsten Engländerinnen g e h n – es giebt in keinem Lande der Erde schönere Tauben und Schwäne, – endlich: man höre sie singen! Aber ich verlange zu viel . . . . .

253.

Es giebt Wahrheiten, die am besten von mittelmässigen Köpfen erkannt werden, weil sie ihnen am gemässesten sind, es giebt Wahrheiten, die nur für mittelmässige Geister Reize und Verführungskräfte besitzen: – auf diesen vielleicht unangenehmen Satz wird man gerade jetzt hingestossen, seitdem der Geist achtbarer, aber mittelmässiger Engländer – ich nenne Darwin, John Stuart Mill und Herbert Spencer – in der mittleren Region des europäischen Geschmacks zum Über-

gewicht zu gelangen anhebt. In der That, wer möchte die
Nützlichkeit davon anzweifeln, dass zeitweilig s o l c h e Geister herrschen? Es [197] wäre ein Irrthum, gerade die hochgearteten und abseits fliegenden Geister für besonders geschickt
zu halten, viele kleine gemeine Thatsachen festzustellen, zu
sammeln und in Schlüsse zu drängen: – sie sind vielmehr, als
Ausnahmen, von vornherein in keiner günstigen Stellung zu
den »Regeln«. Zuletzt haben sie mehr zu thun, als nur zu
erkennen – nämlich etwas Neues zu s e i n, etwas Neues zu
b e d e u t e n, neue Werthe d a r z u s t e l l e n! Die Kluft zwischen Wissen und Können ist vielleicht grösser, auch
unheimlicher als man denkt: der Könnende im grossen Stil,
der Schaffende wird möglicherweise ein Unwissender sein
müssen, – während andererseits zu wissenschaftlichen Ent-
deckungen nach der Art Darwin's eine gewisse Enge, Dürre
und fleissige Sorglichkeit, kurz, etwas Englisches nicht übel
disponiren mag. – Vergesse man es zuletzt den Engländern
nicht, dass sie schon Ein Mal mit ihrer tiefen Durchschnitt-
lichkeit eine Gesammt-Depression des europäischen Geistes
verursacht haben: Das, was man »die modernen Ideen« oder
»die Ideen des achtzehnten Jahrhunderts« oder auch »die
französischen Ideen« nennt – Das also, wogegen sich der
d e u t s c h e Geist mit tiefem Ekel erhoben hat –, war englischen Ursprungs, daran ist nicht zu zweifeln. Die Franzosen
sind nur die Affen und Schauspieler dieser Ideen gewesen,
auch ihre besten Soldaten, insgleichen leider ihre ersten und
gründlichsten O p f e r: denn an der verdammlichen Anglo-
manie der »modernen Ideen« ist zuletzt die âme française so
dünn geworden und abgemagert, dass man sich ihres sechs-
zehnten und siebzehnten Jahrhunderts, ihrer tiefen leidenschaftlichen Kraft, ihrer erfinderischen Vornehmheit heute
fast mit Unglauben erinnert. Man muss aber diesen Satz
historischer Billigkeit mit den Zähnen festhalten und gegen
den Augenblick und Augenschein vertheidigen: die europäische noblesse – des Gefühls, des Geschmacks, der Sitte, kurz,
das Wort in jedem hohen Sinne genommen – ist F r a n k-

reich's Werk und Erfindung, die [198] europäische Gemeinheit, der Plebejismus der modernen Ideen – Eng-
lands. –

254.

Auch jetzt noch ist Frankreich der Sitz der geistigsten und
raffinirtesten Cultur Europa's und die hohe Schule des
Geschmacks: aber man muss dies »Frankreich des Geschmacks« zu finden wissen. Wer zu ihm gehört, hält sich gut
verborgen: – es mag eine kleine Zahl sein, in denen es leibt
und lebt, dazu vielleicht Menschen, welche nicht auf den
kräftigsten Beinen stehn, zum Theil Fatalisten, Verdüsterte,
Kranke, zum Theil Verzärtelte und Verkünstelte, solche,
welche den Ehrgeiz haben, sich zu verbergen. Etwas ist
Allen gemein: sie halten sich die Ohren zu vor der rasenden
Dummheit und dem lärmenden Maulwerk des demokratischen bourgeois. In der That wälzt sich heut im Vordergrunde ein verdummtes und vergröbertes Frankreich, – es hat
neuerdings, bei dem Leichenbegängniss Victor Hugo's, eine
wahre Orgie des Ungeschmacks und zugleich der Selbstbe-
wunderung gefeiert. Auch etwas Anderes ist ihnen gemeinsam: ein guter Wille, sich der geistigen Germanisirung zu
erwehren – und ein noch besseres Unvermögen dazu! Vielleicht ist jetzt schon Schopenhauer in diesem Frankreich des
Geistes, welches auch ein Frankreich des Pessimismus ist,
mehr zu Hause und heimischer geworden, als er es je in
Deutschland war; nicht zu reden von Heinrich Heine, der
den feineren und anspruchsvolleren Lyrikern von Paris lange
schon in Fleisch und Blut übergegangen ist, oder von Hegel,
der heute in Gestalt Taine's – das heisst des ersten lebenden
Historikers – einen beinahe tyrannischen Einfluss ausübt.
Was aber Richard Wagner betrifft: je mehr sich die französische Musik nach den wirklichen Bedürfnissen der âme
moderne gestalten lernt, um so mehr wird sie »wagnerisiren«,
das darf man vorhersagen, – sie thut es jetzt schon genug! Es
ist dennoch dreierlei, was auch heute [199] noch die Franzosen

mit Stolz als ihr Erb und Eigen und als unverlornes Merkmal
einer alten Cultur-Überlegenheit über Europa aufweisen
können, trotz aller freiwilligen oder unfreiwilligen Germanisirung und Verpöbelung des Geschmacks: einmal die Fähigkeit zu artistischen Leidenschaften, zu Hingebungen an die
»Form«, für welche das Wort l'art pour l'art, neben tausend
anderen, erfunden ist: – dergleichen hat in Frankreich seit
drei Jahrhunderten nicht gefehlt und immer wieder, Dank der
Ehrfurcht vor der »kleinen Zahl«, eine Art Kammermusik
der Litteratur ermöglicht, welche im übrigen Europa sich
suchen lässt –. Das Zweite, worauf die Franzosen eine Über-
legenheit über Europa begründen können, ist ihre alte vielfa-
che m o r a l i s t i s c h e Cultur, welche macht, dass man im
Durchschnitt selbst bei kleinen romanciers der Zeitungen
und zufälligen boulevardiers de Paris eine psychologische
Reizbarkeit und Neugierde findet, von der man zum Beispiel
in Deutschland keinen Begriff (geschweige denn die Sache!)
hat. Den Deutschen fehlen dazu ein paar Jahrhunderte moralistischer Art, welche, wie gesagt, Frankreich sich nicht er-
spart hat; wer die Deutschen darum »naiv« nennt, macht
ihnen aus einem Mangel ein Lob zurecht. (Als Gegensatz zu
der deutschen Unerfahrenheit und Unschuld in voluptate
psychologica, die mit der Langweiligkeit des deutschen Verkehrs nicht gar zu fern verwandt ist, – und als gelungenster
Ausdruck einer äct französischen Neugierde und Erfin-
dungsgabe für dieses Reich zarter Schauder mag Henri Beyle
gelten, jener merkwürdige vorwegnehmende und vorauslau-
fende Mensch, der mit einem Napoleonischen Tempo durch
s e i n Europa, durch mehrere Jahrhunderte der europäischen
Seele lief, als ein Ausspürer und Entdecker dieser Seele: – es
hat zweier Geschlechter bedurft, um ihn irgendwie e i n z u-
h o l e n, um einige der Räthsel nachzurathen, die ihn quälten
und entzückten, diesen wunderlichen Epicureer und Frage-
zeichen-Menschen, der Frankreichs letzter grosser Psycholog war –). Es giebt noch einen dritten Anspruch auf Über-
legenheit: im Wesen der Fran[200]zosen ist eine halbwegs

gelungene Synthesis des Nordens und Südens gegeben, welche sie viele Dinge begreifen macht und andre Dinge thun heisst, die ein Engländer nie begreifen wird; ihr dem Süden periodisch zugewandtes und abgewandtes Temperament, in dem von Zeit zu Zeit das provençalische und ligurische Blut überschäumt, bewahrt sie vor dem schauerlichen nordischen Grau in Grau und der sonnenlosen Begriffs-Gespensterei und Blutarmuth, – unsrer d e u t s c h e n Krankheit des Geschmacks, gegen deren Übermaass man sich augenblicklich mit grosser Entschlossenheit Blut und Eisen, will sagen: die »grosse Politik« verordnet hat (gemäss einer gefährlichen Heilkunst, welche mich warten und warten, aber bis jetzt noch nicht hoffen lehrt –). Auch jetzt noch giebt es in Frankreich ein Vorverständniss und ein Entgegenkommen für jene seltneren und selten befriedigten Menschen, welche zu umfänglich sind, um in irgend einer Vaterländerei ihr Genüge zu finden und im Norden den Süden, im Süden den Norden zu lieben wissen, – für die geborenen Mittelländler, die »guten Europäer«. – Für sie hat B i z e t Musik gemacht, dieses letzte Genie, welches eine neue Schönheit und Verführung gesehn, – der ein Stück S ü d e n d e r M u s i k entdeckt hat.

255.

Gegen die deutsche Musik halte ich mancherlei Vorsicht für geboten. Gesetzt, dass Einer den Süden liebt, wie ich ihn liebe, als eine grosse Schule der Genesung, im Geistigsten und Sinnlichsten, als eine unbändige Sonnenfülle und Sonnen-Verklärung, welche sich über ein selbstherrliches, an sich glaubendes Dasein breitet: nun, ein Solcher wird sich etwas vor der deutschen Musik in Acht nehmen lernen, weil sie, indem sie seinen Geschmack zurück verdirbt, ihm die Gesundheit mit zurück verdirbt. Ein solcher Südländer, nicht der Abkunft, sondern dem G l a u b e n nach, muss, falls er von der Zukunft der Musik [201] träumt, auch von einer Erlösung der Musik vom Norden träumen und das Vorspiel einer

tieferen, mächtigeren, vielleicht böseren und geheimniss-
volleren Musik in seinen Ohren haben, einer überdeutschen
Musik, welche vor dem Anblick des blauen wollüstigen
Meers und der mittelländischen Himmels-Helle nicht ver-
klingt, vergilbt, verblasst, wie es alle deutsche Musik thut,
einer übereuropäischen Musik, die noch vor den braunen
Sonnen-Untergängen der Wüste Recht behält, deren Seele
mit der Palme verwandt ist und unter grossen schönen ein-
samen Raubthieren heimisch zu sein und zu schweifen versteht..... Ich könnte mir eine Musik denken, deren sel-
tenster Zauber darin bestünde, dass sie von Gut und Böse
nichts mehr wüsste, nur dass vielleicht irgend ein Schif-
fer-Heimweh, irgend welche goldne Schatten und zärtliche
Schwächen hier und da über sie hinwegliefen: eine Kunst,
welche von grosser Ferne her die Farben einer untergehen-
den, fast unverständlich gewordenen m o r a l i s c h e n Welt
zu sich flüchten sähe, und die gastfreundlich und tief genug
zum Empfang solcher späten Flüchtlinge wäre. –

256.

Dank der krankhaften Entfremdung, welche der Nationali-
täts-Wahnsinn zwischen die Völker Europa's gelegt hat und
noch legt, Dank ebenfalls den Politikern des kurzen Blicks
und der raschen Hand, die heute mit seiner Hülfe obenauf
sind und gar nicht ahnen, wie sehr die auseinanderlösende
Politik, welche sie treiben, nothwendig nur Zwischenakts-
Politik sein kann, – Dank Alledem und manchem heute ganz
Unaussprechbaren werden jetzt die unzweideutigsten Anzeichen übersehn oder willkürlich und lügenhaft umgedeutet, in
denen sich ausspricht, dass E u r o p a E i n s w e r d e n w i l l.
Bei allen tieferen und umfänglicheren Menschen dieses Jahrhunderts war es die eigentliche Gesammt-Richtung in der
geheimnissvollen Arbeit ihrer Seele, den Weg zu jener neuen
S y n t h e s i s vorzubereiten [202] und versuchsweise den
Europäer der Zukunft vorwegzunehmen: nur mit ihren Vordergründen, oder in schwächeren Stunden, etwa im Alter,

gehörten sie zu den »Vaterländern«, – sie ruhten sich nur von
sich selber aus, wenn sie »Patrioten« wurden. Ich denke an
Menschen wie Napoleon, Goethe, Beethoven, Stendhal,
Heinrich Heine, Schopenhauer: man verarge mir es nicht,
wenn ich auch Richard Wagner zu ihnen rechne, über den
man sich nicht durch seine eignen Missverständnisse verführen lassen darf, – Genies seiner Art haben selten das Recht,
sich selbst zu verstehen. Noch weniger freilich durch den
ungesitteten Lärm, mit dem man sich jetzt in Frankreich
gegen Richard Wagner sperrt und wehrt: – die Thatsache
bleibt nichtsdestoweniger bestehen, dass die französische Spät-Romantik der Vierziger Jahre und Richard
Wagner auf das Engste und Innigste zu einander gehören. Sie
sind sich in allen Höhen und Tiefen ihrer Bedürfnisse verwandt, grundverwandt: Europa ist es, das Eine Europa, dessen Seele sich durch ihre vielfältige und ungestüme Kunst
hinaus, hinauf drängt und sehnt – wohin? in ein neues Licht?
nach einer neuen Sonne? Aber wer möchte genau aussprechen, was alle diese Meister neuer Sprachmittel nicht deutlich
auszusprechen wussten? Gewiss ist, dass der gleiche Sturm
und Drang sie quälte, dass sie auf gleiche Weise s u c h t e n,
diese letzten grossen Suchenden! Allesammt beherrscht von
der Litteratur bis in ihre Augen und Ohren – die ersten
Künstler von weltlitterarischer Bildung – meistens sogar selber Schreibende, Dichtende, Vermittler und Vermischer der
Künste und der Sinne (Wagner gehört als Musiker unter die
Maler, als Dichter unter die Musiker, als Künstler überhaupt
unter die Schauspieler); allesammt Fanatiker des A u s -
d r u c k s »um jeden Preis« – ich hebe Delacroix hervor, den
Nächstverwandten Wagner's –, allesammt grosse Entdecker
im Reiche des Erhabenen, auch des Hässlichen und Gräss-
lichen, noch grössere Entdecker im Effekte, in der Schaustellung, in der Kunst der Schauläden, allesammt Talente weit
über ihr Genie hinaus –, [203] Virtuosen durch und durch,
mit unheimlichen Zugängen zu Allem, was verführt, lockt,
zwingt, umwirft, geborene Feinde der Logik und der geraden

Linien, begehrlich nach dem Fremden, dem Exotischen, dem
Ungeheuren, dem Krummen, dem Sich-Widersprechenden;
als Menschen Tantalusse des Willens, heraufgekommene Ple-
bejer, welche sich im Leben und Schaffen eines vornehmen
tempo, eines lento unfähig wussten, – man denke zum Beispiel an Balzac – zügellose Arbeiter, beinahe Selbst-Zerstörer
durch Arbeit; Antinomisten und Aufrührer in den Sitten,
Ehrgeizige und Unersättliche ohne Gleichgewicht und Genuss; allesammt zuletzt an dem christlichen Kreuze zer-
brechend und niedersinkend (und das mit Fug und Recht:
denn wer von ihnen wäre tief und ursprünglich genug zu einer
Philosophie des A n t i c h r i s t gewesen? –) im Ganzen eine
verwegen-wagende, prachtvoll-gewaltsame, hochfliegende
und hoch emporreissende Art höherer Menschen, welche
ihrem Jahrhundert – und es ist das Jahrhundert der M e n g e !
– den Begriff »höherer Mensch« erst zu lehren hatte. . . . .
Mögen die deutschen Freunde Richard Wagner's darüber mit
sich zu Rathe gehn, ob es in der Wagnerischen Kunst etwas
schlechthin Deutsches giebt, oder ob nicht gerade deren Auszeichnung ist, aus ü b e r d e u t s c h e n Quellen und Antrie-
ben zu kommen: wobei nicht unterschätzt werden mag, wie
zur Ausbildung seines Typus gerade Paris unentbehrlich war,
nach dem ihn in der entscheidendsten Zeit die Tiefe seiner
Instinkte verlangen hiess, und wie die ganze Art seines Auf-
tretens, seines Selbst-Apostolats erst Angesichts des französischen Socialisten-Vorbilds sich vollenden konnte. Vielleicht wird man, bei einer feineren Vergleichung, zu Ehren
der deutschen Natur Richard Wagner's finden, dass er es in
Allem stärker, verwegener, härter, höher getrieben hat, als es
ein Franzose des neunzehnten Jahrhunderts treiben könnte, –
Dank dem Umstande, dass wir Deutschen der Barbarei noch
näher stehen als die Franzosen –; vielleicht ist sogar das Merk-
würdigste, was Richard Wagner geschaffen [204] hat, der ganzen so späten lateinischen Rasse für immer und nicht nur
für heute unzugänglich, unnachfühlbar, unnachahmbar: die
Gestalt des Siegfried, jenes s e h r f r e i e n Menschen, der in

der That bei weitem zu frei, zu hart, zu wohlgemuth, zu
gesund, zu a n t i k a t h o l i s c h für den Geschmack alter und
mürber Culturvölker sein mag. Er mag sogar eine Sünde
wider die Romantik gewesen sein, dieser antiromanische
Siegfried: nun, Wagner hat diese Sünde reichlich quitt
gemacht, in seinen alten trüben Tagen, als er –, einen Geschmack vorwegnehmend, der inzwischen Politik geworden
ist – mit der ihm eignen religiösen Vehemenz d e n W e g
n a c h R o m , wenn nicht zu gehn, so doch zu predigen
anfieng. – Damit man mich, mit diesen letzten Worten, nicht
missverstehe, will ich einige kräftige Reime zu Hülfe nehmen, welche auch weniger feinen Ohren es verrathen werden,
was ich will, – was ich g e g e n den »letzten Wagner« und
seine Parsifal-Musik will.

– Ist das noch deutsch? –
Aus deutschem Herzen kam dies schwüle Kreischen?
Und deutschen Leibs ist dies Sich-selbst-Entfleischen?
Deutsch ist dies Priester-Händespreitzen,
Dies weihrauch-düftelnde Sinne-Reizen?
Und deutsch dies Stocken, Stürzen, Taumeln,
Dies ungewisse Bimbambaumeln?
Dies Nonnen-Äugeln, Ave-Glocken-Bimmeln,
Dies ganze falsch verzückte Himmel-Überhimmeln?
– Ist Das noch deutsch? –
Erwägt! Noch steht ihr an der Pforte: –
Denn, was ihr hört, ist R o m , – R o m ' s G l a u b e
      o h n e W o r t e !

Neuntes Hauptstück:
was ist vornehm?

257.

Jede Erhöhung des Typus »Mensch« war bisher das Werk einer aristokratischen Gesellschaft – und so wird es immer wieder sein: als einer Gesellschaft, welche an eine lange Leiter der Rangordnung und Werthverschiedenheit von Mensch und Mensch glaubt und Sklaverei in irgend einem Sinne nöthig hat. Ohne das Pathos der Distanz, wie es aus dem eingefleischten Unterschied der Stände, aus dem beständigen Ausblick und Herabblick der herrschenden Kaste auf Unterthänige und Werkzeuge und aus ihrer ebenso beständigen Übung im Gehorchen und Befehlen, Nieder- und Fernhalten erwächst, könnte auch jenes andre geheimnissvollere Pathos gar nicht erwachsen, jenes Verlangen nach immer neuer Distanz-Erweiterung innerhalb der Seele selbst, die Herausbildung immer höherer, seltnerer, fernerer, weitgespannterer, umfänglicherer Zustände, kurz eben die Erhöhung des Typus »Mensch«, die fortgesetzte »Selbst-Überwindung des Menschen«, um eine moralische Formel in einem übermoralischen Sinne zu nehmen. Freilich: man darf sich über die Entstehungsgeschichte einer aristokratischen Gesellschaft (also der Voraussetzung jener Erhöhung des Typus »Mensch« –) keinen humanitären Täuschungen hingeben: die Wahrheit ist hart. Sagen wir es uns ohne Schonung, wie bisher jede höhere Cultur auf Erden angefangen hat! Menschen mit einer noch natürlichen Natur, Barbaren in jedem furcht[206]baren Verstande des Wortes, Raubmenschen, noch im Besitz ungebrochner Willenskräfte und Macht-Begierden, warfen sich auf schwächere, gesittetere, friedlichere, vielleicht handeltreibende oder viehzüchtende Rassen, oder auf alte mürbe Culturen, in denen eben die letzte Lebenskraft in glänzenden Feuerwerken von Geist und Verderbniss verflackerte. Die vornehme Kaste war im

Anfang immer die Barbaren-Kaste: ihr Übergewicht lag nicht
vorerst in der physischen Kraft, sondern in der seelischen, –
es waren die g a n z e r e n Menschen (was auf jeder Stufe auch
so viel mit bedeutet als »die ganzeren Bestien« –).

258.

Corruption, als der Ausdruck davon, dass innerhalb der
Instinkte Anarchie droht, und dass der Grundbau der
Affekte, der »Leben« heisst, erschüttert ist: Corruption ist, je
nach dem Lebensgebilde, an dem sie sich zeigt, etwas Grund-
verschiedenes. Wenn zum Beispiel eine Aristokratie, wie die
Frankreichs am Anfange der Revolution, mit einem sublimen
Ekel ihre Privilegien wegwirft und sich selbst einer Ausschweifung ihres moralischen Gefühls zum Opfer bringt, so
ist dies Corruption: – es war eigentlich nur der Abschlussakt
jener Jahrhunderte dauernden Corruption, vermöge deren sie
Schritt für Schritt ihre herrschaftlichen Befugnisse abgegeben
und sich zur F u n k t i o n des Königthums (zuletzt gar zu
dessen Putz und Prunkstück) herabgesetzt hatte. Das Wesentliche an einer guten und gesunden Aristokratie ist aber,
dass sie sich n i c h t als Funktion (sei es des Königthums, sei
es des Gemeinwesens), sondern als dessen S i n n und höchste
Rechtfertigung fühlt, – dass sie deshalb mit gutem Gewissen
das Opfer einer Unzahl Menschen hinnimmt, welche u m
i h r e t w i l l e n zu unvollständigen Menschen, zu Sklaven, zu
Werkzeugen herabgedrückt und vermindert werden müssen.
Ihr Grundglaube muss eben sein, dass die Gesellschaft
n i c h t um der Gesellschaft willen dasein dürfte, [207] sondern nur als Unterbau und Gerüst, an dem sich eine ausgesuchte Art Wesen zu ihrer höheren Aufgabe und überhaupt
zu einem höheren S e i n emporzuheben vermag: vergleich-
bar jenen sonnensüchtigen Kletterpflanzen auf Java – man
nennt sie Sipo Matador –, welche mit ihren Armen einen
Eichbaum so lange und oft umklammern, bis sie endlich,
hoch über ihm, aber auf ihn gestützt, in freiem Lichte ihre
Krone entfalten und ihr Glück zur Schau tragen können. –

259.

Sich gegenseitig der Verletzung, der Gewalt, der Ausbeutung
enthalten, seinen Willen dem des Andern gleich setzen: dies
kann in einem gewissen groben Sinne zwischen Individuen
zur guten Sitte werden, wenn die Bedingungen dazu gegeben
sind (nämlich deren thatsächliche Ähnlichkeit in Kraft-
mengen und Werthmaassen und ihre Zusammengehörigkeit
innerhalb Eines Körpers). Sobald man aber dies Princip weiter nehmen wollte und womöglich gar als G r u n d p r i n c i p
d e r G e s e l l s c h a f t , so würde es sich sofort erweisen als
Das, was es ist: als Wille zur V e r n e i n u n g des Lebens, als
Auflösungs- und Verfalls-Princip. Hier muss man gründlich auf den Grund denken und sich aller empfindsamen
Schwächlichkeit erwehren: Leben selbst ist w e s e n t l i c h
Aneignung, Verletzung, Überwältigung des Fremden und
Schwächeren, Unterdrückung, Härte, Aufzwängung eigner
Formen, Einverleibung und mindestens, mildestens, Ausbeutung, – aber wozu sollte man immer gerade solche Worte
gebrauchen, denen von Alters her eine verleumderische
Absicht eingeprägt ist? Auch jener Körper, innerhalb dessen,
wie vorher angenommen wurde, die Einzelnen sich als gleich
behandeln – es geschieht in jeder gesunden Aristokratie –,
muss selber, falls er ein lebendiger und nicht ein absterbender
Körper ist, alles Das gegen andre Körper thun, wessen sich
die Einzelnen in ihm gegen einander enthalten: er [208] wird
der leibhafte Wille zur Macht sein müssen, er wird wachsen,
um sich greifen, an sich ziehn, Übergewicht gewinnen wollen, – nicht aus irgend einer Moralität oder Immoralität heraus, sondern weil er l e b t , und weil Leben eben Wille zur
Macht i s t . In keinem Punkte ist aber das gemeine Bewusstsein der Europäer widerwilliger gegen Belehrung, als hier;
man schwärmt jetzt überall, unter wissenschaftlichen Ver-
kleidungen sogar, von kommenden Zuständen der Gesellschaft, denen »der ausbeuterische Charakter« abgehn soll: –
das klingt in meinen Ohren, als ob man ein Leben zu erfinden
verspräche, welches sich aller organischen Funktionen ent-

hielte. Die »Ausbeutung« gehört nicht einer verderbten oder
unvollkommnen und primitiven Gesellschaft an: sie gehört
in's W e s e n des Lebendigen, als organische Grundfunktion,
sie ist eine Folge des eigentlichen Willens zur Macht, der eben
der Wille des Lebens ist. – Gesetzt, dies ist als Theorie eine
Neuerung, – als Realität ist es das U r - F a k t u m aller
Geschichte: man sei doch so weit gegen sich ehrlich! –

260.

Bei einer Wanderung durch die vielen feineren und gröberen
Moralen, welche bisher auf Erden geherrscht haben oder
noch herrschen, fand ich gewisse Züge regelmässig mit einander wiederkehrend und aneinander geknüpft: bis sich mir
endlich zwei Grundtypen verriethen, und ein Grundunterschied heraussprang. Es giebt H e r r e n - M o r a l und S k l a -
v e n - M o r a l ; – ich füge sofort hinzu, dass in allen höheren
und gemischteren Culturen auch Versuche der Vermittlung
beider Moralen zum Vorschein kommen, noch öfter das
Durcheinander derselben und gegenseitige Missverstehen, ja
bisweilen ihr hartes Nebeneinander – sogar im selben Menschen, innerhalb Einer Seele. Die moralischen Werthunter-
scheidungen sind entweder unter einer herrschenden Art ent-
standen, welche sich ihres [209] Unterschieds gegen die
beherrschte mit Wohlgefühl bewusst wurde, – oder unter den
Beherrschten, den Sklaven und Abhängigen jeden Grades. Im
ersten Falle, wenn die Herrschenden es sind, die den Begriff
»gut« bestimmen, sind es die erhobenen stolzen Zustände der
Seele, welche als das Auszeichnende und die Rangordnung
Bestimmende empfunden werden. Der vornehme Mensch
trennt die Wesen von sich ab, an denen das Gegentheil solcher
gehobener stolzer Zustände zum Ausdruck kommt: er verachtet sie. Man bemerke sofort, dass in dieser ersten Art
Moral der Gegensatz »gut« und »schlecht« so viel bedeutet
wie »vornehm« und »verächtlich«: – der Gegensatz »gut«
und »b ö s e« ist anderer Herkunft. Verachtet wird der
Feige, der Ängstliche, der Kleinliche, der an die enge Nütz-

lichkeit Denkende; ebenso der Misstrauische mit seinem unfreien Blicke, der Sich-Erniedrigende, die Hunde-Art von Mensch, welche sich misshandeln lässt, der bettelnde Schmeichler, vor Allem der Lügner: – es ist ein Grundglaube aller Aristokraten, dass das gemeine Volk lügnerisch ist. »Wir Wahrhaftigen« – so nannten sich im alten Griechenland die Adeligen. Es liegt auf der Hand, dass die moralischen Werthbezeichnungen überall zuerst auf M e n s c h e n und erst abgeleitet und spät auf H a n d l u n g e n gelegt worden sind: weshalb es ein arger Fehlgriff ist, wenn Moral-Historiker von Fragen den Ausgang nehmen wie »warum ist die mitleidige Handlung gelobt worden?« Die vornehme Art Mensch fühlt s i c h als werthbestimmend, sie hat nicht nöthig, sich gutheissen zu lassen, sie urtheilt »was mir schädlich ist, das ist an sich schädlich«, sie weiss sich als Das, was überhaupt erst Ehre den Dingen verleiht, sie ist w e r t h e s c h a f f e n d. Alles, was sie an sich kennt, ehrt sie: eine solche Moral ist Selbstverherrlichung. Im Vordergrunde steht das Gefühl der Fülle, der Macht, die überströmen will, das Glück der hohen Spannung, das Bewusstsein eines Reichthums, der schenken und abgeben möchte: – auch der vornehme Mensch hilft dem Unglücklichen, aber nicht oder fast nicht aus [210] Mitleid, sondern mehr aus einem Drang, den der Überfluss von Macht erzeugt. Der vornehme Mensch ehrt in sich den Mächtigen, auch Den, welcher Macht über sich selbst hat, der zu reden und zu schweigen versteht, der mit Lust Strenge und Härte gegen sich übt und Ehrerbietung vor allem Strengen und Harten hat. »Ein hartes Herz legte Wotan mir in die Brust« heisst es in einer alten skandinavischen Saga: so ist es aus der Seele eines stolzen Wikingers heraus mit Recht gedichtet. Eine solche Art Mensch ist eben stolz darauf, n i c h t zum Mitleiden gemacht zu sein: weshalb der Held der Saga warnend hinzufügt »wer jung schon kein hartes Herz hat, dem wird es niemals hart«. Vornehme und Tapfere, welche so denken, sind am entferntesten von jener Moral, welche gerade im Mitleiden oder im Handeln für Andere oder im désintéressement

das Abzeichen des Moralischen sieht; der Glaube an sich
selbst, der Stolz auf sich selbst, eine Grundfeindschaft und
Ironie gegen »Selbstlosigkeit« gehört eben so bestimmt zur
vornehmen Moral wie eine leichte Geringschätzung und Vorsicht vor den Mitgefühlen und dem »warmen Herzen«. – Die
Mächtigen sind es, welche zu ehren v e r s t e h e n , es ist ihre
Kunst, ihr Reich der Erfindung. Die tiefe Ehrfurcht vor dem
Alter und vor dem Herkommen – das ganze Recht steht auf
dieser doppelten Ehrfurcht –, der Glaube und das Vorurtheil
zu Gunsten der Vorfahren und zu Ungunsten der Kommenden ist typisch in der Moral der Mächtigen; und wenn umgekehrt die Menschen der »modernen Ideen« beinahe instinktiv
an den »Fortschritt« und »die Zukunft« glauben und der
Achtung vor dem Alter immer mehr ermangeln, so verräth
sich damit genugsam schon die unvornehme Herkunft dieser
»Ideen«. Am meisten ist aber eine Moral der Herrschenden
dem gegenwärtigen Geschmacke fremd und peinlich in der
Strenge ihres Grundsatzes, dass man nur gegen Seinesgleichen Pflichten habe; dass man gegen die Wesen niedrigeren
Ranges, gegen alles Fremde nach Gutdünken oder »wie es das
Herz will« handeln dürfe und jedenfalls »jenseits von Gut
und Böse« –: hier[211]hin mag Mitleiden und dergleichen
gehören. Die Fähigkeit und Pflicht zu langer Dankbarkeit
und langer Rache – beides nur innerhalb seines Gleichen –,
die Feinheit in der Wiedervergeltung, das Begriffs-Raffine-
ment in der Freundschaft, eine gewisse Nothwendigkeit,
Feinde zu haben (gleichsam als Abzugsgräben für die Affekte
Neid Streitsucht Übermuth, – im Grunde, um gut f r e u n d
sein zu können): Alles das sind typische Merkmale der vornehmen Moral, welche, wie angedeutet, nicht die Moral der
»modernen Ideen« ist und deshalb heute schwer nachzufüh-
len, auch schwer auszugraben und aufzudecken ist. – Es steht
anders mit dem zweiten Typus der Moral, der S k l a v e n -
M o r a l . Gesetzt, dass die Vergewaltigten, Gedrückten,
Leidenden, Unfreien, Ihrer-selbst-Ungewissen und Müden
moralisiren: was wird das Gleichartige ihrer moralischen

Werthschätzungen sein? Wahrscheinlich wird ein pessimisti-
scher Argwohn gegen die ganze Lage des Menschen zum
Ausdruck kommen, vielleicht eine Verurtheilung des Menschen mitsammt seiner Lage. Der Blick des Sklaven ist ab-
günstig für die Tugenden des Mächtigen: er hat Skepsis und
Misstrauen, er hat F e i n h e i t des Misstrauens gegen alles
»Gute«, was dort geehrt wird –, er möchte sich überreden,
dass das Glück selbst dort nicht ächt sei. Umgekehrt werden
die Eigenschaften hervorgezogen und mit Licht übergossen,
welche dazu dienen, Leidenden das Dasein zu erleichtern:
hier kommt das Mitleiden, die gefällige hülfbereite Hand, das
warme Herz, die Geduld, der Fleiss, die Freundlichkeit, die
Freundlichkeit zu Ehren –, denn das sind hier die nützlich-
sten Eigenschaften und beinahe die einzigen Mittel, den
Druck des Daseins auszuhalten. Die Sklaven-Moral ist
wesentlich Nützlichkeits-Moral. Hier ist der Herd für die
Entstehung jenes berühmten Gegensatzes »gut« und
»b ö s e«: – in's Böse wird die Macht und Gefährlichkeit hinein empfunden, eine gewisse Furchtbarkeit, Feinheit und
Stärke, welche die Verachtung nicht aufkommen lässt. Nach
der Sklaven-Moral erregt also der »Böse« Furcht; nach der
Herren-[212]Moral ist es gerade der »Gute«, der Furcht erregt
und erregen will, während der »schlechte« Mensch als der
verächtliche empfunden wird. Der Gegensatz kommt auf
seine Spitze, wenn sich, gemäss der Sklavenmoral-Conse-
quenz, zuletzt nun auch an den »Guten« dieser Moral ein
Hauch von Geringschätzung hängt – sie mag leicht und wohl-
wollend sein –, weil der Gute innerhalb der Sklaven-Denk-
weise jedenfalls der u n g e f ä h r l i c h e Mensch sein muss: er
ist gutmüthig, leicht zu betrügen, ein bischen dumm vielleicht, un bonhomme. Überall, wo die Sklaven-Moral zum
Übergewicht kommt, zeigt die Sprache eine Neigung, die
Worte »gut« und »dumm« einander anzunähern. – Ein letzter
Grundunterschied: das Verlangen nach F r e i h e i t, der
Instinkt für das Glück und die Feinheiten des Freiheits-
Gefühls gehört ebenso nothwendig zur Sklaven-Moral und

-Moralität, als die Kunst und Schwärmerei in der Ehrfurcht, in der Hingebung das regelmässige Symptom einer aristokratischen Denk- und Werthungsweise ist. – Hieraus lässt sich ohne Weiteres verstehn, warum die Liebe a l s P a s s i o n – es ist unsre europäische Spezialität – schlechterdings vornehmer Abkunft sein muss: bekanntlich gehört ihre Erfindung den provençalischen Ritter-Dichtern zu, jenen prachtvollen erfinderischen Menschen des »gai saber«, denen Europa so Vieles und beinahe sich selbst verdankt. –

261.

Zu den Dingen, welche einem vornehmen Menschen vielleicht am schwersten zu begreifen sind, gehört die Eitelkeit: er wird versucht sein, sie noch dort zu leugnen, wo eine andre Art Mensch sie mit beiden Händen zu fassen meint. Das Problem ist für ihn, sich Wesen vorzustellen, die eine gute Meinung über sich zu erwecken suchen, welche sie selbst von sich nicht haben – und also auch nicht »verdienen« –, und die doch hinterdrein an diese gute Meinung selber g l a u b e n. Das erscheint ihm zur [213] Hälfte so geschmacklos und unehrerbietig vor sich selbst, zur andren Hälfte so barockunvernünftig, dass er die Eitelkeit gern als Ausnahme fassen möchte und sie in den meisten Fällen, wo man von ihr redet, anzweifelt. Er wird zum Beispiel sagen: »ich kann mich über meinen Werth irren und andererseits doch verlangen, dass mein Werth gerade so, wie ich ihn ansetze, auch von Andern anerkannt werde, – aber das ist keine Eitelkeit (sondern Dünkel oder, in den häufigeren Fällen, Das, was »Demuth«, auch »Bescheidenheit« genannt wird).« Oder auch: »ich kann mich aus vielen Gründen über die gute Meinung Anderer freuen, vielleicht weil ich sie ehre und liebe und mich an jeder ihrer Freuden erfreue, vielleicht auch weil ihre gute Meinung den Glauben an meine eigne gute Meinung bei mir unterschreibt und kräftigt, vielleicht weil die gute Meinung Anderer, selbst in Fällen, wo ich sie nicht theile, mir doch nützt oder Nutzen verspricht, – aber das ist Alles nicht Eitelkeit.«

Der vornehme Mensch muss es sich erst mit Zwang, namentlich mit Hülfe der Historie, vorstellig machen, dass, seit unvordenklichen Zeiten, in allen irgendwie abhängigen Volksschichten der gemeine Mensch nur Das w a r, was er g a l t : – gar nicht daran gewöhnt, Werthe selbst anzusetzen, mass er auch sich keinen andern Werth bei, als seine Herren ihm beimassen (es ist das eigentliche H e r r e n r e c h t, Werthe zu schaffen). Mag man es als die Folge eines ungeheuren Atavismus begreifen, dass der gewöhnliche Mensch auch jetzt noch immer erst auf eine Meinung über sich w a r t e t und sich dann derselben instinktiv unterwirft: aber durchaus nicht bloss einer »guten« Meinung, sondern auch einer schlechten und unbilligen (man denke zum Beispiel an den grössten Theil der Selbstschätzungen und Selbstunterschätzungen, welche gläubige Frauen ihren Beichtvätern ablernen, und überhaupt der gläubige Christ seiner Kirche ablernt). Thatsächlich wird nun, gemäss dem langsamen Heraufkommen der demokratischen Ordnung der Dinge (und seiner Ursache, der Blutvermischung von Herren und Sklaven), der ursprünglich [214] vornehme und seltne Drang, sich selbst von sich aus einen Werth zuzuschreiben und von sich »gut zu denken«, mehr und mehr ermuthigt und ausgebreitet werden: aber er hat jeder Zeit einen älteren, breiteren und gründlicher einverleibten Hang gegen sich, – und im Phänomene der »Eitelkeit« wird dieser ältere Hang Herr über den jüngeren. Der Eitle freut sich über j e d e gute Meinung, die er über sich hört (ganz abseits von allen Gesichtspunkten ihrer Nützlichkeit, und ebenso abgesehn von wahr und falsch), ebenso wie er an jeder schlechten Meinung leidet: denn er unterwirft sich beiden, er f ü h l t sich ihnen unterworfen, aus jenem ältesten Instinkte der Unterwerfung, der an ihm ausbricht. – Es ist »der Sklave« im Blute des Eitlen, ein Rest von der Verschmitztheit des Sklaven – und wie viel »Sklave« ist zum Beispiel jetzt noch im Weibe rückständig! –, welcher zu guten Meinungen über sich zu v e r f ü h r e n sucht; es ist ebenfalls der Sklave, der vor diesen Meinungen nachher sofort selbst niederfällt, wie als ob er sie nicht hervorgerufen hätte. – Und nochmals gesagt: Eitelkeit ist ein Atavismus.

262.

Eine A r t entsteht, ein Typus wird fest und stark unter dem langen Kampfe mit wesentlich gleichen u n g ü n s t i g e n Bedingungen. Umgekehrt weiss man aus den Erfahrungen der Züchter, dass Arten, denen eine überreichliche Ernährung und überhaupt ein Mehr von Schutz und Sorgfalt zu Theil wird, alsbald in der stärksten Weise zur Variation des Typus neigen und reich an Wundern und Monstrositäten (auch an monströsen Lastern) sind. Nun sehe man einmal ein aristokratisches Gemeinwesen, etwa eine alte griechische Polis oder Venedig, als eine, sei es freiwillige, sei es unfreiwillige Veranstaltung zum Zweck der Z ü c h t u n g an: es sind da Menschen bei einander und auf sich angewiesen, welche ihre Art durchsetzen wollen, meistens, weil sie sich durchsetzen m ü s s e n oder in furchtbarer [215] Weise Gefahr laufen, ausgerottet zu werden. Hier fehlt jene Gunst, jenes Übermaass, jener Schutz, unter denen die Variation begünstigt ist; die Art hat sich als Art nöthig, als Etwas, das sich gerade vermöge seiner Härte, Gleichförmigkeit, Einfachheit der Form überhaupt durchsetzen und dauerhaft machen kann, im beständigen Kampfe mit den Nachbarn oder mit den aufständischen oder Aufstand drohenden Unterdrückten. Die mannichfaltigste Erfahrung lehrt sie, welchen Eigenschaften vornehmlich sie es verdankt, dass sie, allen Göttern und Menschen zum Trotz, noch da ist, dass sie noch immer obgesiegt hat: diese Eigenschaften nennt sie Tugenden, diese Tugenden allein züchtet sie gross. Sie thut es mit Härte, ja sie will die Härte; jede aristokratische Moral ist unduldsam, in der Erziehung der Jugend, in der Verfügung über die Weiber, in den Ehesitten, im Verhältnisse von Alt und Jung, in den Strafgesetzen (welche allein die Abartenden in's Auge fassen): – sie rechnet die Unduldsamkeit selbst unter die Tugenden, unter dem Namen »Gerechtigkeit«. Ein Typus mit wenigen, aber sehr starken Zügen, eine Art strenger kriegerischer klugschweigsamer, geschlossener und verschlossener Menschen (und als solche vom feinsten Gefühle für die Zauber und nuances der Societät) wird auf diese Weise über den Wechsel der Geschlechter hinaus festgestellt; der beständige Kampf mit immer gleichen ungünstigen Bedingungen ist, wie gesagt, die Ursache davon, dass ein Typus fest und hart wird. Endlich aber entsteht einmal eine Glückslage, die ungeheure Spannung lässt nach; es giebt vielleicht keine Feinde mehr unter den Nachbarn, und die Mittel zum Leben, selbst zum Genusse des Lebens sind überreichlich da. Mit Einem Schlage reisst das Band und der Zwang der alten Zucht: sie fühlt sich nicht mehr als nothwendig, als Dasein-bedingend, — wollte sie fortbestehn, so könnte sie es nur als eine Form des Luxus, als archaisirender Geschmack. Die Variation, sei es als Abartung (in's Höhere, Feinere, Seltnere), sei es als Entartung und Monstrosität, ist plötzlich in der grössten Fülle [216] und Pracht auf dem Schauplatz, der Einzelne wagt einzeln zu sein und sich abzuheben. An diesen Wendepunkten der Geschichte zeigt sich neben einander und oft in einander verwickelt und verstrickt ein herrliches vielfaches urwaldhaftes Heraufwachsen und Emporstreben, eine Art tropisches Tempo im Wetteifer des Wachsthums und ein ungeheures Zugrundegehen und Sich-zu-Grunde-Richten, Dank den wild gegeneinander gewendeten, gleichsam explodirenden Egoismen, welche »um Sonne und Licht« mit einander ringen und keine Grenze, keine Zügelung, keine Schonung mehr aus der bisherigen Moral zu entnehmen wissen. Diese Moral selbst war es, welche die Kraft in's Ungeheure aufgehäuft, die den Bogen auf so bedrohliche Weise gespannt hat: — jetzt ist, jetzt wird sie »überlebt«. Der gefährliche und unheimliche Punkt ist erreicht, wo das grössere, vielfachere, umfänglichere Leben über die alte Moral hinweg lebt; das »Individuum« steht da, genöthigt zu einer eigenen Gesetzgebung, zu eigenen Künsten und Listen der Selbst-

Erhaltung, Selbst-Erhöhung, Selbst-Erlösung. Lauter neue
Wozu's, lauter neue Womit's, keine gemeinsamen Formeln
mehr, Missverständniss und Missachtung mit einander im
Bunde, der Verfall, Verderb und die höchsten Begierden
schauerlich verknotet, das Genie der Rasse aus allen Füllhör-
nern des Guten und Schlimmen überquellend, ein verhäng-
nissvolles Zugleich von Frühling und Herbst, voll neuer
Reize und Schleier, die der jungen, noch unausgeschöpften,
noch unermüdeten Verderbniss zu eigen sind. Wieder ist die
Gefahr da, die Mutter der Moral, die grosse Gefahr, dies Mal
in's Individuum verlegt, in den Nächsten und Freund, auf die
Gasse, in's eigne Kind, in's eigne Herz, in alles Eigenste und
Geheimste von Wunsch und Wille: was werden jetzt die
Moral-Philosophen zu predigen haben, die um diese Zeit her-
aufkommen? Sie entdecken, diese scharfen Beobachter und
Eckensteher, dass es schnell zum Ende geht, dass Alles um sie
verdirbt und verderben macht, dass Nichts bis übermorgen
steht, Eine Art Mensch ausgenommen, die unheil[217]bar
Mittelmässigen. Die Mittelmässigen allein haben Aussicht, sich fortzusetzen, sich fortzupflanzen, – sie sind die
Menschen der Zukunft, die einzig Überlebenden; »seid wie
sie! werdet mittelmässig!« heisst nunmehr die alleinige
Moral, die noch Sinn hat, die noch Ohren findet. – Aber sie
ist schwer zu predigen, diese Moral der Mittelmässigkeit!
– sie darf es ja niemals eingestehn, was sie ist und was sie will!
sie muss von Maass und Würde und Pflicht und Nächsten-
liebe reden, – sie wird Noth haben, die Ironie zu verbergen! –

263.

Es giebt einen Instinkt für den Rang, welcher, mehr
als Alles, schon das Anzeichen eines hohen Ranges ist; es
giebt eine Lust an den Nuancen der Ehrfurcht, die auf vornehme Abkunft und Gewohnheiten rathen lässt. Die Feinheit, Güte und Höhe einer Seele wird gefährlich auf die Probe
gestellt, wenn Etwas an ihr vorüber geht, das ersten Ranges

ist, aber noch nicht von den Schaudern der Autorität vor
zudringlichen Griffen und Plumpheiten gehütet wird: Etwas,
das, unabgezeichnet, unentdeckt, versuchend, vielleicht willkürlich verhüllt und verkleidet, wie ein lebendiger Prüfstein
seines Weges geht. Zu wessen Aufgabe und Übung es gehört,
Seelen auszuforschen, der wird sich in mancherlei Formen
gerade dieser Kunst bedienen, um den letzten Werth einer
Seele, die unverrückbare eingeborne Rangordnung, zu der sie
gehört, festzustellen: er wird sie auf ihren Instinkt der
Ehrfurcht hin auf die Probe stellen. Différence engendre
haine: die Gemeinheit mancher Natur sprützt plötzlich wie
schmutziges Wasser hervor, wenn irgend ein heiliges Gefäss,
irgend eine Kostbarkeit aus verschlossenen Schreinen, irgend
ein Buch mit den Zeichen des grossen Schicksals vorüber-
getragen wird; und andrerseits giebt es ein unwillkürliches
Verstummen, ein Zögern des Auges, ein Stillewerden aller
Gebärden, woran sich ausspricht, dass eine [218] Seele die
Nähe des Verehrungswürdigsten f ü h l t. Die Art, mit der im
Ganzen bisher die Ehrfurcht vor der B i b e l in Europa aufrecht erhalten wird, ist vielleicht das beste Stück Zucht und
Verfeinerung der Sitte, das Europa dem Christenthume verdankt: solche Bücher der Tiefe und der letzten Bedeutsamkeit
brauchen zu ihrem Schutz eine von Aussen kommende
Tyrannei von Autorität, um jene Jahrtausende von D a u e r
zu gewinnen, welche nöthig sind, sie auszuschöpfen und aus-
zurathen. Es ist Viel erreicht, wenn der grossen Menge (den
Flachen und Geschwind-Därmen aller Art) jenes Gefühl endlich angezüchtet ist, dass sie nicht an Alles rühren dürfe; dass
es heilige Erlebnisse giebt, vor denen sie die Schuhe auszu-
ziehn und die unsaubere Hand fern zu halten hat, – es ist
beinahe ihre höchste Steigerung zur Menschlichkeit. Umgekehrt wirkt an den sogenannten Gebildeten, den Gläubigen
der »modernen Ideen«, vielleicht Nichts so ekelerregend, als
ihr Mangel an Scham, ihre bequeme Frechheit des Auges und
der Hand, mit der von ihnen an Alles gerührt, geleckt, geta-
stet wird; und es ist möglich, dass sich heut im Volke, im

niedern Volke, namentlich unter Bauern, immer noch mehr
r e l a t i v e Vornehmheit des Geschmacks und Takt der Ehrfurcht vorfindet, als bei der zeitunglesenden Halbwelt des
Geistes, den Gebildeten.

264.

Es ist aus der Seele eines Menschen nicht wegzuwischen, was
seine Vorfahren am liebsten und beständigsten gethan haben:
ob sie etwa emsige Sparer waren und Zubehör eines Schreibti-
sches und Geldkastens, bescheiden und bürgerlich in ihren
Begierden, bescheiden auch in ihren Tugenden; oder ob sie
an's Befehlen von früh bis spät gewöhnt lebten, rauhen Vergnügungen hold und daneben vielleicht noch rauheren Pflichten und Verantwortungen; oder ob sie endlich alte Vorrechte
der Geburt und des Besitzes irgendwann einmal geopfert
haben, um ganz [219] ihrem Glauben – ihrem »Gotte« – zu
leben, als die Menschen eines unerbittlichen und zarten
Gewissens, welches vor jeder Vermittlung erröthet. Es ist gar
nicht möglich, dass ein Mensch n i c h t die Eigenschaften
und Vorlieben seiner Eltern und Altvordern im Leibe habe:
was auch der Augenschein dagegen sagen mag. Dies ist das
Problem der Rasse. Gesetzt, man kennt Einiges von den
Eltern, so ist ein Schluss auf das Kind erlaubt: irgend eine
widrige Unenthaltsamkeit, irgend ein Winkel-Neid, eine
plumpe Sich-Rechtgeberei – wie diese Drei zusammen zu
allen Zeiten den eigentlichen Pöbel-Typus ausgemacht haben
– dergleichen muss auf das Kind so sicher übergehn, wie
verderbtes Blut; und mit Hülfe der besten Erziehung und
Bildung wird man eben nur erreichen, über eine solche Vererbung zu t ä u s c h e n. – Und was will heute Erziehung und
Bildung Anderes! In unsrem sehr volksthümlichen, will
sagen pöbelhaften Zeitalter m u s s »Erziehung« und »Bildung« wesentlich die Kunst, zu täuschen, sein, – über die
Herkunft, den vererbten Pöbel in Leib und Seele hinweg zu
täuschen. Ein Erzieher, der heute vor Allem Wahrhaftigkeit
predigte und seinen Züchtlingen beständig zuriefe »seid

wahr! seid natürlich! gebt euch, wie ihr seid!« – selbst ein
solcher tugendhafter und treuherziger Esel würde nach einiger Zeit zu jener furca des Horaz greifen lernen, um naturam
expellere: mit welchem Erfolge? »Pöbel« usque recurret. –

265.

Auf die Gefahr hin, unschuldige Ohren missvergnügt zu
machen, stelle ich hin: der Egoismus gehört zum Wesen der
vornehmen Seele, ich meine jenen unverrückbaren Glauben,
dass einem Wesen, wie »wir sind«, andre Wesen von Natur
unterthan sein müssen und sich ihm zu opfern haben. Die
vornehme Seele nimmt diesen Thatbestand ihres Egoismus
ohne jedes Fragezeichen hin, auch ohne ein Gefühl von Härte
Zwang, [220] Willkür darin, vielmehr wie Etwas, das im
Urgesetz der Dinge begründet sein mag: – suchte sie nach
einem Namen dafür, so würde sie sagen »es ist die Gerechtigkeit selbst«. Sie gesteht sich, unter Umständen, die sie
anfangs zögern lassen, zu, dass es mit ihr Gleichberechtigte
giebt; sobald sie über diese Frage des Rangs im Reinen ist,
bewegt sie sich unter diesen Gleichen und Gleichberechtigten
mit der gleichen Sicherheit in Scham und zarter Ehrfurcht,
welche sie im Verkehre mit sich selbst hat, – gemäss einer
eingebornen himmlischen Mechanik, auf welche sich alle
Sterne verstehn. Es ist ein Stück ihres Egoismus m e h r ,
diese Feinheit und Selbstbeschränkung im Verkehre mit ihres
Gleichen – jeder Stern ist ein solcher Egoist –: sie ehrt s i c h
in ihnen und in den Rechten, welche sie an dieselben abgiebt,
sie zweifelt nicht, dass der Austausch von Ehren und Rechten
als W e s e n alles Verkehrs ebenfalls zum naturgemässen
Zustand der Dinge gehört. Die vornehme Seele giebt, wie sie
nimmt, aus dem leidenschaftlichen und reizbaren Instinkte
der Vergeltung heraus, welcher auf ihrem Grunde liegt. Der
Begriff »Gnade« hat inter pares keinen Sinn und Wohlgeruch;
es mag eine sublime Art geben, Geschenke von Oben her
gleichsam über sich ergehen zu lassen und wie Tropfen dur-
stig aufzutrinken: aber für diese Kunst und Gebärde hat die

vornehme Seele kein Geschick. Ihr Egoismus hindert sie hier: sie blickt ungern überhaupt nach »Oben«, – sondern entweder vor sich, horizontal und langsam, oder hinab: – sie weiss sich in der Höhe. –

266.

»Wahrhaft hochachten kann man nur, wer sich nicht selbst sucht«. – Goethe an Rath Schlosser.

267.

Es giebt ein Sprüchwort bei den Chinesen, das die Mütter [221] schon ihre Kinder lehren: siao-sin »mache dein Herz klein!« Dies ist der eigentliche Grundhang in späten Civilisationen: ich zweifle nicht, dass ein antiker Grieche auch an uns Europäern von Heute zuerst die Selbstverkleinerung herauserkennen würde, – damit allein schon giengen wir ihm »wider den Geschmack«. –

268.

Was ist zuletzt die Gemeinheit? – Worte sind Tonzeichen für Begriffe; Begriffe aber sind mehr oder weniger bestimmte Bildzeichen für oft wiederkehrende und zusammen kommende Empfindungen, für Empfindungs-Gruppen. Es genügt noch nicht, um sich einander zu verstehen, dass man die selben Worte gebraucht: man muss die selben Worte auch für die selbe Gattung innerer Erlebnisse gebrauchen, man muss zuletzt seine Erfahrung mit einander gemein haben. Deshalb verstehen sich die Menschen Eines Volkes besser unter einander, als Zugehörige verschiedener Völker, selbst wenn sie sich der gleichen Sprache bedienen; oder vielmehr, wenn Menschen lange unter ähnlichen Bedingungen (des Klima's, des Bodens, der Gefahr, der Bedürfnisse, der Arbeit) zusammen gelebt haben, so entsteht daraus Etwas, das »sich versteht«, ein Volk. In allen Seelen hat eine gleiche Anzahl oft wiederkehrender Erlebnisse die Oberhand gewonnen über seltner kommende: auf sie hin versteht man sich, schnell und immer schneller – die Geschichte der Sprache ist die Geschichte eines Abkürzungs-Prozesses –; auf dies schnelle Verstehen hin verbindet man sich, enger und immer enger. Je grösser die Gefährlichkeit, um so grösser ist das Bedürfniss, schnell und leicht über Das, was noth thut, übereinzukommen; sich in der Gefahr nicht misszuverstehn, das ist es, was die Menschen zum Verkehre schlechterdings nicht entbehren können. Noch bei jeder Freundschaft oder Liebschaft macht man diese Probe: Nichts derart hat Dauer, sobald man dahinter kommt, [222] dass Einer von Beiden bei gleichen Worten anders fühlt, meint, wittert, wünscht, fürchtet, als der Andere. (Die Furcht vor dem »ewigen Missverständniss«: das ist jener wohlwollende Genius, der Personen verschiedenen Geschlechts so oft von übereilten Verbindungen abhält, zu denen Sinne und Herz rathen – und n i c h t irgend ein Schopenhauerischer »Genius der Gattung« –!) Welche Gruppen von Empfindungen innerhalb einer Seele am schnellsten wach werden, das Wort ergreifen, den Befehl geben, das entscheidet über die gesammte Rangordnung ihrer Werthe, das bestimmt zuletzt ihre Gütertafel. Die Werthschätzungen eines Menschen verrathen etwas vom A u f b a u seiner Seele, und worin sie ihre Lebensbedingungen, ihre eigentliche Noth sieht. Gesetzt nun, dass die Noth von jeher nur solche Menschen einander angenähert hat, welche mit ähnlichen Zeichen ähnliche Bedürfnisse, ähnliche Erlebnisse andeuten konnten, so ergiebt sich im Ganzen, dass die leichte M i t t h e i l b a r k e i t der Noth, das heisst im letzten Grunde das Erleben von nur durchschnittlichen und g e m e i n e n Erlebnissen, unter allen Gewalten, welche über den Menschen bisher verfügt haben, die gewaltigste gewesen sein muss. Die ähnlicheren, die gewöhnlicheren Menschen waren und sind immer im Vortheile, die Ausgesuchteren, Feineren, Seltsameren, schwerer Verständlichen bleiben leicht allein, unterliegen, bei ihrer Vereinzelung, den Unfällen und pflanzen sich selten fort. Man muss ungeheure Gegenkräfte anrufen, um diesen natürlichen, allzunatürlichen progressus

in simile, die Fortbildung des Menschen in's Ähnliche,
Gewöhnliche, Durchschnittliche, Heerdenhafte – in's G e -
m e i n e ! – zu kreuzen.

269.

Je mehr ein Psycholog – ein geborner, ein unvermeidlicher
Psycholog und Seelen-Errather – sich den ausgesuchteren
Fällen und Menschen zukehrt, um so grösser wird seine
Gefahr, am [223] Mitleiden zu ersticken: er hat Härte und
Heiterkeit n ö t h i g , mehr als ein andrer Mensch. Die Verderbniss, das Zugrundegehen der höheren Menschen, der
fremder gearteten Seelen ist nämlich die Regel: es ist schrecklich, eine solche Regel immer vor Augen zu haben. Die vielfa-
che Marter des Psychologen, der dieses Zugrundegehen entdeckt hat, der diese gesammte innere »Heillosigkeit« des
höheren Menschen, dieses ewige »Zu spät!« in jedem Sinne,
erst einmal und dann f a s t immer wieder entdeckt, durch die
ganze Geschichte hindurch, – kann vielleicht eines Tages zur
Ursache davon werden, dass er mit Erbitterung sich gegen
sein eignes Loos wendet und einen Versuch der Selbst-Zer-
störung macht, – dass er selbst »verdirbt«. Man wird fast bei
jedem Psychologen eine verrätherische Vorneigung und Lust
am Umgange mit alltäglichen und wohlgeordneten Menschen
wahrnehmen: daran verräth sich, dass er immer einer Heilung
bedarf, dass er eine Art Flucht und Vergessen braucht, weg
von dem, was ihm seine Einblicke und Einschnitte, was ihm
sein »Handwerk« auf's Gewissen gelegt hat. Die Furcht vor
seinem Gedächtniss ist ihm eigen. Er kommt vor dem Urtheile Anderer leicht zum Verstummen: er hört mit einem
unbewegten Gesichte zu, wie dort verehrt, bewundert,
geliebt, verklärt wird, wo er g e s e h e n hat, – oder er verbirgt
noch sein Verstummen, indem er irgend einer Vordergrunds-
Meinung ausdrücklich zustimmt. Vielleicht geht die Paradoxie seiner Lage so weit in's Schauerliche, dass die Menge, die
Gebildeten, die Schwärmer gerade dort, wo er das grosse
Mitleiden neben der grossen Verachtung gelernt hat, ihrer-

seits die grosse Verehrung lernen, – die Verehrung für »grosse Männer« und Wunderthiere, um derentwillen man das Vaterland, die Erde, die Würde der Menschheit, sich selber segnet und in Ehren hält, auf welche man die Jugend hinweist, hinerzieht.... Und wer weiss, ob sich nicht bisher in allen grossen Fällen eben das Gleiche begab: dass die Menge einen Gott anbetete, – und dass der »Gott« nur ein armes Opferthier war! Der Erfolg war immer der grösste Lügner, [224] – und das »Werk« selbst ist ein Erfolg; der grosse Staatsmann, der Eroberer, der Entdecker ist in seine Schöpfungen verkleidet, bis in's Unerkennbare; das »Werk«, das des Künstlers, des Philosophen, erfindet erst Den, welcher es geschaffen hat, geschaffen haben soll; die »grossen Männer«, wie sie verehrt werden, sind kleine schlechte Dichtungen hinterdrein; in der Welt der geschichtlichen Werthe h e r r s c h t die Falschmünzerei. Diese grossen Dichter zum Beispiel, diese Byron, Musset, Poe, Leopardi, Kleist, Gogol, – so wie sie nun einmal sind, vielleicht sein müssen: Menschen der Augenblicke, begeistert, sinnlich, kindsköpfisch, im Misstrauen und Vertrauen leichtfertig und plötzlich; mit Seelen, an denen gewöhnlich irgend ein Bruch verhehlt werden soll; oft mit ihren Werken Rache nehmend für eine innere Besudelung, oft mit ihren Aufflügen Vergessenheit suchend vor einem allzutreuen Gedächtniss, oft in den Schlamm verirrt und beinahe verliebt, bis sie den Irrlichtern um die Sümpfe herum gleich werden und sich zu Sternen v e r s t e l l e n – das Volk nennt sie dann wohl Idealisten –, oft mit einem langen Ekel kämpfend, mit einem wiederkehrenden Gespenst von Unglauben, der kalt macht und sie zwingt, nach gloria zu schmachten und den »Glauben an sich« aus den Händen berauschter Schmeichler zu fressen: – welche M a r t e r sind diese grossen Künstler und überhaupt die höheren Menschen für Den, der sie einmal errathen hat! Es ist so begreiflich, dass s i e gerade vom Weibe – welches hellseherisch ist in der Welt des Leidens und leider auch weit über seine Kräfte hinaus hülf- und rettungssüchtig – so leicht jene Ausbrüche unbegrenzten hinge-

bendsten Mitleids erfahren, welche die Menge, vor Allem
die verehrende Menge, nicht versteht und mit neugierigen
und selbstgefälligen Deutungen überhäuft. Dieses Mitleiden
täuscht sich regelmässig über seine Kraft; das Weib möchte
glauben, dass Liebe Alles vermag, – es ist sein eigentlicher
Glaube. Ach, der Wissende des Herzens erräth, wie arm,
dumm, hülflos, anmaasslich, fehlgreifend, leichter zerstö-
rend als [225] rettend auch die beste tiefste Liebe ist! – Es ist
möglich, dass unter der heiligen Fabel und Verkleidung von
Jesu Leben einer der schmerzlichsten Fälle vom Martyrium
des Wissens um die Liebe verborgen liegt: das Martyrium des unschuldigsten und begehrendsten Herzens, das an
keiner Menschen-Liebe je genug hatte, das Liebe, Geliebt-
werden und Nichts ausserdem verlangte, mit Härte, mit
Wahnsinn, mit furchtbaren Ausbrüchen gegen Die, welche
ihm Liebe verweigerten; die Geschichte eines armen Unge-
sättigten und Unersättlichen in der Liebe, der die Hölle erfinden musste, um Die dorthin zu schicken, welche ihn nicht
lieben wollten, – und der endlich, wissend geworden über
menschliche Liebe, einen Gott erfinden musste, der ganz
Liebe, ganz Lieben-können ist, – der sich der Menschen-
Liebe erbarmt, weil sie gar so armselig, so unwissend ist! Wer
so fühlt, wer dergestalt um die Liebe weiss –, sucht den
Tod. – Aber warum solchen schmerzlichen Dingen nachhän-
gen? Gesetzt, dass man es nicht muss. –

270.

Der geistige Hochmuth und Ekel jedes Menschen, der tief
gelitten hat – es bestimmt beinahe die Rangordnung, wie tief
Menschen leiden können –, seine schaudernde Gewissheit,
von der er ganz durchtränkt und gefärbt ist, vermöge seines
Leidens mehr zu wissen, als die Klügsten und Weisesten
wissen können, in vielen fernen entsetzlichen Welten bekannt
und einmal »zu Hause« gewesen zu sein, von denen »ihr
nichts wisst!« ..... dieser geistige schweigende Hochmuth
des Leidenden, dieser Stolz des Auserwählten der Erkennt-

niss, des »Eingeweihten«, des beinahe Geopferten findet alle Formen von Verkleidung nöthig, um sich vor der Berührung mit zudringlichen und mitleidigen Händen und überhaupt vor Allem, was nicht Seinesgleichen im Schmerz ist, zu schützen. Das tiefe Leiden macht vornehm; es trennt. Eine der feinsten Verkleidungs-[226]Formen ist der Epicureismus und eine gewisse fürderhin zur Schau getragene Tapferkeit des Geschmacks, welche das Leiden leichtfertig nimmt und sich gegen alles Traurige und Tiefe zur Wehre setzt. Es giebt »heitere Menschen«, welche sich der Heiterkeit bedienen, weil sie um ihretwillen missverstanden werden: – sie w o l l e n missverstanden sein. Es giebt »wissenschaftliche Menschen«, welche sich der Wissenschaft bedienen, weil dieselbe einen heiteren Anschein giebt, und weil Wissenschaftlichkeit darauf schliessen lässt, dass der Mensch oberflächlich ist: – sie w o l l e n zu einem falschen Schlusse verführen. Es giebt freie freche Geister, welche verbergen und verleugnen möchten, dass sie zerbrochene stolze unheilbare Herzen sind; und bisweilen ist die Narrheit selbst die Maske für ein unseliges allzugewisses Wissen. – Woraus sich ergiebt, dass es zur feineren Menschlichkeit gehört, Ehrfurcht »vor der Maske« zu haben und nicht an falscher Stelle Psychologie und Neugierde zu treiben.

271.

Was am tiefsten zwei Menschen trennt, das ist ein verschiedener Sinn und Grad der Reinlichkeit. Was hilft alle Bravheit und gegenseitige Nützlichkeit, was hilft aller guter Wille für einander: zuletzt bleibt es dabei – sie »können sich nicht riechen!« Der höchste Instinkt der Reinlichkeit stellt den mit ihm Behafteten in die wunderlichste und gefährlichste Vereinsamung, als einen Heiligen: denn eben das ist Heiligkeit – die höchste Vergeistigung des genannten Instinktes. Irgend ein Mitwissen um eine unbeschreibliche Fülle im Glück des Bades, irgend eine Brunst und Durstigkeit, welche die Seele beständig aus der Nacht in den Morgen und aus dem Trüben,

der »Trübsal«, in's Helle, Glänzende, Tiefe, Feine treibt –:
eben so sehr als ein solcher Hang a u s z e i c h n e t – es ist ein
vornehmer Hang –, t r e n n t er auch. – Das Mitleiden des
Heiligen ist das Mitleiden mit dem S c h m u t z des Menschlichen, Allzumensch[227]lichen. Und es giebt Grade und
Höhen, wo das Mitleiden selbst von ihm als Verunreinigung,
als Schmutz gefühlt wird . . . . .

272.

Zeichen der Vornehmheit: nie daran denken, unsre Pflichten
zu Pflichten für Jedermann herabzusetzen; die eigne Verantwortlichkeit nicht abgeben wollen, nicht theilen wollen; seine
Vorrechte und deren Ausübung unter seine P f l i c h t e n
rechnen.

273.

Ein Mensch, der nach Grossem strebt, betrachtet Jedermann,
dem er auf seiner Bahn begegnet, entweder als Mittel oder als
Verzögerung und Hemmniss – oder als zeitweiliges Ruhe-
bett. Seine ihm eigenthümliche hochgeartete G ü t e gegen
Mitmenschen ist erst möglich, wenn er auf seiner Höhe ist
und herrscht. Die Ungeduld und sein Bewusstsein, bis dahin
immer zur Komödie verurtheilt zu sein – denn selbst der
Krieg ist eine Komödie und verbirgt, wie jedes Mittel den
Zweck verbirgt –, verdirbt ihm jeden Umgang: diese Art
Mensch kennt die Einsamkeit und was sie vom Giftigsten an
sich hat.

274.

Das P r o b l e m d e r W a r t e n d e n. – Es sind Glücksfälle
dazu nöthig und vielerlei Unberechenbares, dass ein höherer
Mensch, in dem die Lösung eines Problems schläft, noch zur
rechten Zeit zum Handeln kommt – »zum Ausbruch«, wie
man sagen könnte. Es geschieht durchschnittlich n i c h t,
und in allen Winkeln der Erde sitzen Wartende, die es kaum
wissen, in wiefern sie warten, noch weniger aber, dass sie

umsonst warten. Mitunter auch kommt der Weckruf zu spät, jener Zufall, [228] der die »Erlaubniss« zum Handeln giebt, – dann, wenn bereits die beste Jugend und Kraft zum Handeln durch Stillsitzen verbraucht ist; und wie Mancher fand, eben als er »aufsprang«, mit Schrecken seine Glieder eingeschlafen und seinen Geist schon zu schwer! »Es ist zu spät« – sagte er sich, ungläubig über sich geworden und nunmehr für immer unnütz. – Sollte, im Reiche des Genie's, der »Raffael ohne Hände«, das Wort im weitesten Sinn verstanden, vielleicht nicht die Ausnahme, sondern die Regel sein? – Das Genie ist vielleicht gar nicht so selten: aber die fünfhundert H ä n d e, die es nöthig hat, um den καιρός, »die rechte Zeit« – zu tyrannisiren, um den Zufall am Schopf zu fassen!

275.

Wer das Hohe eines Menschen nicht sehen w i l l, blickt um so schärfer nach dem, was niedrig und Vordergrund an ihm ist – und verräth sich selbst damit.

276.

Bei aller Art von Verletzung und Verlust ist die niedere und gröbere Seele besser daran, als die vornehmere: die Gefahren der letzteren müssen grösser sein, ihre Wahrscheinlichkeit, dass sie verunglückt und zu Grunde geht, ist sogar, bei der Vielfachheit ihrer Lebensbedingungen, ungeheuer. – Bei einer Eidechse wächst ein Finger nach, der ihr verloren gieng: nicht so beim Menschen. –

277.

– Schlimm genug! Wieder die alte Geschichte! Wenn man sich sein Haus fertig gebaut hat, merkt man, unversehens Etwas dabei gelernt zu haben, das man schlechterdings hätte wissen [229] m ü s s e n, bevor man zu bauen – anfieng. Das ewige leidige »Zu spät!« – Die Melancholie alles F e r t i g e n! . . . .

278.

– Wanderer, wer bist du? Ich sehe dich deines Weges gehn,
ohne Hohn, ohne Liebe, mit unerrathbaren Augen; feucht
und traurig wie ein Senkblei, das ungesättigt aus jeder Tiefe
wieder an's Licht gekommen – was suchte es da unten? –, mit
einer Brust, die nicht seufzt, mit einer Lippe, die ihren Ekel
verbirgt, mit einer Hand, die nur noch langsam greift: wer
bist du? was thatest du? Ruhe dich hier aus: diese Stelle ist
gastfreundlich für Jedermann, – erhole dich! Und wer du
auch sein magst: was gefällt dir jetzt? Was dient dir zur Erholung? Nenne es nur: was ich habe, biete ich dir an! – »Zur
Erholung? Zur Erholung? Oh du Neugieriger, was sprichst
du da! Aber gieb mir, ich bitte – –« Was? Was? sprich es aus! –
»Eine Maske mehr! Eine zweite Maske!« . . . .

279.

Die Menschen der tiefen Traurigkeit verrathen sich, wenn sie
glücklich sind: sie haben eine Art, das Glück zu fassen, wie als
ob sie es erdrücken und ersticken möchten, aus Eifersucht,
ach, sie wissen zu gut, dass es ihnen davonläuft!

280.

»Schlimm! Schlimm! Wie? geht er nicht – zurück?« – Ja! Aber
ihr versteht ihn schlecht, wenn ihr darüber klagt. Er geht
zurück, wie Jeder, der einen grossen Sprung thun will. – –

[230]

281.

– »Wird man es mir glauben? aber ich verlange, dass man mir
es glaubt: ich habe immer nur schlecht an mich, über mich
gedacht, nur in ganz seltnen Fällen, nur gezwungen, immer
ohne Lust »zur Sache«, bereit, von »mir« abzuschweifen,
immer ohne Glauben an das Ergebniss, Dank einem un-
bezwinglichen Misstrauen gegen die Möglichkeit der
Selbst-Erkenntniss, das mich so weit geführt hat, selbst am
Begriff »unmittelbare Erkenntniss«, welchen sich die Theo-
retiker erlauben, eine contradictio in adjecto zu empfinden: –

diese ganze Thatsache ist beinahe das Sicherste, was ich über mich weiss. Es muss eine Art Widerwillen in mir geben, etwas Bestimmtes über mich zu g l a u b e n. – Steckt darin vielleicht ein Räthsel? Wahrscheinlich; aber glücklicherweise keins für meine eigenen Zähne. – Vielleicht verräth es die species, zu der ich gehöre? – Aber nicht mir: wie es mir selbst erwünscht genug ist. –«

282.

»Aber was ist dir begegnet?« – »Ich weiss es nicht, sagte er zögernd; vielleicht sind mir die Harpyien über den Tisch geflogen.« – Es kommt heute bisweilen vor, dass ein milder mässiger zurückhaltender Mensch plötzlich rasend wird, die Teller zerschlägt, den Tisch umwirft, schreit, tobt, alle Welt beleidigt – und endlich bei Seite geht, beschämt, wüthend über sich, – wohin? wozu? Um abseits zu verhungern? Um an seiner Erinnerung zu ersticken? – Wer die Begierden einer hohen wählerischen Seele hat und nur selten seinen Tisch gedeckt, seine Nahrung bereit findet, dessen Gefahr wird zu allen Zeiten gross sein: heute aber ist sie ausserordentlich. In ein lärmendes und pöbelhaftes Zeitalter hineingeworfen, mit dem er nicht aus Einer Schüssel essen mag, kann er leicht vor Hunger und Durst, oder, falls er endlich dennoch »zugreift« – vor plötzlichem Ekel zu Grunde gehn. – Wir haben wahrscheinlich Alle schon an Ti[231]schen gesessen, wo wir nicht hingehörten; und gerade die Geistigsten von uns, die am schwersten zu ernähren sind, kennen jene gefährliche dyspepsia, welche aus einer plötzlichen Einsicht und Enttäuschung über unsre Kost und Tischnachbarschaft entsteht, – den N a c h t i s c h - E k e l.

283.

Es ist eine feine und zugleich vornehme Selbstbeherrschung, gesetzt, dass man überhaupt loben will, immer nur da zu loben, wo man n i c h t übereinstimmt: – im andern Falle würde man ja sich selbst loben, was wider den guten

Geschmack geht – freilich eine Selbstbeherrschung, die einen
artigen Anlass und Anstoss bietet, um beständig m i s s v e r -
s t a n d e n zu werden. Man muss, um sich diesen wirklichen
Luxus von Geschmack und Moralität gestatten zu dürfen,
nicht unter Tölpeln des Geistes leben, vielmehr unter Menschen, bei denen Missverständnisse und Fehlgriffe noch
durch ihre Feinheit belustigen, – oder man wird es theuer
büssen müssen! – »Er lobt mich: a l s o giebt er mir Recht« –
diese Eselei von Schlussfolgerung verdirbt uns Einsiedlern
das halbe Leben, denn es bringt die Esel in unsre Nachbar-
schaft und Freundschaft.

284.

Mit einer ungeheuren und stolzen Gelassenheit leben; immer
jenseits –. Seine Affekte, sein Für und Wider willkürlich
haben und nicht haben, sich auf sie herablassen, für Stunden;
sich auf sie s e t z e n , wie auf Pferde, oft wie auf Esel: – man
muss nämlich ihre Dummheit so gut wie ihr Feuer zu nützen
wissen. Seine dreihundert Vordergründe sich bewahren; auch
die schwarze Brille: denn es giebt Fälle, wo uns Niemand in
die Augen, noch weniger in unsre »Gründe« sehn darf. Und
jenes spitzbübische und heitre Laster sich zur Gesellschaft
wählen, die [232] Höflichkeit. Und Herr seiner vier Tugenden
bleiben, des Muthes, der Einsicht, des Mitgefühls, der Einsamkeit. Denn die Einsamkeit ist bei uns eine Tugend, als
ein sublimer Hang und Drang der Reinlichkeit, welcher erräth, wie es bei Berührung von Mensch und Mensch – »in Gesellschaft« – unvermeidlich-unreinlich zugehn muss. Jede
Gemeinschaft macht, irgendwie, irgendwo, irgendwann –
»gemein«.

285.

Die grössten Ereignisse und Gedanken – aber die grössten
Gedanken sind die grössten Ereignisse – werden am spätesten
begriffen: die Geschlechter, welche mit ihnen gleichzeitig
sind, e r l e b e n solche Ereignisse nicht, – sie leben daran

vorbei. Es geschieht da Etwas, wie im Reich der Sterne. Das Licht der fernsten Sterne kommt am spätesten zu den Menschen; und bevor es nicht angekommen ist, l e u g n e t der Mensch, dass es dort – Sterne giebt. »Wie viel Jahrhunderte braucht ein Geist, um begriffen zu werden?« – das ist auch ein Maassstab, damit schafft man auch eine Rangordnung und Etiquette, wie sie noth thut: für Geist und Stern. –

286.

»Hier ist die Aussicht frei, der Geist erhoben«. – Es giebt aber eine umgekehrte Art von Menschen, welche auch auf der Höhe ist und auch die Aussicht frei hat – aber h i n a b blickt.

287.

– Was ist vornehm? Was bedeutet uns heute noch das Wort »vornehm«? Woran verräth sich, woran erkennt man, unter diesem schweren verhängten Himmel der beginnenden Pöbelherrschaft, durch den Alles undurchsichtig und bleiern wird, den vor[233]nehmen Menschen? – Es sind nicht die Handlungen, die ihn beweisen, – Handlungen sind immer vieldeutig, immer unergründlich –; es sind auch die »Werke« nicht. Man findet heute unter Künstlern und Gelehrten genug von Solchen, welche durch ihre Werke verrathen, wie eine tiefe Begierde nach dem Vornehmen hin sie treibt: aber gerade dies Bedürfniss n a c h dem Vornehmen ist von Grund aus verschieden von den Bedürfnissen der vornehmen Seele selbst, und geradezu das beredte und gefährliche Merkmal ihres Mangels. Es sind nicht die Werke, es ist der G l a u b e, der hier entscheidet, der hier die Rangordnung feststellt, um eine alte religiöse Formel in einem neuen und tieferen Verstande wieder aufzunehmen: irgend eine Grundgewissheit, welche eine vornehme Seele über sich selbst hat, Etwas, das sich nicht suchen, nicht finden und vielleicht auch nicht verlieren lässt. – D i e v o r n e h m e S e e l e hat Ehrfurcht vor sich. –

288.

Es giebt Menschen, welche auf eine unvermeidliche Weise
Geist haben, sie mögen sich drehen und wenden, wie sie
wollen, und die Hände vor die verrätherischen Augen halten
(– als ob die Hand kein Verräther wäre! –): schliesslich
kommt es immer heraus, dass sie Etwas haben, das sie verbergen, nämlich Geist. Eins der feinsten Mittel, um wenigstens
so lange als möglich zu täuschen und sich mit Erfolg dümmer
zu stellen als man ist – was im gemeinen Leben oft so wün-
schenswerth ist wie ein Regenschirm –, heisst B e g e i s t e -
r u n g : hinzugerechnet, was hinzu gehört, zum Beispiel
Tugend. Denn, wie Galiani sagt, der es wissen musste –: vertu
est enthousiasme.

289.

Man hört den Schriften eines Einsiedlers immer auch Etwas
[234] von dem Wiederhall der Oede, Etwas von dem Flüster-
tone und dem scheuen Umsichblicken der Einsamkeit an; aus
seinen stärksten Worten, aus seinem Schrei selbst klingt noch
eine neue und gefährlichere Art des Schweigens, Verschwei-
gens heraus. Wer Jahraus, Jahrein und Tags und Nachts allein
mit seiner Seele im vertraulichen Zwiste und Zwiegespräche
zusammengesessen hat, wer in seiner Höhle – sie kann ein
Labyrinth, aber auch ein Goldschacht sein – zum Höhlenbär
oder Schatzgräber oder Schatzwächter und Drachen wurde:
dessen Begriffe selber erhalten zuletzt eine eigne Zwielicht-
Farbe, einen Geruch ebenso sehr der Tiefe als des Moders,
etwas Unmittheilsames und Widerwilliges, das jeden Vor-
übergehenden kalt anbläst. Der Einsiedler glaubt nicht daran,
dass jemals ein Philosoph – gesetzt, dass ein Philosoph immer
vorerst ein Einsiedler war – seine eigentlichen und letzten
Meinungen in Büchern ausgedrückt habe: schreibt man nicht
gerade Bücher, um zu verbergen, was man bei sich birgt? – ja
er wird zweifeln, ob ein Philosoph »letzte und eigentliche«
Meinungen überhaupt haben k ö n n e , ob bei ihm nicht hinter jeder Höhle noch eine tiefere Höhle liege, liegen müsse –

eine umfänglichere fremdere reichere Welt über einer Oberfläche, ein Abgrund hinter jedem Grunde, unter jeder »Begründung«. Jede Philosophie ist eine Vordergrunds-Philosophie – das ist ein Einsiedler-Urtheil: »es ist etwas Willkürliches daran, dass e r hier stehen blieb, zurückblickte, sich umblickte, dass er h i e r nicht mehr tiefer grub und den Spaten weglegte, – es ist auch etwas Misstrauisches daran.« Jede Philosophie v e r b i r g t auch eine Philosophie; jede Meinung ist auch ein Versteck, jedes Wort auch eine Maske.

290.

Jeder tiefe Denker fürchtet mehr das Verstanden-werden, als das Missverstanden-werden. Am Letzteren leidet vielleicht seine Eitelkeit; am Ersteren aber sein Herz, sein Mitgefühl, wel[235]ches immer spricht: »ach, warum wollt i h r es auch so schwer haben, wie ich?«

291.

Der Mensch, ein vielfaches, verlogenes, künstliches und undurchsichtiges Thier, den andern Thieren weniger durch Kraft als durch List und Klugheit unheimlich, hat das gute Gewissen erfunden, um seine Seele einmal als e i n f a c h zu geniessen; und die ganze Moral ist eine beherzte lange Fälschung, vermöge deren überhaupt ein Genuss im Anblick der Seele möglich wird. Unter diesem Gesichtspunkte gehört vielleicht viel Mehr in den Begriff »Kunst« hinein, als man gemeinhin glaubt.

292.

Ein Philosoph: das ist ein Mensch, der beständig ausserordentliche Dinge erlebt, sieht, hört, argwöhnt, hofft, träumt; der von seinen eignen Gedanken wie von Aussen her, wie von Oben und Unten her, als von s e i n e r Art Ereignissen und Blitzschlägen getroffen wird; der selbst vielleicht ein Gewitter ist, welches mit neuen Blitzen schwanger geht; ein verhängnissvoller Mensch, um den herum es immer grollt und brummt und klafft und unheimlich zugeht. Ein Philosoph: ach, ein Wesen, das oft von sich davon läuft, oft vor sich Furcht hat, – aber zu neugierig ist, um nicht immer wieder »zu sich zu kommen« . . . . .

293.

Ein Mann, der sagt: »das gefällt mir, das nehme ich zu eigen und will es schützen und gegen Jedermann vertheidigen«; ein Mann, der eine Sache führen, einen Entschluss durchführen, einem Gedanken Treue wahren, ein Weib festhalten, einen Verwegenen strafen und niederwerfen kann; ein Mann, der seinen Zorn und sein Schwert hat, und dem die Schwachen, Leidenden, [236] Bedrängten, auch die Thiere gern zufallen und von Natur zugehören, kurz ein Mann, der von Natur H e r r ist, – wenn ein solcher Mann Mitleiden hat, nun! d i e s Mitleiden hat Werth! Aber was liegt am Mitleiden Derer, welche leiden! Oder Derer, welche gar Mitleiden predigen! Es giebt heute fast überall in Europa eine krankhafte Empfindlichkeit und Reizbarkeit für Schmerz, insgleichen eine widrige Unenthaltsamkeit in der Klage, eine Verzärtlichung, welche sich mit Religion und philosophischem Krimskrams zu etwas Höherem aufputzen möchte, – es giebt einen förmlichen Cultus des Leidens. Die U n m ä n n l i c h k e i t dessen, was in solchen Schwärmerkreisen »Mitleid« getauft wird, springt, wie ich meine, immer zuerst in die Augen. – Man muss diese neueste Art des schlechten Geschmacks kräftig und gründlich in den Bann thun; und ich wünsche endlich, dass man das gute Amulet »gai saber« sich dagegen um Herz und Hals lege, – »fröhliche Wissenschaft«, um es den Deutschen zu verdeutlichen.

294.

D a s   o l y m p i s c h e   L a s t e r . – Jenem Philosophen zum Trotz, der als ächter Engländer dem Lachen bei allen denkenden Köpfen eine üble Nachrede zu schaffen suchte – »das Lachen ist ein arges Gebreste der menschlichen Natur, wel-

ches jeder denkende Kopf zu überwinden bestrebt sein wird«
(Hobbes) –, würde ich mir sogar eine Rangordnung der Philosophen erlauben, je nach dem Range ihres Lachens – bis
hinauf zu denen, die des g o l d n e n Gelächters fähig sind.
Und gesetzt, dass auch Götter philosophiren, wozu mich
mancher Schluss schon gedrängt hat –, so zweifle ich nicht,
dass sie dabei auch auf eine übermenschliche und neue Weise
zu lachen wissen – und auf Unkosten aller ernsten Dinge!
Götter sind spottlustig: es scheint, sie können selbst bei heiligen Handlungen das Lachen nicht lassen.

[237]   295.

Das Genie des Herzens, wie es jener grosse Verborgene hat,
der Versucher-Gott und geborene Rattenfänger der Gewissen, dessen Stimme bis in die Unterwelt jeder Seele hinabzu-
steigen weiss, welcher nicht ein Wort sagt, nicht einen Blick
blickt, in dem nicht eine Rücksicht und Falte der Lockung
läge, zu dessen Meisterschaft es gehört, dass er zu scheinen
versteht – und nicht Das, was er ist, sondern was Denen, die
ihm folgen, ein Zwang m e h r ist, um sich immer näher an
ihn zu drängen, um ihm immer innerlicher und gründlicher
zu folgen: – das Genie des Herzens, das alles Laute und
Selbstgefällige verstummen macht und horchen lehrt, das die
rauhen Seelen glättet und ihnen ein neues Verlangen zu kosten giebt, – still zu liegen wie ein Spiegel, dass sich der tiefe
Himmel auf ihnen spiegele –; das Genie des Herzens, das die
tölpische und überrasche Hand zögern und zierlicher greifen
lehrt; das den verborgenen und vergessenen Schatz, den
Tropfen Güte und süsser Geistigkeit unter trübem dickem
Eise erräth und eine Wünschelruthe für jedes Korn Goldes
ist, welches lange im Kerker vielen Schlamms und Sandes
begraben lag; das Genie des Herzens, von dessen Berührung
Jeder reicher fortgeht, nicht begnadet und überrascht, nicht
wie von fremdem Gute beglückt und bedrückt, sondern reicher an sich selber, sich neuer als zuvor, aufgebrochen, von
einem Thauwinde angeweht und ausgehorcht, unsicherer

vielleicht, zärtlicher zerbrechlicher zerbrochener, aber voll
Hoffnungen, die noch keinen Namen haben, voll neuen Willens und Strömens, voll neuen Unwillens und Zurückströ-
mens . . . . . aber was thue ich, meine Freunde? Von wem rede
ich zu euch? Vergass ich mich soweit, dass ich euch nicht
einmal seinen Namen nannte? es sei denn, dass ihr nicht
schon von selbst erriethet, wer dieser fragwürdige Geist und
Gott ist, der in solcher Weise g e l o b t sein will. Wie es nämlich einem Jeden ergeht, der von Kindesbeinen an immer
unterwegs und in der Fremde war, so sind auch mir manche seltsame und nicht ungefährliche Geister über den Weg
[238] gelaufen, vor Allem aber der, von dem ich eben sprach,
und dieser immer wieder, kein Geringerer nämlich, als der
Gott D i o n y s o s, jener grosse Zweideutige und Versucher
Gott, dem ich einstmals, wie ihr wisst, in aller Heimlichkeit
und Ehrfurcht meine Erstlinge dargebracht habe – als der
Letzte, wie mir scheint, der ihm ein O p f e r dargebracht hat:
denn ich fand Keinen, der es verstanden hätte, was ich damals
that. Inzwischen lernte ich Vieles, Allzuvieles über die Philosophie dieses Gottes hinzu, und, wie gesagt, von Mund zu
Mund, – ich, der letzte Jünger und Eingeweihte des Gottes
Dionysos: und ich dürfte wohl endlich einmal damit anfan-
gen, euch, meinen Freunden, ein Wenig, so weit es mir
erlaubt ist, von dieser Philosophie zu kosten zu geben? Mit
halber Stimme, wie billig: denn es handelt sich dabei um mancherlei Heimliches, Neues, Fremdes, Wunderliches, Un-
heimliches. Schon dass Dionysos ein Philosoph ist, und dass
also auch Götter philosophiren, scheint mir eine Neuigkeit,
welche nicht unverfänglich ist und die vielleicht gerade unter
Philosophen Misstrauen erregen möchte, – unter euch, meine
Freunde, hat sie schon weniger gegen sich, es sei denn, dass
sie zu spät und nicht zur rechten Stunde kommt: denn ihr
glaubt heute ungern, wie man mir verrathen hat, an Gott und
Götter. Vielleicht auch, dass ich in der Freimüthigkeit meiner
Erzählung weiter gehn muss, als den strengen Gewohnheiten
eurer Ohren immer liebsam ist? Gewisslich gieng der ge-

nannte Gott bei dergleichen Zwiegesprächen weiter, sehr viel weiter, und war immer um viele Schritt mir voraus . . . . Ja ich würde, falls es erlaubt wäre, ihm nach Menschenbrauch schöne feierliche Prunk- und Tugendnamen beizulegen, viel Rühmens von seinem Forscher- und Entdecker-Muthe, von seiner gewagten Redlichkeit, Wahrhaftigkeit und Liebe zur Weisheit zu machen haben. Aber mit all diesem ehrwürdigen Plunder und Prunk weiss ein solcher Gott nichts anzufangen. »Behalte dies, würde er sagen, für dich und deines Gleichen und wer sonst es nöthig hat! Ich – habe keinen Grund, meine Blösse zu dec[239]ken!« – Man erräth: es fehlt dieser Art von Gottheit und Philosophen vielleicht an Scham? – So sagte er einmal: »unter Umständen liebe ich den Menschen – und dabei spielte er auf Ariadne an, die zugegen war –: der Mensch ist mir ein angenehmes tapferes erfinderisches Thier, das auf Erden nicht seines Gleichen hat, es findet sich in allen Labyrinthen noch zurecht. Ich bin ihm gut: ich denke oft darüber nach, wie ich ihn noch vorwärts bringe und ihn stärker, böser und tiefer mache, als er ist.« – »Stärker, böser und tiefer?« fragte ich erschreckt. »Ja, sagte er noch Ein Mal, stärker, böser und tiefer; auch schöner« – und dazu lächelte der Versucher-Gott mit seinem halkyonischen Lächeln, wie als ob er eben eine bezaubernde Artigkeit gesagt habe. Man sieht hier zugleich: es fehlt dieser Gottheit nicht nur an Scham –; und es giebt überhaupt gute Gründe dafür, zu muthmaassen, dass in einigen Stücken die Götter insgesammt bei uns Menschen in die Schule gehn könnten. Wir Menschen sind – menschlicher . . .

296.

Ach, was seid ihr doch, ihr meine geschriebenen und gemalten Gedanken! Es ist nicht lange her, da wart ihr noch so bunt, jung und boshaft, voller Stacheln und geheimer Würzen, dass ihr mich niesen und lachen machtet – und jetzt? Schon habt ihr eure Neuheit ausgezogen, und einige von euch sind, ich fürchte es, bereit, zu Wahrheiten zu werden: so unsterblich sehn sie bereits aus, so herzbrechend rechtschaffen, so langweilig! Und war es jemals anders? Welche Sachen schreiben und malen wir denn ab, wir Mandarinen mit chinesischem Pinsel, wir Verewiger der Dinge, welche sich schreiben l a s s e n, was vermögen wir denn allein abzumalen? Ach, immer nur Das, was eben welk werden will und anfängt, sich zu verriechen! Ach, immer nur abziehende und erschöpfte Gewitter und gelbe späte Gefühle! Ach, immer nur Vögel, die sich müde flogen und verflogen und sich nun mit [240] der Hand haschen lassen, – mit u n s e r e r Hand! Wir verewigen, was nicht mehr lange leben und fliegen kann, müde und mürbe Dinge allein! Und nur euer N a c h m i t t a g ist es, ihr meine geschriebenen und gemalten Gedanken, für den allein ich Farben habe, viel Farben vielleicht, viel bunte Zärtlichkeiten und fünfzig Gelbs und Brauns und Grüns und Roths: – aber Niemand erräth mir daraus, wie ihr in eurem Morgen aussahet, ihr plötzlichen Funken und Wunder meiner Einsamkeit, ihr meine alten geliebten – – s c h l i m m e n Gedanken!

*   *   *

Aus hohen Bergen.

Nachgesang.

Oh Lebens Mittag! Feierliche Zeit!
    Oh Sommergarten!
Unruhig Glück im Stehn und Spähn und Warten: –
Der Freunde harr' ich, Tag und Nacht bereit,
Wo bleibt ihr Freunde? Kommt! 's ist Zeit! 's ist Zeit!

War's nicht für euch, dass sich des Gletschers Grau
    Heut schmückt mit Rosen?
Euch sucht der Bach, sehnsüchtig drängen, stossen
Sich Wind und Wolke höher heut in's Blau,
Nach euch zu spähn aus fernster Vogel-Schau.

Im Höchsten ward für euch mein Tisch gedeckt: –
    Wer wohnt den Sternen
So nahe, wer des Abgrunds grausten Fernen?
Mein Reich – welch Reich hat weiter sich gereckt?
Und meinen Honig – wer hat ihn geschmeckt? . . . . .

– Da s e i d ihr, Freunde! – Weh, doch i c h bin's nicht,
    Zu dem ihr wolltet?
Ihr zögert, staunt – ach, dass ihr lieber grolltet!
Ich – bin's nicht mehr? Vertauscht Hand, Schritt, Gesicht?
Und w a s ich bin, euch Freunden – bin ich's nicht?

Ein Andrer ward ich? Und mir selber fremd?
    Mir selbst entsprungen?
Ein Ringer, der zu oft sich selbst bezwungen?
Zu oft sich gegen eigne Kraft gestemmt,
Durch eignen Sieg verwundet und gehemmt?

[242] Ich suchte, wo der Wind am schärfsten weht?
     Ich lernte wohnen,
Wo Niemand wohnt, in öden Eisbär-Zonen,
Verlernte Mensch und Gott, Fluch und Gebet?
Ward zum Gespenst, das über Gletscher geht?

– Ihr alten Freunde! Seht! Nun blickt ihr bleich,
     Voll Lieb' und Grausen!
Nein, geht! Zürnt nicht! Hier – könntet i h r nicht hausen:
Hier zwischen fernstem Eis- und Felsenreich –
Hier muss man Jäger sein und gemsengleich.

Ein s c h l i m m e r Jäger ward ich! – Seht, wie steil
     Gespannt mein Bogen!
Der Stärkste war's, der solchen Zug gezogen – –:
Doch wehe nun! Gefährlich ist d e r Pfeil,
Wie k e i n Pfeil, – fort von hier! Zu eurem Heil! . . . . .

Ihr wendet euch? – Oh Herz, du trugst genung,
     Stark blieb dein Hoffen:
Halt n e u e n Freunden deine Thüren offen!
Die alten lass! Lass die Erinnerung!
Warst einst du jung, jetzt – bist du besser jung!

Was je uns knüpfte, Einer Hoffnung Band, –
     Wer liest die Zeichen,
Die Liebe einst hineinschrieb, noch, die bleichen?
Dem Pergament vergleich ich's, das die Hand
Zu fassen s c h e u t, – ihm gleich verbräunt, verbrannt.

Nicht Freunde mehr, das sind – wie nenn' ich's doch? –
     Nur Freunds-Gespenster!
Das klopft mir wohl noch Nachts an Herz und Fenster,
Das sieht mich an und spricht: »wir w a r e n ' s doch?« –
– Oh welkes Wort, das einst wie Rosen roch!

[243] Oh Jugend-Sehnen, das sich missverstand!
     Die i c h ersehnte,
Die ich mir selbst verwandt-verwandelt wähnte,
Dass a l t sie wurden, hat sie weggebannt:
Nur wer sich wandelt, bleibt mit mir verwandt.

Oh Lebens Mittag! Zweite Jugendzeit!
     Oh Sommergarten!
Unruhig Glück im Stehn und Spähn und Warten!
Der Freunde harr' ich, Tag und Nacht bereit,
Der n e u e n Freunde! Kommt! 's ist Zeit! 's ist Zeit!

          *   *   *

D i e s Lied ist aus, – der Sehnsucht süsser Schrei
     Erstarb im Munde:
Ein Zaubrer that's, der Freund zur rechten Stunde,
Der Mittags-Freund – nein! fragt nicht, wer es sei –
Um Mittag war's, da wurde Eins zu Zwei . . . . .

Nun feiern wir, vereinten Siegs gewiss,
     Das Fest der Feste:
Freund Z a r a t h u s t r a kam, der Gast der Gäste!
Nun lacht die Welt, der grause Vorhang riss,
Die Hochzeit kam für Licht und Finsterniss . . . . .

Editorische Notiz

Der Text der vorliegenden Ausgabe folgt: Nietzsche. Werke. Kritische Gesamtausgabe. Herausgegeben von Giorgio Colli und Mazzino Montinari. Sechste Abteilung. Zweiter Band. Berlin: Walter de Gruyter, 1968. Die in eckigen Klammern beigefügte Seitenzählung verweist auf Band 5 der textidentischen Kritischen Studienausgabe sämtlicher Werke in 15 Bänden, die 1980 im Deutschen Taschenbuch Verlag und im Verlag Walter de Gruyter erschienen ist.

Nachwort

Philosophie als Schicksal

Die Philosophie ist Nietzsches Schicksal. Er wollte, wie er in *Ecce homo* schreibt, das »Schicksal« der Menschheit sein, wollte mit dem Christentum auch den Platonismus und damit die ja stets bloß auf das Denken abgestellte Philosophie überwinden. Doch es kam umgekehrt: Nicht er wurde ihr, sondern sie wurde ihm zum Schicksal. Nietzsche ist zum Philosophen geworden, der nunmehr zum festen Bestandteil der Tradition gehört. In wenigen Jahrzehnten wandelte sich der Provokateur postum zum Klassiker, dem Zeitschriften, Buchreihen und ganze Forschungseinrichtungen ihren Namen verdanken. Wer nach den großen Denkern der Neuzeit, nach den Höhepunkten menschlicher Selbstdarstellung oder auch nur nach der systematischen Stellung der Philosophie in der Moderne fragt, der kommt um Nietzsche nicht mehr herum.

Gemessen an dem Widerstand, den die akademische Philosophie diesem »Dichterphilosophen« anfangs entgegenbrachte, ist dies eine erstaunliche Karriere. Sie ist um so beachtlicher, als man auch Nietzsches eigenen Widerstand gegen die Philosophie in Rechnung zu stellen hat. Es ist keineswegs nur der »peinliche Gegenstand« der Universitätsphilosophie, die heruntergekommene »Traum- und Denkwirthschaft« der vom Staat ausgehaltenen Professoren, mit der er abrechnet, sondern die Philosophie überhaupt ist Zielscheibe seiner vernichtenden Invektiven: Die Philosophie hat für ihn etwas »Krankhaftes«, »Kupplerisches«, »Gewaltsames«, in ihr zeigen sich »Anzeichen eines entarteten Instincts« und in ihrer »Widersinnlichkeit« liegt der »grösste Widersinn des Menschen«. In der Philosophie, so meint er, dränge sich eine Überfülle von »Missrathenen«, die mit ihrem aus dem Herdeninstinkt stammenden Fanatismus »Rache an der Wirklichkeit« nehmen.

Doch ungeachtet solcher Verwünschungen steht außer
Zweifel, daß Nietzsche von Anfang an philosophische Ambi-
tionen hat. Obgleich als Philologe ausgebildet und schon mit
24 Jahren auf eine Professur für Klassische Philologie in Basel
berufen, versteht er sich primär als Philosoph. Seine erste
selbständige Veröffentlichung, die *Geburt der Tragödie aus
dem Geiste der Musik* (1872), ist eine Deutung griechischer
und deutscher Kultur im Sinne Schopenhauers und Wagners;
sie ist eine tiefgründige Betrachtung über die tragische Ver-
knüpfung von Leben und Kunst. Wenn sich Nietzsche unter
Berufung auf diese Schrift in der eigenen Fakultät um eine
freigewordene Philosophieprofessur bewirbt, erscheint dies
heute nur konsequent. Denn nachdem er den akademischen
Dienst aus Gesundheitsgründen verlassen hat, wird die Philosophie zu seinem Lebensinhalt, zu einer oft mit ver-
zweifelter Anstrengung verfolgten Notwendigkeit, über die
er wieder und immer wieder als von einer großen Aufgabe
spricht.

Man fügt also Nietzsche kein Unrecht zu, wenn man ihn
als einen Philosophen behandelt. Gleichwohl ist es im
Umgang mit seinen Schriften von größter Wichtigkeit, nicht
alles gleichermaßen philosophisch zu nehmen. Nietzsches
Ehrgeiz ist stets auf mehr als die Philosophie gerichtet. Von
der *Geburt der Tragödie* hat er im nachhinein gesagt, daß er
sie lieber in Musik gesetzt und gesungen hätte.[1] Er will als
Künstler in der vollen Bedeutung des Wortes gelten: kein
bloßer Artist, der mit besonderen Fertigkeiten Aufmerksamkeit erregt, sondern eine Ausnahmeexistenz, die Großes
schafft und in diesem Schaffen der Menschheit ein Beispiel
gibt. Sein höchster Ehrgeiz zielt darauf, ein Erzieher des
Menschengeschlechts zu werden. Und so sucht er in allem das
Extreme und Exemplarische, gibt sich ursprünglich und voll-

---

1 »Versuch einer Selbstkritik« 3; Friedrich Nietzsche, *Sämtliche Werke. Kritische Studienausgabe in 15 Bänden*, hrsg. von G. Colli und M. Montinari,
München 1980, Bd. 1, S. 15 [im folgenden zit. als: KSA mit Band- und Seiten-
zahl].

endet zugleich. Nicht die »Handlung«, sondern das »Pathos« wird entscheidend.[2] Alles geschieht mit der Prätention des »großen Stils«, um aus dem Leben selbst ein »Kunstwerk« zu machen.[3]

Dazu hat Nietzsche in der Tat zahlreiche Talente: Er ist, trotz seiner exaltiert klingenden Kompositionen, hoch musikalisch; er schreibt eine geschliffene Prosa, die souverän über verschiedenste Sprachstile verfügt und reich an einprägsamen Bildern ist; in seiner Lyrik gewinnt er höchste Ausdruckskraft, und es ist nicht zu viel gesagt, daß die deutsche Sprache ihm einige ihrer schönsten Gedichte verdankt. Außerdem ist er ein Meister logisch-philologischer Kombinatorik und ein Psychologe von hohen Graden dazu. Von Sigmund Freud ist das Geständnis überliefert, daß er sich eines Tages die weitere Lektüre Nietzsches verbot, um nicht ständig zu lesen, was jener alles schon vor ihm entdeckt hatte.

Wie weit Nietzsches Wirkungsanspruch über die Philosophie hinausreicht, belegt am eindrucksvollsten sein Versuch, durch die literarische Kunstfigur des wiederkehrenden »Zarathustra« die Zukunft der Menschheit zu prophezeien. Im alttestamentarischen Verkündigungsstil werden der »Übermensch« und der »Wille zur Macht« gelehrt; der Gedanke der »ewigen Wiederkehr des Gleichen« wird wie eine religiöse Botschaft offenbart. Nietzsche versucht sich als Stifter eines neuen Glaubens. Die Inspiration, die ihn dazu befähigt, beschreibt er mit folgenden Worten: »Alles geschieht im höchsten Grade unfreiwillig, aber wie in einem Sturme von Freiheits-Gefühl, von Unbedingtsein, von Macht, von Göttlichkeit . . .«[4]

Kennzeichnend ist jedoch, daß Nietzsche den Versuch neuer Glaubens- oder zumindest Mythenbildung nicht auf direktem Wege unternimmt; er ist weit davon entfernt, eine

---

2 *Die Geburt der Tragödie* [im folgenden zit. als: GT] 12; KSA 1,85.
3 GT 3 und 7; KSA 1,36 f. und 56.
4 »Also sprach Zarathustra« 3, in: *Ecce homo* [im folgenden zit. als: EH]; KSA 6,340.

eigene Kirche zu gründen oder auch nur eine Gemeinde um sich zu scharen. Er versteckt sich hinter dem Auftritt des persischen Weisen und liebt auch sonst das Verwirrspiel mit vielen Masken. Seit der *Morgenröthe* (1881) sorgt er dafür, daß dem Propheten der Narr über die Schulter sieht. Diese Distanz gegenüber den praktischen Schritten charakterisiert sein ganzes Schaffen. So kompromißlos und extrem viele seiner Forderungen klingen, so gewalttätig der späte Versuch, »mit dem Hammer zu philosophieren«[5], auch anmutet, stets bleibt ein Überschuß an Nachdenklichkeit, die alle seine Ansprüche im Schwebezustand der Reflexion beläßt. In fast allem vermag er auch die Kehrseite der Dinge zu sehen, und unter seinen großen Sprüchen dürfte es kaum einen geben, dem er nicht selbst widersprochen hätte.

Auf diese Weise holt Nietzsche seine gewagten künstlerischen und kulturellen Versprechungen stets selbst in das Medium des Gedankens zurück. Auch wenn er die »Tat« fordert und über die kraftlose Innerlichkeit des abstrakten Denkens spottet, bleibt er doch für sich selbst ein Mann der Idee und des Wortes. Seine Mittel bleiben auf die Kritik und die Vision beschränkt.

Diese Begrenzung, die Einschränkung auf das kritische und visionäre Wort, ist Nietzsche stets schmerzlich bewußt. Nur in den ersten gemeinsamen Jahren mit Richard Wagner hat er eine praktisch-politische Tätigkeit angestrebt, hoffte insgeheim, aus dem Schatten des Meisters heraustreten und seine eigene kulturelle Mission erfüllen zu können. Dabei dachte er zunächst an einen kleinen Kreis erlesener Freunde, die in klösterlicher Abgeschiedenheit das Ideal eines neuen Lebens praktizieren. Dort sollte die Keimzelle einer neuen Kultur entstehen, die er sich als eine »neue und verbesserte« Natur vorstellte: »ohne Innen und Aussen, ohne Verstellung und Convention«, als eine Kultur der »Einhelligkeit zwi-

---

5 Vgl. den Titel: *Götzen-Dämmerung oder Wie man mit dem Hammer philosophirt* [im folgenden zit. als: GD]; KSA 6,55. Vgl. auch »Götzen-Dämmerung« 1, in: EH; KSA 6,354.

schen Leben, Denken, Scheinen und Wollen«.[6] Aber er trifft
noch nicht einmal Vorbereitungen für die Erprobung einer
solchen neuen Lebensform.

Niemand wird Nietzsche aus seiner praktischen Untätig-
keit einen Vorwurf machen wollen, zumal seine Krankheit
ihm schon früh eine einsame und unstete Existenzweise auf-
nötigt. Damit aber ist er ganz auf seine Gedanken und Schriften zurückgeworfen. Er führt, vielleicht als einer der ersten in
der Geschichte der Philosophie, das Dasein eines Intellektuellen: aus fast allen sozialen Bindungen gelöst und ohne eine
praktische Aufgabe, bleibt er gänzlich auf die Formulierung
seiner Gedanken beschränkt. Er ist, wie er selbst es nennt, ein
»décadent«, der den diagnostizierten Niedergang seiner Epoche nur kommentieren, aber nicht aufhalten kann. Erst recht
fehlen ihm die Mittel, das proklamierte postnihilistische Zeitalter mit praktischen Schritten einzuleiten. Ja, seine Enthalt-
samkeit geht so weit, daß er sich in seiner »Philosophie der
Zukunft« verbietet, die Grundzüge der neuen Zeit zu entwer-
fen. Man erfährt stets nur, welche Übel künftig überwunden
sein sollten.

Sieht man einmal vom kulturkritischen Beiwerk der Selbst-
einschätzung als »décadent« ab, dann kommt das klassische
Bild des Philosophen zum Vorschein, dem lediglich die Aus-
drucksformen seines Denkens zu Gebote stehen. Dabei
möchte auch Nietzsche nach Art der antiken Weisen durch
das Vorbild seiner Tugenden erzieherisch wirken. Aber er
neigt auch hier mehr zur skeptischen Zurückhaltung, zweifelt, fragt und verwirft, nicht zuletzt unter lauten Schmähre-
den auf die angebliche Verlogenheit der systematischen Denker.[7] So vermeidet er, trotz aller Schärfen in der Kritik, die

---

6 *Unzeitgemässe Betrachtungen* II, 10; KSA 1,334. Vgl. dazu die Darstellungen
   in den beiden sich vorzüglich ergänzenden Biographien von C. P. Janz, *Friedrich Nietzsche*, 3 Bde., München 1978–79, und W. Ross, *Der ängstliche Adler*, Stuttgart 1980.
7 »Ich misstraue allen Systematikern und gehe ihnen aus dem Weg. Der Wille
   zum System ist ein Mangel an Rechtschaffenheit.« (»Sprüche und Pfeile« 26,
   in: GD; KSA 6,63.)

Festlegung auf bestimmte Positionen. Sein Element bleibt das lebendige, alles erprobende, jede Perspektive durchspielende Denken. Nur wenige vor ihm haben ihrem Leben (und ihrem physischen Leiden) so viel rein Geistiges abgewonnen.

Im Schlußabschnitt seines artistischen und doch existentiell aufrichtigen Lebensberichts *Ecce homo*, der wenige Wochen vor dem geistigen Zusammenbruch geschrieben wurde, hat Nietzsche in maßloser Übersteigerung sich selbst zum »Schicksal« der Menschheit erklärt.[8] Dies ist seine letzte große Provokation des abendländischen Denkens, insonderheit des Christentums. Sie muß als der verzweifelte Versuch verstanden werden, doch noch von der bloß intellektuellen Existenz loszukommen und als dionysischer Erlöser weltgeschichtliche Bedeutung zu erlangen. In der pathetischen Bereitschaft, das Schicksal aller auf sich zu nehmen, möchte er sich vom eigenen Schicksal befreien, das ihm bedeutet, auch nicht mehr als bloß ein Philosoph zu sein. Doch was immer Nietzsche für die Kultur des 19. und 20. Jahrhunderts bedeutet, das kommt ihm als Kritiker und somit als Denker zu. Mag er nun ein Schicksal der Menschheit sein oder nicht: sein Schicksal ist die Philosophie.

Unter diesem Schicksal hat Nietzsche gelitten wie wohl kein anderer vor ihm oder nach ihm. Letztlich aber hat er auch die Philosophie in seine große Formel vom »amor fati« einbezogen. Trotz allen Widerstands hat er sich ihr mehr und mehr hingegeben – in leidenschaftlicher Distanz zur Welt, wie sie nun einmal zur Philosophie gehört. So erfüllt sich in ihm, was er schon 1873 als Kennzeichen des wahren Philosophen beschreibt: »Das Product des Philosophen ist sein L e b e n (zuerst, vor seinen W e r k e n). Das ist sein Kunstwerk. Jedes Kunstwerk ist einmal dem Künstler, sodann den andern Menschen zugekehrt.«[9] Nietzsche hat sich

---

8 »Warum ich ein Schicksal bin«; KSA 6,365 ff. Vgl. dazu: J. Salaquarda, »Dionysos gegen den Gekreuzigten«, in: J. S. (Hrsg.), *Nietzsche*, Darmstadt 1980 (Wege der Forschung, Bd. 521), S. 288–322.
9 Nachlaß 1873   29 [205]; KSA 7,712.

wahrhaftig »den Menschen zugekehrt«, und die »Culturwir-
kungen der Philosophie«, um die es ihm von Anfang an geht,
hat er, wie kaum ein zweiter moderner Denker, unter Beweis
gestellt.

Nietzsches Hinwendung zur Philosophie erfolgt nicht in
selbstverständlicher Fortsetzung einer Schultradition. Sie
entspricht auch nicht der sicher und fest ergriffenen eigenen
Bestimmung, sondern kommt erst nach tiefen Zweifeln und
trotz beharrlicher Verweigerung zustande. Er leidet an ihr,
und deshalb betreibt er zunächst mit dem größten Scharfsinn
ihre Destruktion. Erst als ihm klar wird, daß er ihr nicht
entkommt, überläßt er sich ihr – widerwillig und zögernd.
Das Verhältnis bleibt kritisch bis zum Schluß. Zu seinen Vor-
gängern wahrt er das von ihm oft beschworene »Pathos der
Distanz«. Denn er will vermeiden, was er ihnen als verhängnisvollen Fehler unterstellt: daß die Gedanken in Opposition
zu den Sinnen stehen. Deshalb setzt er die Leibhaftigkeit
seiner Existenz gegen die Überzeugungskraft von Ideen und
denkt jeden Gedanken konsequent zu Ende, ohne Rücksicht
auf systematische Stimmigkeit und ohne sich selbst zu schonen. Redlichkeit und Wahrhaftigkeit gelten ihm mehr als die
Wahrheit einer Theorie.

Auf diese Weise findet nicht nur er selbst zu einem neuen
Verhältnis zur Philosophie, sondern er gibt der Philosophie
als ganzer wenn nicht eine neue, so doch eine radikalere
Bestimmung: Ihre »Wahrheit« hat sie nicht mehr außer sich
in einem »Sein«, einem »Ding an sich« oder in Gott, sondern
sie liegt allein in der Konsequenz ihres Vollzugs. Darin äußert
sich aber nicht die Logik ihrer Begrifflichkeit, sondern nur
die Folgerichtigkeit einer lebendigen Kraft, die Nietzsche
unter dem Titel des »Willens zur Macht« psychologisch –
oder besser: physiologisch – zu begreifen sucht. »Wahrheit«
wird zu einer Machtfrage *und* zu einer Frage des Stils; das
vormals bloß Logische wird in eine »Physio-logie« über-
führt, in der physikalische Kraft und sinnliche Empfindung
organisch verbunden sind. Gerade der konsequente Gedanke

muß als lebendige, sinnliche, d. h. ästhetische Einheit und
somit als eine sich selbst versuchende Form des Lebens erscheinen. Philosophie gehört somit zu den Experimenten des
Lebens mit sich selbst. Ein sublimer Reiz, eine Stimmung
höchster Geistigkeit, in der sich das menschliche Leben selbst
erprobt: das ist der philosophische Gedanke.

Auf diese Weise verliert die Philosophie nicht nur ihre
Selbständigkeit, sondern auch ihre jahrtausendealte Selbst-
verständlichkeit. Philosophie ist ein Luxus, den man sich keineswegs immer erlauben kann, den man mitnichten immer
braucht. Vielleicht ist sie auch eine Schwäche, die dem gesunden Menschen als Krankheit erscheinen muß? Was der neu-
zeitliche Positivismus von außen nicht erreichen konnte, das
schafft Nietzsche von innen her: Er läßt die Philosophie an
sich selbst zweifeln und bringt durch ihre eigenen Mittel,
durch bloßes Denken, eine Irritation hinein, die sie bis heute
nicht überwunden hat und hoffentlich auch nie mehr vergißt.
Sie hat an ihrer gedanklichen Reinheit zu zweifeln, muß sich
gerade dort, wo sie rein begrifflich verfährt, als physiologische Lebensäußerung verstehen, als Ausdruck des »Willens
zur Macht«. Die (kleine) Vernunft der Philosophie ist besten-
falls ein Ausdruck der »großen Vernunft des Leibes«. Zur
vollen Vernunft kommt die Philosophie damit also erst,
indem sie sich selbst vergißt. Dies ist mehr als ein ärgerliches
Paradox für den, der, wie Nietzsche, mit seinem Leben daran
hängt – in der Tat ein schweres Schicksal.

Im Vorwort von *Ecce homo* hat Nietzsche seine problema-
tische Beziehung zur Philosophie mit den Worten zum Ausdruck gebracht, er sei »ein Jünger des Philosophen Dionysos«; er zöge es vor, »eher noch ein Satyr zu sein als ein
Heiliger«. Mit diesem Bekenntnis zum Satyrhaften, zum
Närrischen und Verführerischen, ist für ihn aber gerade keine
Distanzierung gegenüber der Philosophie verbunden. Es ist
vielmehr sein Ja zur Reflexion, die er so sehr als Schicksal
anerkennt, daß er sich nicht scheut, von Freiwilligkeit zu
sprechen: »Philosophie, wie ich sie bisher verstanden und

gelebt habe, ist das freiwillige Leben in Eis und Hochgebirge – das Aufsuchen alles Fremden und Fragwürdigen im Dasein, alles dessen, was durch die Moral bisher in Bann gethan war.«[10]

Mit *Jenseits von Gut und Böse*, erschienen Anfang August 1886, vollzieht Nietzsche seinen entschiedenen Übergang zum philosophischen Denken. Die große Krise des Jahres 1881, die ihm den Gedanken der ewigen Wiederkunft des Gleichen, die Idee des Zarathustra und die Konzeption des Willens zur Macht bringt, ist überwunden. Nach 1881 hatte er zwar noch die Herausgabe der *Fröhlichen Wissenschaft* (1882) besorgt, sich dann aber hinter die Maske seines Zarathustra zurückgezogen. So geschützt, wagt er sich seit 1883, unmittelbarer und vor allem unbescheidener als Platon, an die Erfindung eines neuen Mythos. Er spielt mit der Verkündigung eines alle alten Überzeugungen ablösenden Glaubens, versucht sich in der Rolle des epochemachenden Lehrers und übt den Gestus eines Gesetzgebers ein. Es ist eine religiöse Probehandlung, eine literarisch gebrochene Prophetie, die er gewiß nicht ohne Ernst betreibt, deren Fragwürdigkeit ihm aber wohl immer bewußt gewesen ist. Im vierten und letzten Teil von *Also sprach Zarathustra*, 1885 als Privatdruck nur wenigen zugänglich gemacht, zeigt Nietzsche ironische Distanz zu seinem eigenen Geschöpf und geht selbst gestärkt aus dem gedankenreichen Versteckspiel mit dem persischen Weisen hervor.

Bis in den April des Jahres 1885 ist der Autor mit den Arbeiten zum *Zarathustra* beschäftigt. Im Juni diktiert er bereits die ersten Texte zu *Jenseits von Gut und Böse*. Durch äußere Umstände abgehalten, kommt er offenbar erst im Winter in Nizza zu weiterer Arbeit. Aber schon im Februar 1886 berichtet er der Mutter, daß er die Reinschrift eines neuen Werkes anfertige. An seinen vertrauten Gehilfen Heinrich Köselitz, von ihm Peter Gast genannt, schreibt er im

10 Vorwort 2 und 3; KSA 6,258.

März: »Diesen Winter habe ich benutzt, etwas zu schreiben, das Schwierigkeiten in Fülle hat, so daß mein Muth, es herauszugeben, hier und da wackelt und zittert. Es heißt: ›Jenseits von Gut und Böse. Vorspiel einer Philosophie der Zukunft.‹«[11]

Daß ihm selbst der Mut zur Publikation fehlen könnte, ist freilich nur eine ironische Anspielung auf den fehlenden Mut anderer, dieses Buch herauszugeben. In einem wenig später geschriebenen Brief an Franz Overbeck wird dies offenkundig: »Winter-Pensum exakt fertig, Abschrift selbsthändig besorgt, Fädchen drum gebunden, ad acta gelegt. Dergleichen druckt mir Niemand [...].«[12] Tatsächlich muß er in den folgenden Wochen Bittbriefe an verschiedene Verleger schreiben. Doch die Verlagshäuser Veit und Duncker lehnen ab. Erst die weitgehend unbekannte Druckerei C. G. Naumann in Leipzig findet sich bereit, nachdem sie schon die anderen Werke Nietzsches aus der Konkursmasse seines früheren Verlegers übernommen hat, das Manuskript zu drucken. Freilich nur, wie auch die anderen Schriften, auf Nietzsches eigene Kosten.

Gemessen an diesen Schwierigkeiten, ist der Erfolg des Buches beachtlich. Es ist das erste, das überhaupt publizistische Aufmerksamkeit findet. Die *Geburt der Tragödie* hatte lediglich zu einem Streit unter Philologen geführt, und die vier *Unzeitgemäßen Betrachtungen* (1873-76) waren eigentlich nur im Kreis der Kollegen und Freunde beachtet worden. Die nachfolgenden Aphorismenbände (*Menschliches, Allzumenschliches*, 1878 und 1879;[13] *Morgenröthe*, 1881; *Fröhliche Wissenschaft*, 1882) wurden zwar, wie wir heute wissen, an

---

11 Brief an Heinrich Köselitz vom 27. März 1886 (Nr. 680); Friedrich Nietzsche, *Sämtliche Briefe. Kritische Studienausgabe in 8 Bänden*, hrsg. von G. Colli und M. Montinari, München 1986, Bd. 7, S. 166 f. [im folgenden zit. als: KSB mit Band- und Seitenzahl].

12 Brief an Franz Overbeck vom 10. April 1886 (Nr. 684); KSB 7,170 f.

13 1879 erschienen *Vermischte Meinungen und Sprüche* sowie *Der Wanderer und sein Schatten*, die Nietzsche 1886 für die Neuauflage zum 2. Teil von *Menschliches, Allzumenschliches* zusammenfaßte.

verschiedenen Orten Europas aufmerksam gelesen,[14] fanden
aber keine öffentliche Resonanz; ganz ähnlich erging es *Also
sprach Zarathustra*. *Jenseits von Gut und Böse* aber wird
schon im September 1886 in der angesehenen, in Bern
erscheinenden Zeitung *Der Bund* rezensiert.[15]

Der Rezensent stellt der Besprechung ein Dostojewskij-
Zitat voran, in dem von einem armen jungen Mann die Rede
ist, der davon träumt, reich zu werden, um dann nur seine
Hunde mit Brot und Fleisch zu füttern, den Armen aber
nichts zu geben. *Jenseits* scheint dem Rezensenten die philosophischen Gründe für ein solches mitleidloses Verhalten zu
liefern, und deshalb warnt er, wenn auch mit Hochachtung,
vor diesem Buch: »Jene Dynamitvorräthe, die beim Bau der
Gotthardbahn verwendet wurden, führten die schwarze, auf
Todesgefahr deutende Warnungsflagge. Ganz nur in diesem
Sinne sprechen wir von dem neuen Buche des Philosophen
Nietzsche als von einem g e f ä h r l i c h e n Buche. Wir legen
in diese Bezeichnung keine Spur von Tadel gegen den Autor
und sein Werk, so wenig als jene schwarze Flagge jenen
Sprengstoff tadeln sollte.«

Diese Einschätzung ist ganz nach Nietzsches Geschmack,
so sehr er auch über dem ihm mit dem Dostojewskij-Zitat
unterstellten Zynismus steht. Der »Cynismus«, so heißt es ja
in dem rezensierten Buch, »ist die einzige Form, in welcher
gemeine Seelen an Das streifen, was Redlichkeit ist« (26).[16]

14 So etwa in einem Studienzirkel in Wien, der sich bereits in den siebziger
Jahren in Wien zusammenfand und zu dem Max Gruber, Victor und Sig-
mund Adler sowie Heinrich Braun gehörten. Sigmund Freud hatte zu diesem
Kreis Verbindung (vgl. dazu die Bemerkung Montinaris zum Vortrag von
K. R. Fischer, »Nietzsche, Freud und die Humanistische Psychologie«,
in: *Nietzsche-Studien* 10/11, 1981/82, S. 482–517, insb. S. 500).

15 Wiederabgedr. in: C. P. Janz, *Friedrich Nietzsche*, Bd. 3, München 1979,
S. 257 ff. – Die verstreuten und z. T. anonymen Besprechungen, die *Menschliches, Allzumenschliches* und die *Unzeitgemäßen Betrachtungen* gefunden
haben, stammen aus dem Bekannten-Freundeskreis, so z. B. von Karl Hille-
brandt und Heinrich Köselitz.

16 Bei Zitaten aus *Jenseits von Gut und Böse* wird im folgenden lediglich die
Nummer des Aphorismus genannt.

Gleichwohl gefällt ihm die Warnung vor seinem »gefährlichen Buch« außerordentlich. Er zitiert den Vergleich mit dem Dynamit in seinen Briefen immer wieder und kommt auch in *Ecce homo* darauf zurück. Die Rezension gilt ihm mit Recht als erstes Anzeichen der gewünschten Wirksamkeit. Zwar findet *Jenseits von Gut und Böse* noch keine breite Leserschaft, aber es verschafft dem Autor die Aufmerksamkeit, die ihn schon zwei Jahre später in den Kopenhagener Vorlesungen von Georg Brandes zum Kronzeugen des neuen »aristokratischen Radikalismus« werden läßt.[17] Bei dem Rezensenten seines nächsten Buches, der *Genealogie der Moral* (1887), beschwert Nietzsche sich noch, daß *Jenseits* nicht beachtet werde; wenn es einen Schlüssel zu seinem Schaffen gebe, dann finde er sich in diesem Buch![18] Doch bald braucht er auf seine Schriften nicht mehr aufmerksam zu machen; als Autor wird er nun rasch bekannt, und seit 1890 gilt er als literarische Sensation. Davon aber nimmt er nichts mehr auf. Vor dem geistigen Zusammenbruch im Januar 1889 hat er nur eine übersteigerte Ahnung von dem kommenden Ruhm.

Es lohnt sich auch heute noch, Nietzsches Rat zu beherzigen und *Jenseits von Gut und Böse* zuerst zu lesen. Das mystagogische Versteckspiel mit Zarathustra ist beendet, und er spricht wieder mit der Klarheit und Schärfe des »freien Geistes«, wie er es schon in *Menschliches, Allzumenschliches* in Erinnerung an Voltaire getan hatte. Nun aber versucht er jene seit 1881 allmählich gewachsene Einsicht in den Grundcharakter alles Geschehens als »Wille zur Macht« begrifflich zu fassen. Es ist weder »Selbsterhaltung« noch »Selbstgenuß«, was die Triebkräfte des Lebens freisetzt, sondern eben »Wille zur Macht«, ein stets von innen kommender Impuls zur Stei-

---

17 Vgl. dazu: G. Brandes, »Aristokratischer Radikalismus. Eine Abhandlung über Friedrich Nietzsche«, in: *Deutsche Rundschau* 63 (1890) S. 52 ff.

18 »[...] warum ist mein ›Jenseits‹ verschwiegen? Ich weiß sehr wohl, daß dasselbe als ver bo te nes Buch gilt – aber trotzalledem enthält es den Schlüssel zu mir, we nn es einen giebt. Man muß es zuerst lesen.« (Brief an Carl Spitteler vom 10. Februar 1888, Nr. 988; KSB 8,247.)

gerung der besten Kräfte. Im Aphorismus 19 kann man erkennen, wie er sich dieser Triebkraft über die Analyse von
Gefühlskomplexen nähert und dabei auf Bedingungen stößt,
die er offenbar nur im Rückgriff auf den überkommenen
Begriff der »Seele« ausdrücken kann. Sogar Kants Rede vom
»intelligiblen Charakter« wird herangezogen, um verständlich zu machen, was sein neuer Begriff zum Ausdruck bringen soll: »Die Welt von innen gesehen, die Welt auf ihren
›intelligiblen Charakter‹ hin bestimmt und bezeichnet – sie
wäre eben ›Wille zur Macht‹ und nichts ausserdem« (36).

Vor diesem Hintergrund gibt es zu denken, mit welcher
Entschiedenheit Nietzsche darauf besteht, dem Willen zur
Macht als Psychologe auf die Spur zu kommen. Die Psychologie gilt ihm als »Weg zu den Grundproblemen« (23). Stärker kann man nicht kenntlich machen, daß die Beschäftigung
mit den »Grundproblemen« aus der Perspektive des Menschen zu betreiben ist. Die Philosophie, die er gerade damit
wieder in ihr ursprüngliches Recht setzen will (42), hat also
vom Menschen auszugehen, und beim Menschen muß sie
zwangsläufig auch enden.

Nicht zuletzt deshalb wehrt sich Nietzsche so entschieden
gegen jede moralische Voreingenommenheit, jede humanistische Verklärung des Menschen. Die Grenze, die sich der
Mensch notwendig ist, muß er so offen halten wie möglich.
Die Moral gilt daher als eine »Corruption der Instinkte«, in
der sich nicht nur die Erkenntnisoptik des Psychologen ver-
zerrt, sondern die auch den »Abenteurer-Muth« verlieren
läßt, den der Philosoph für seinen Selbstversuch mit dem
Leben benötigt. Die Philosophen der Zukunft haben »Menschen der Experimente« zu sein; sie sollen über die »Sicherheit der Werthmaasse« verfügen, sollen methodisches Be-
wußtsein und Mut besitzen, und sie müssen »Alleinstehn
und Sich-verantworten-können« (210). Von hier aus wird
wohl am ehesten deutlich, warum Nietzsche den »Immoralis-
mus« fordert und nach einer »Umwerthung aller Werthe«
verlangt.

Jenseits zeigt sich damit in der Tat als Schlüssel zu den großen Themen in Nietzsches Spätwerk: zur Lehre vom »Willen zur Macht« mit ihrem Nachdruck sowohl auf dem werdenden wie dem wertenden Charakter alles Geschehens, zur »Umwertung« mit ihrer radikalen Zeit- und Moralkritik sowie zur »Experimental-Philosophie« mit ihrer betont ästhetisch-dionysischen Konsequenz. Wenn überhaupt, so eröffnet sich von hier aus auch ein Zugang zum »Übermenschen« und zur »ewigen Wiederkunft«, die Zarathustra verkündigt.

Jenseits empfiehlt sich dem heutigen Leser aber auch, weil Nietzsche hier seine Schwächen besonders gut zu erkennen gibt. Nach den Mißverständnissen, die Nietzsches Denken bis heute hervorruft, ist es wichtig, möglichst früh seinen eigenen Anteil an den Fehldeutungen und einseitigen Inanspruchnahmen zu erkennen. Sein Extremismus, der keine Ausgewogenheit und schon gar keinen systematischen Ausgleich will, führt offenen Auges zu Einseitigkeiten. Sein Perspektivismus enthält kein methodologisches Prinzip, das die Verselbständigung einzelner Thesen untersagte. So kann man sich beliebig bedienen und findet bei diesem alles versuchenden Denker für alles mögliche Belege. Thomas Mann gab daher die Empfehlung, bei Nietzsche nichts wörtlich zu nehmen.[19] Der Initiator der Kritischen Gesamtausgabe, Giorgio Colli, wollte aus diesem Grund sogar das Zitieren aus Nietzsches Schriften ganz untersagen.[20]

Natürlich sind das übertriebene Rücksichten. Aber daß sie nicht ganz grundlos sind, kann man um so eher verstehen, je deutlicher die Verstiegenheiten und Abwege in Nietzsches

19 »Wer Nietzsche ›eigentlich‹ nimmt, wörtlich nimmt, wer ihm glaubt, ist verloren.« (Th. Mann, »Nietzsche's Philosophie im Lichte unserer Erfahrung« (1947), in: Th. M., *Essays*, Bd. 3, Frankfurt a. M. 1978, S. 235–264, hier S. 261.)

20 »Ein Fälscher ist, wer Nietzsche interpretiert, indem er Zitate aus ihm benutzt [. . .]. Im Bergwerk dieses Denkers ist jedes Metall zu finden: Nietzsche hat alles gesagt und das Gegenteil von allem.« (G. Colli, *Nach Nietzsche*, Frankfurt a. M. 1980, S. 209.)

Denken sind. In *Jenseits* können dafür die bizarren Behauptungen über die verschiedenen Unfähigkeiten des »Weibes« ein Beispiel sein. Ganz gleich, ob er aus dem weiblichen Wunsch, sich zu schmücken, die Unfähigkeit, über sich selbst auch etwas Wahres auszusagen, ableitet (232), ob er sich in Andeutungen über die weibliche »Dummheit in der Küche« ergeht (234) oder ob er, wie so oft, gegenüber dem Weib hauptsächlich Strenge empfiehlt (238): die Äußerungen verraten viel über den Autor und nur wenig über das Verhältnis der Geschlechter. Kennzeichnend für Nietzsche ist freilich auch hier, daß er eben diesen Tatbestand offen zum Ausdruck bringt: Seine Wahrheiten über das »Weib an sich« – die Anführungszeichen stammen von ihm –, seien eben nur *seine* Wahrheiten (231).

Wer dem Extremismus einzelner Äußerungen nicht zum Opfer fallen möchte, der darf sie vor allem nicht nach Art einer für sich stehenden wissenschaftlichen These begreifen. Er hat vielmehr auf den Zusammenhang zu sehen, hat auf die vielfältigen Einschränkungen und Vorbehalte zu achten, insbesondere auch auf die zahllosen Fragezeichen und Anführungsstriche, und er muß sich immer wieder vor Augen führen, in wie vielen scheinbar gegensätzlichen Positionen dieser Denker sich so ernsthaft wie spielerisch bewegt: Nietzsche bestreitet die Existenz des »Willens« und sucht doch die Triebkraft alles Geschehens in einem »Willen zur Macht« (19 und 36); er hält die »Wahrheit« für ein moralisches Vorurteil, das überwunden werden muß (34), beharrt aber auf der »Redlichkeit« als der höchsten Tugend des freien Geistes (227); er entlarvt die Moral als eine »Tyrannei gegen die ›Natur‹« (188), möchte in der geforderten immoralistischen »Selbstüberwindung der Moral« aber gerade die Momente des Zwangs, des Befehlens und Gehorchens sichern (211), ganz ähnlich übrigens, wie er den »Typus ›Mensch‹« durch die »fortgesetzte ›Selbst-Überwindung des Menschen‹« zu bewahren sucht (257); er läßt den »Sklaven-Aufstand in der Moral« mit den Juden beginnen (195) und dankt den Juden, in bewußter Abgrenzung gegen den längst in Mode gekommenen Antisemitismus, für den »grossen Stil in der Moral«, den sie nach Europa gebracht haben (250).

Daß so gegensätzlich erscheinende Positionen in Nietzsches Denken nebeneinander Bestand haben, verrät auch etwas über ihre sachliche Nähe. Um sie zu erkennen, ist es wichtig, sich ihnen zunächst in vorbehaltloser Lektüre zu überlassen. »Nietzsche lesen« – das hat Mazzino Montinari exemplarisch vorgeführt[21] – ist eine Empfehlung, die nicht nur für den Anfänger gilt. Der Text ist durch keine systematische Interpretation zu ersetzen; nur das Wenigste läßt sich hier erschließen und herleiten. Deshalb bleibt auch der Kenner darauf angewiesen, der sich immer wieder verzweigenden Spur der Texte zu folgen. Es dürfte dies auch der beste Weg sein, zu einem Liebhaber Nietzsches zu werden. Wer ihn aber kennt und schätzt, der wird gewiß kein Jünger Nietzsches sein wollen.

Volker Gerhardt

---

21 Der am 24. November 1986 verstorbene Herausgeber und Kommentator Nietzsches, Mazzino Montinari, hat dieses von ihm gelebte Motto auch zum Titel eines lesenswerten Sammelbandes mit Aufsätzen über Nietzsche gemacht: M. Montinari, *Nietzsche lesen*, Berlin / New York 1980. – Zur weiterführenden Literatur über Nietzsche sei auf die Bibliographie von Jörg Salaquarda im Anhang des von ihm herausgegebenen Sammelbandes: *Nietzsche*, Darmstadt 1980 (Wege der Forschung, Bd. 521), verwiesen. Zu beachten sind hier insbesondere die Arbeiten von L. Andreas-Salomé (1894), E. Fink (1960), I. Frenzel (1966), E. Heftrich (1962), W. Kaufmann (1950; dt. 1982), W. Müller-Lauter (1970), P. Pütz (1967) sowie die noch nicht erwähnte Gesamtdarstellung von F. Kaulbach, *Nietzsches Idee einer Experimentalphilosophie*, Köln/Wien 1980.

Inhalt

Friedrich Nietzsche

IN RECLAMS UNIVERSAL-BIBLIOTHEK

Philipp Reclam jun. Stuttgart